UM INTELECTUAL NA POLÍTICA

FERNANDO HENRIQUE CARDOSO

# Um intelectual na política

*Memórias*

COMPANHIA DAS LETRAS

Copyright © 2021 by Fernando Henrique Cardoso

*Grafia atualizada segundo o Acordo Ortográfico da Língua Portuguesa de 1990, que entrou em vigor no Brasil em 2009.*

*Capa e caderno de fotos*
Victor Burton

*Foto de capa*
Foto da esquerda e do centro: Acervo Presidente Fernando Henrique Cardoso; foto da direita: Orlando Brito.

*Imagens do caderno de fotos*
Acervo Presidente Fernando Henrique Cardoso, exceto: p. 11 (abaixo): Eraldo Peres; p. 13 : Lula Marques/ Folhapress

*Preparação*
Maria Emilia Bender

*Checagem*
Érico Melo

*Revisão*
Carmen T. S. Costa
Luciane H. Gomide

*Índice onomástico*
Luciano Marchiori

Dados Internacionais de Catalogação na Publicação (CIP)
(Câmara Brasileira do Livro, SP, Brasil)

Cardoso, Fernando Henrique
　Um intelectual na política : Memórias / Fernando Henrique Cardoso — 1ª ed. — São Paulo : Companhia das Letras, 2021.

ISBN 978-65-5921-067-1

1. Cardoso, Fernando Henrique, 1931- 2. Memórias autobiográficas 3. Políticos – Brasil – Autobiografia 4. Presidentes – Brasil – Autobiografia I. Título.

21-59919　　　　　　　　　　　　　　　　　　CDD-923.1

Índice para catálogo sistemático:
1. Brasil : Presidentes : Memórias autobiográficas　　923.1

Cibele Maria Dias – Bibliotecária – CRB-8/9427

[2021]
Todos os direitos desta edição reservados à
EDITORA SCHWARCZ S.A.
Rua Bandeira Paulista, 702, cj. 32
04532-002 — São Paulo — SP
Telefone: (11) 3707-3500
www.companhiadasletras.com.br
www.blogdacompanhia.com.br
facebook.com/companhiadasletras
instagram.com/companhiadasletras
twitter.com/cialetras

*Não fossem a disposição de Miguel Darcy de Oliveira e seus comentários pertinentes, este livro teria perdido muito do interesse que possa ter. A ele, pois, meus agradecimentos e esta dedicatória.*

# Sumário

1. Infância e mocidade .............................. 13
2. A formação do sociólogo ........................ 43
3. As mudanças no Brasil e os primeiros livros.......... 69
4. Novos tempos, novas vivências .................... 87
5. O muito que aprendi no Chile.................... 106
6. O curto-circuito de Maio de 68.................... 125
7. Anos de chumbo ................................ 133
8. As ideias e o seu lugar............................ 159
9. Brechas e caminhos para a democracia .............. 177
10. O sentimento do dever cumprido.................. 216
11. Crise e metamorfose da democracia................ 241
12. O Brasil e o seu futuro .......................... 263
13. Uma vida bem vivida ............................ 278

*Obras citadas*.................................... 295
*Índice onomástico* ................................ 303

Há tempos meu editor, Luiz Schwarcz, sugeriu que eu escrevesse um livro (o último, espero) sobre minhas memórias intelectuais. Pedi emprestado a um amigo querido, Celso Lafer, os livros memorialísticos de Norberto Bobbio. Um se chama, em português, *O tempo da memória*, e contém, entre outros, o ensaio famoso "De senectute"; o outro, *Diário de um século: autobiografia*, já traz no título seu conteúdo. Bobbio sabia quando e em quais circunstâncias escrevera seus artigos, livros e apontamentos. Além do mais, sabia pensar.

Por certo, em qualquer caso, escrever sobre um período da própria vida revela um gosto especial por si mesmo, do qual não me excluo. Mas eu, que já escrevi tantos livros, só concordei com meu editor porque nunca havia escrito à la Nabuco, a quem tanto admiro, sobre minha formação intelectual. Pretendia, ao fazê-lo, mencionar só de passagem minha família e minhas memórias políticas. O que de mais significativo para o leitor estas últimas possam ter, já publiquei em quatro volumes de *Diários* (quase 5 mil páginas), que se referem ao período em que exerci a Presidência. Publiquei-os sobretudo como documentos eventualmente úteis para quem viesse a estudar o período.

Mantive tal diário de janeiro de 1995 a final de dezembro de 2002. Daí para a frente não tive nem o tempo nem o cuidado necessários para anotar o dia a dia. (Não que me sobrasse tempo na Presidência...)

Apesar de haver dedicado alguns decênios à vida política, sempre me preocupei com a universidade e com a vida intelectual. Mesmo no exercício de atividades políticas, tentava, o quanto possível, acompanhar o que acontecia nas universidades, em especial na área das ciências humanas. Ainda na graduação, já havia trocado minha paixão juvenil pela literatura, sem contudo deixá-la de vez, por novos amores, estes mais circunspectos, abraçando a vida e a produção universitárias.

Comecei a carreira universitária na USP como professor assistente de história econômica na cátedra da Faculdade de Ciências Econômicas e Administrativas, então sob o rígido comando de Alice Canabrava. Cursava ciências sociais quando, em 1951, meu professor, amigo e protetor Florestan Fernandes me indicou a Mário Wagner Vieira da Cunha, professor de ciência da administração e diretor do Departamento de Administração daquela faculdade.

Naquele departamento fui trabalhar sob as ordens da socióloga Lucila Herrmann, que me fez rever os arquivos da "Lei dos Dois Terços", que obrigava as empresas a ter em seus quadros essa proporção de brasileiros. Estávamos ainda sob a influência de preocupações com a "política nacionalista", de Getúlio Vargas, e como houve forte imigração para o Brasil, sobretudo de italianos e espanhóis, tornava-se premente dar emprego aos que aqui nasceram. Os arquivos ficavam no edifício do atual Palácio das Indústrias, no parque D. Pedro II, em São Paulo. Daí para me tornar docente foi um pulo: o mesmo Mário Wagner me indicou, em

1952, para uma vaga de assistente que se abrira na cátedra de história econômica, regida por Alice Canabrava. O então reitor, Ernesto Leme, assinou uma portaria me autorizando a dar aulas, mesmo sem ter concluído a graduação.

Alice Canabrava, que iria escrever um livro sobre o abastecimento da cidade, me enviou ao Arquivo Histórico — então localizado no prédio que mais tarde abrigaria o Departamento de Ordem Política e Social (Dops), de horripilante memória, e onde hoje funciona a Estação Pinacoteca, ao lado da Sala São Paulo —, para ler as Atas da Câmara Municipal de São Paulo dos séculos XVII e XVIII. Fui obrigado a fazer um curso para entender a escrita daqueles séculos e... ganhei amor pelos documentos.

Carreguei tal paixão vida afora. Muitos anos depois, como presidente, achei que cabia registrar o que me ocorria no exercício do poder. A isso, como conto na introdução do primeiro volume dos *Diários*, fui levado por Celina Vargas do Amaral Peixoto, que me disse que eu deveria fazer o que seu avô, Getúlio Vargas, fizera. Registrei meu cotidiano presidencial mais como quem ama documentos do que como sociólogo que ama interpretações...

Aliás, já abrindo um parêntese, que vai por conta da velhice que gosta de rememorar "causos": hoje percebo o quanto a fase de formação pesa no espírito das pessoas. Nunca fui historiador, propriamente, e menos ainda militar. Mas a disciplina requerida por um e outro entranha meu modo de ser. Filho e neto de generais (e os tenho aos montes na família), aprendi a levantar cedo, fazer exercícios, manter certa disciplina, beber pouco. Enfim, levar uma vida regrada. Não que consiga sempre... Fico me cobrando se não sigo o que acho que "deve ser". Quando transijo, é como se tivesse pecado. E outra vez me vem à lembrança que fui muito católico... "Quem diria?", perguntarão os adversários e os céticos. Mas é verdade.

Tudo isso conforma uma mentalidade rigorosa, por mais que

tenha namorado ideias não conservadoras e mesmo revolucionárias. "Cada um é vários, é muitos", dizia Fernando Pessoa. O ser humano é um feixe de contradições. Ou eu, pelo menos, sou um tanto assim.

Voltando ao início, quando concordei em escrever sobre minha formação intelectual. Logo pensei: não quero que seja um volume grande, cheio de citações e baseado em documentos. Sempre gostei de literatura. No momento, na cabeceira de minha cama há um livro extraordinário que releio sempre que posso, *Memórias póstumas de Brás Cubas*, de Machado de Assis. Queria, sem ter talento para escrever como os romancistas, pelo menos ganhar liberdade de estilo para misturar imaginação e fatos. Gostaria de escrever mais à moda dos literatos do que dos "ólogos", politólogos ou sociólogos. Ainda recentemente escrevi uma nota introdutória aos *Maias*, de Eça de Queirós. Não fosse haver apelado para ideias de meu ex-aluno e amigo Roberto Schwarz, estaria perdido. De verdade, falta-me a imaginação literária.

Sei também que o cachimbo faz a boca torta. Dito isso, à moda de desculpas, vamos ao que aprendi a fazer, ao bê-a-bá de quem teve a formação que tive e sofreu as influências que sofri. Tentarei, contudo, ser o menos maçante possível. Não seguirei propriamente um fio histórico. Escreverei sobre alguns fragmentos de minha já longa vida. No ano de publicação deste livro, se os fados permitirem (escrevo em plena pandemia do coronavírus), completarei noventa anos.

# 1. Infância e mocidade

Nasci no Rio de Janeiro, em 1931. Naquele momento, meu pai, Leônidas Fernandes Cardoso, e minha mãe, Nayde Silva Cardoso, moravam com minha avó paterna e vários tios, na rua Dezenove de Fevereiro, em Botafogo. Na verdade, minha mãe me deu à luz na Pró-Matre, uma maternidade que ficava no bairro da Gamboa. Em épocas eleitorais, quando os adversários queriam me caracterizar como elitista, eu tentava dizer que nascera em um bairro popular do Rio. Como ninguém em São Paulo, onde fui candidato pela primeira vez em 1978, sabia coisa alguma do Rio, eu falava às moscas. Fato é que da rua Dezenove de Fevereiro não tenho lembranças.

Já da outra rua em que moramos logo depois, rua Bambina, também em Botafogo, tenho tantas que não sei se são memórias ou histórias contadas por minha família e que assimilei como se as tivesse vivido. Da casa me recordo bem, mesmo porque diante de mim, enquanto escrevo no computador, tenho uma foto que me foi dada por Arnon de Mello Neto, tirada por sua mulher, Joana. Na foto a casa aparece como era até havia pouco, encimada por uma árvore que se espalhara pelo telhado e por raízes que, como águas em uma cachoeira, se derramavam sobre o frontispício.

Para chegar ao andar em que vivíamos era preciso subir uma escada externa, que dava para a sala de entrada. Não que a casa fosse de dois andares: é que havia um porão alto, onde eu imaginava ter havido senzalas. No quintal, enorme, minha avó criava galinhas brancas, Leghorn, e vermelhas, Rhode Island. De tempos em tempos eram mortas por degola para que as comêssemos. Com o sangue se fazia um caldo grosso, o molho à cabidela.

Nessa minha primeira infância havia discussões infindáveis ao redor da mesa de jantar. Em 1932, meu pai passara a trabalhar temporariamente no gabinete de seu tio, Augusto Ignácio do Espírito Santo Cardoso, então ministro da Guerra de Getúlio Vargas. Meu avô, Joaquim Ignácio, irmão de Augusto, morrera em 1924; tinha honras de marechal e apoiara os tenentes de 1922. Meu pai, seu irmão mais velho e vários primos foram revolucionários. Alguns dos rebeldes foram presos, inclusive meu pai, seu irmão e alguns primos — como, aliás, também meu avô, que esteve preso em um navio, na companhia do ex-presidente e também prisioneiro marechal Hermes da Fonseca.

Nessas altercações, de um lado estavam meu pai e um primo que morreu general, Aquiles de Menezes — ambos haviam apoiado os revolucionários paulistas de 1932. Meu pai, mais por detestar o general Góis Monteiro, que fora do gabinete de seu tio, do que por convicções. De todo modo, essas discussões tão calorosas, de cujo teor eu não tomava sequer conhecimento, levaram a uma grande cisão na família.

Outro fato que me marcou, e hoje me faz lembrar o episódio de Joaquim Nabuco chorando a morte da madrinha, foi "a partida". Minha mãe convencera meu pai a mudar-se para outra casa, na rua Buarque de Macedo, no Flamengo. Não tenho memória dessa casa. Entendo a reação de minha mãe: ela tentava garantir sua individualidade, diante de uma família que provavelmente lhe aparecia opressiva. Minha avó era figura dominante. Pois bem, até hoje me recordo do choro e de meus brados ao entrar em um carro que me conduziria à nova morada. Eu não queria deixar minha avó e tios. Isso deve ter ocorrido em 1934, 35, quando eu tinha apenas três ou quatro anos.

Nas famílias antigas, com muita tradição e pouca renda, era comum os descendentes viverem junto com o casal mais velho ou a figura dominante. Daí que meus pais morassem com minha avó, três irmãs e outros tantos irmãos, àquela altura ainda solteiros. Isso dos dezesseis filhos que minha avó teve...

A POLÍTICA VEM DO BERÇO

Saltamos para 1938. Eu estava com minha irmã e meus pais gozando o ócio na praia de Icaraí, em Niterói, para onde se viajava nas velhas barcas da Cantareira. Muito cedo, em certa manhã de novembro daquele ano, toca o telefone. Meu pai atende, volta ao quarto e se farda (algo pouco usual, mormente nas ocasiões de descanso). Eu soube depois: fora chamado às pressas, os integralistas haviam cercado o Palácio Guanabara, residência do presidente. Lá estava o Dutra, que à época ainda era general, junto à tropa governista, nas grades do parque. Na refrega, Dutra foi ferido em uma orelha pelos revoltosos.

Ainda no final de 1937 Getúlio Vargas mandara proceder à queima das bandeiras estaduais, na praça do Russel, ao lado do Hotel Glória. Era o sentimento nacional que se opunha àquele que, embora não fosse, era percebido como o sentimento autonomista de alguns estados da Federação. Vivíamos no Estado Novo autoritário, implantado em 1937 e que duraria até 1945.

Dessa primeira infância, tenho também a imagem, de modo

mais enfumaçado, de Roosevelt com Getúlio num carro aberto quando da visita do presidente americano em 1936 para consolidar as relações entre os dois países. Recordo ou imagino? Não estou certo. O que sim, é certo, é que mais tarde Roosevelt esteve em Natal, em janeiro de 1943, e firmou acordos com o governo brasileiro que possibilitaram aos americanos fazer uma base militar na capital do Rio Grande do Norte, além de pavimentar o aeroporto de Belém. Com isso, prepararam a "ponte aérea" entre as Américas e a África, utilizada durante a guerra.

Conto esses episódios para dizer que a política, para mim, vem, por assim dizer, do berço. Se retroceder mais, foi grande o número de parentes que ocuparam cargos públicos. Meu bisavô paterno, Felicíssimo do Espírito Santo Cardoso, nascido em Goiás Velho, em 1835, e falecido em 1905, descendia de portugueses da região de Bragança e do Viseu, vindos para o Brasil no século XVIII. Além de haver sido senador provincial, ele fora presidente da província de Goiás no final da monarquia e tinha o título de brigadeiro.

Meu tataravô, José Manoel Pereira Cardoso, nascido em 1802 em Goiás Velho e falecido em 1869, era casado com Rita Porfírio da Silva Oliveira, de família mineira, de Ouro Preto, cujo avô, meu pentavô, o capitão-general José Manuel da Silva e Oliveira, nascera em Ouro Preto em 1771 e fora assassinado em 1814, em Traíras (GO), não podendo assim assumir o governo da província do Grão-Pará para o qual fora nomeado. E por aí, recuando no tempo, vão se somando gerações em que muitos de meus ascendentes tiveram alguma participação nos negócios públicos.

OS MILITARES

Por que tantos antepassados pertenceram ao Exército? Primeiro porque este era um dos caminhos para os que, *venidos a menos*, como se diz em espanhol, queriam manter as pretensas glórias e haveres de tempos passados. No caso de meu avô e seu irmão, depois de internos em um seminário em Paracatu, em Minas (diziam que meu avô sabia latim), foram ambos para o Rio "sentar praça" — estudaram na Escola Militar, que ficava na Praia Vermelha. Desde a colônia, os nascidos em família de destaque já nasciam cadetes. Assim é que esses meus antepassados entraram na carreira militar diretamente nessa patente.

No Rio conheceram duas irmãs, filhas de um português, Manuel Pinto Fernandes, vindo de Vila Nova de Gaia, ao lado da cidade do Porto. Ele era o que hoje se chama empreiteiro de obras. Servia à família imperial e também se incumbiu do calçamento das ruas do Rio de Janeiro. Enricou, como se dizia. Morava num sobrado em São Cristóvão e tinha diversas propriedades no Rio, como outras tantas (uma quinta e prédios) que deixara na Vila Nova de Gaia, em Portugal. Casou-se com uma senhora do Rio, mas não tenho registro de minha bisavó paterna, sei apenas por ouvir dizer que ela provavelmente seria de origem modesta e talvez mulata. Pois bem, os dois irmãos, meu avô e meu tio-avô, casaram-se com duas irmãs, filhas do "coronel" Manuel Pinto Fernandes.

O velho português (de quem tenho uma foto, fardado de coronel da Guarda Nacional, honraria arranjada por seus genros), desde que enviuvou, não mais se casou, restando-lhe três filhas e um varão: Linda (minha avó); Sinhâninha, ou sinhá Aninha, casada com Augusto; e tia Iaiá, apelido que se dava às Marias. As três se casaram com jovens oficiais: meu avô e seu irmão, e um terceiro, também militar, acabou casando com tia Iaiá, mãe do acima referido Aquiles de Menezes. Todos oficiais do Exército. E mais: o único filho homem desse meu bisavô, João Pinto Fernandes, também optou pelo Exército e morreu general.

Os genros e filhas, dada a função militar dos cabeças de casal, espalharam-se pelo Brasil, em geral no Sul, pois era lá que se concentrava o Exército, temerosos que éramos de uma invasão. Os paraguaios já haviam feito uma, de repente poderia vir outra da Argentina... Por isso, naquela época e até os anos 1950 do século passado, não havia estradas pavimentadas até as fronteiras e muito menos pontes. Meu pai nasceu no Paraná, em 1889 (faleceu em 1965), e para lá voltou mais tarde, pois meu avô serviu outra vez naquele estado. Tenho outros tios e primos paranaenses, outros nascidos em Mato Grosso e até em São Paulo, fora os que eram cariocas.

Meu bisavô ficou sozinho no Rio de Janeiro e, com o tempo, foi acometido de demência senil. Vendeu ou deu quase tudo que possuía (as idas e vindas das filhas demoravam anos...). Sobrou apenas uma casa para cada uma das três filhas e desconheço se o filho foi contemplado. Do sobrado onde morava só sei por descrições de meu pai, que nele habitou quando criança. Meu bisavô perdeu quase tudo, tanto as propriedades portuguesas como as brasileiras. Alguns dos descendentes tentaram reaver as portuguesas, em vão. O velho tinha irmãs em Portugal, talvez coubesse a elas o patrimônio, pelo menos parte, mas tudo se evaporou na memória dos mais antigos. Muita fumaça e pouca lenha ardendo.

Já minha mãe, nascida em Manaus em 1904, se algo teve a ver com a vida política, foi pelo lado materno. Sua mãe tinha o sobrenome Rego, de origem pernambucana, mas era nascida em Viçosa, nas Alagoas. Cândida Rego de Araújo Silva era o nome de minha avó. Seu sobrinho, a quem criou, Octavio Brandão Rego, foi um dos fundadores do Partido Comunista. Fugiu do país, foi para a União Soviética em 1931, com a poetisa Laura Brandão. Morta esta, casou-se em Moscou com uma irmã de Luís Carlos Prestes.

Conheci Octavio quando, depois da redemocratização de 1945, ele se elegeu uma vez mais vereador pelo Rio de Janeiro e visitou a casa de meu pai no Rio, então deputado federal por São Paulo (entre 1955 e 1959). Já Prestes eu vi pela primeira vez, e seria das poucas, quando ele foi ao apartamento de meu pai no Rio (fora tenente como meu pai, mas se enfermara, com tifo, e por isso não participou da Revolução de 1922). Conversaram trivialidades, só comentaram, um para o outro, pequenos acontecimentos da rotina de militares: quem teria traído não sei quem na revolução tal ou qual, ou, pelo contrário, quem teria apoiado outros que permaneceram firmes com os movimentos dos tenentes...

Àquela altura — eu, casado, já morava em São Paulo — minha avó vivia em outro andar do mesmo prédio em que meu pai morava, na rua Conselheiro Lafayette, em Copacabana, onde também residiam meu tio Carlos, na cobertura, e outro tio a quem chamávamos de Císsimo (Felicíssimo), também general, e que se mudara da Tijuca para a Conselheiro Lafayette para ficar perto dos seus, embora em outro prédio. A tradição de morar junto permanecia, modificada: cada família em um andar diferente do mesmo prédio. E, quem não vivesse no mesmo prédio, que pelo menos morasse perto.

Voltando à família de minha mãe: conheci uma das filhas de Octavio Brandão da primeira vez que estive em Moscou, no final dos anos 1970, para uma reunião da Associação Internacional de Sociologia (ISA), e a vi, mais de uma vez, em viagens subsequentes. Quando fui à Rússia em 2002 como presidente, um jornal do Rio publicou uma foto em que apareço visitando escavações no Kremlin (passei uns dias lá, com Putin) ao lado de um arqueólogo russo — era um primo, perdido naquelas paragens. Ainda presidente, trouxe para o Brasil uma das primas, neta de Octavio, física, que veio com o marido também cientista. Viveram no Rio, trabalharam na UFRJ antes de irem para a Califórnia dar sequência a suas pesquisas em universidades por lá. E perdi o contato.

Meu avô materno, Sylvestre Domingues de Araújo e Silva, tinha ascendência espanhola. Ele era protestante — escrevia salmos nos telegramas de aniversário que nos mandava do distante

Amazonas —, mas era também maçom. E suas duas filhas estudaram em colégio católico, das Irmãs Doroteias. Esse avô dedicava-se ao comércio. De Alagoas foi fazer a vida em Manaus. Foi lá que meu pai, primeiro exilado (depois das revoluções tenentistas ele serviu na fortaleza de Óbidos, às margens paraenses do rio Amazonas) e, mais tarde, transferido em liberdade, conheceu minha mãe, com quem viria a se casar.

Minha avó materna, como disse, era da família Brandão Rego, de Alagoas, daí que o senador e ex-governador Teotônio Brandão Vilela, apelidado de Menestrel das Alagoas por seu papel na luta pela redemocratização, só me chamasse de primo, o que era verdade remota: sua tia Mariazinha também era tia de minha mãe.

Não conheci meus avós maternos. Da família de minha mãe, conheci apenas sua irmã, que veio morar em São Paulo nos anos 1950 com o marido, Leopoldo Loureiro, e os filhos, um dos quais tinha o mesmo nome do pai e foi meu amigo na adolescência. Estudava engenharia agronômica em Viçosa e, antes de ter vida autônoma e da vinda dos pais para São Paulo, ficava conosco nos fins de semana. Quando fui candidato ao Senado pela primeira vez, em 1978, ele, que possuía um depósito de fábrica na Zona Leste de São Paulo, cedeu-o para que eu o utilizasse para guardar material de campanha eleitoral. Sua irmã, Aspásia, trabalhou na USP, tinha o mesmo nome da mãe, irmã de minha mãe. Era habitual no Norte e Nordeste dar nomes gregos ou romanos aos caboclos locais. Minha mãe se chamava Nayde, uma referência às deusas do Tejo, Náiades; sua irmã chamava-se Aspásia...

## NO RIO, ANTES DA SEGUNDA GUERRA MUNDIAL

Retomando o fio da meada e dando um salto atrás. Lá por 1938, 39, ainda no Rio, fomos morar em um edifício em Copacabana, na rua Barata Ribeiro, onde também vivia o então poderoso ex-tenente de 1922 João Alberto Lins de Barros, que seria encarregado de coordenar a mobilização econômica para enfrentar a escassez que decorreria da entrada do Brasil na Segunda Guerra Mundial. Mesmo antes disso começaram as dificuldades de importação devido à presença de submarinos alemães no Atlântico Sul. Quando eu era criança, importava-se muita coisa, até alimentos: manteiga, queijos, uvas e peras, por exemplo, vinham de Portugal, não era só o bacalhau...

A guerra se aproximava e eu a vivi com emoção. Durante a maior parte dela, já morávamos em São Paulo, para onde meu pai fora transferido nos fins de 1940. Mas ainda morando no Rio eu seguia as batalhas, com os avanços e recuos dos que se digladiavam. Na rua Barata Ribeiro, ao lado de nosso prédio, ficava a casa da embaixada da Tchecoslováquia. Razão adicional para eu, menino ainda, seguir de perto o avanço das tropas nazistas no início da guerra e a reação dos aliados.

Comecei a frequentar o Colégio Paulista (creio que ficava na rua Ministro Viveiros de Castro) para fazer o curso primário. Estudava francês em casa, desde quando morávamos na avenida Princesa Isabel, pois para lá nos havíamos mudado depois da Barata Ribeiro. Tínhamos uma professora, francesa, que tivera bócio — e, pois, um pescoço grosso —, que se chamava Marta, e seu sobrenome era Mistinguett, o mesmo da famosa corista, símbolo dos loucos anos 1920.

No colégio, não só me atormentavam as descrições e composições que tínhamos de fazer em português a partir de enormes gravuras coloridas, em geral mostrando paisagens bucólicas com umas poucas personagens, como, principalmente, a *table des verbes*, das aulas de francês. Eu era aluno razoável, tanto assim que no final de um dos anos em que lá estudei fui selecionado para ler algo em francês diante do público (pais, mães e amigos), no salão de festas do Copacabana Palace.

E íamos à praia, minha mãe, minha irmã Gilda e eu. Meu pai raramente pisava na areia, mesmo quando morávamos bem perto do mar, na avenida Princesa Isabel ou na Barata Ribeiro. Frequentávamos a praia no limite entre o Leme e Copacabana. Nas raras ocasiões em que meu pai foi à praia conosco, ele vestiu uma camiseta de manga comprida para evitar queimaduras. Eu e Gilda, de pele alva e não morena como a minha, tínhamos um pouco de vergonha de vê-lo tão inadaptado à praia. Questão de gerações: em seu tempo de infância e adolescência não existia o hábito de ir à praia. E, quando iam, era na praia do Caju, para os lados de São Cristóvão, mais perto do Paço Imperial e do sobrado de meu bisavô, e sempre havia alguém a protegê-los com um guarda-sol.

Quando menino eu tinha horror às injeções, sobretudo aquelas de mercúrio. Desde a Barata Ribeiro, meu pai (que também estudara medicina até ao quarto ano) adorava nos preparar para o "inverno" do Rio. Eu, em especial, que era magro e ouvia que a seguir daquele jeito terminaria tísico, não escapava das agulhas que abririam para mim as portas do paraíso: as praias e o mar de Copacabana. No Colégio Paulista tínhamos aulas de educação física na areia mesmo, e às vezes subíamos o morro, nos fundos do Leme, na Gustavo Sampaio. Só havia árvores, nenhuma favela.

No Brasil, as simpatias governamentais logo antes da Segunda Guerra Mundial (1939-45) pareciam dirigir-se ao Eixo. Certa vez, antes da declaração de guerra, mas quando a sociedade já se mobilizava para apoiar os ingleses, meus tios foram à casa do marechal Artur Oscar Andrade Guimarães — vencedor de Canudos, diziam, como se isso fosse algo a saudar —, onde imperava a matriarca, dona Cantarina. Uma irmã de meu pai, Dulce, se casara com o coronel-médico Carlos Eugênio de Andrade Guimarães, filho do marechal. Lá o casal se encontrou com dona Santinha, esposa do ministro da Guerra, Eurico Dutra. Meus tios portavam na lapela o broche que significava "Dei ouro para a Royal Air Force", da Inglaterra. Dona Santinha, que conhecera o marido em casa de meus avós, pois Dutra fora ajudante de ordem de meu avô, disse-lhes: "Seu pai, se fosse vivo, teria vergonha de vocês". Não creio. Ela é que, de alma, era integralista.

Pouco a pouco as inclinações políticas foram mudando. Meu pai, que fora enviado para São Paulo em 1940, voltara para o Rio em 1943 (tanto assim que fiz um ou dois anos de ginásio no colégio Mallet Soares, creio que na Tijuca) e chefiava, como coronel, uma unidade central de transportes do Exército. Por essa ocasião começou a receber em casa — morávamos em uma casa na rua General Canabarro, que desembocava no Colégio Militar — oficiais americanos de origem portuguesa, que conversavam em nossa língua. E não foi um, foram vários. Provavelmente estavam preparando os oficiais para o que viria em seguida, a adesão do Brasil aos Aliados.

À parte esse fato, dessa época recordo que passava tempos em nossa casa a filha de uma ex-escrava de meu bisavô Pinto Fernandes, chamada Alzira (que fazia as refeições na mesa da família, tal aberto, para a época, era o espírito de meus pais), e outra moça, Aracy, aparentada de Floriano Peixoto. Meu avô servira com o marechal Floriano na Presidência, e por isso morou, bem como meu pai quando criança, no Palácio Itamaraty, que abrigava a Presidência.

Alzira e sua mãe eram agregadas da família, não apenas da família de meus pais, mas da família extensa: ora moravam com uns, ora com outros. Alzira, que eu chamava de Zizi, havia sido minha babá. De pequeno, e mesmo já grandote, eu não calçava meias nem sapatos: esticava as pernas e ela os punha. Em casa de minha avó, não me dirigia diretamente às empregadas, dizia em geral "tenho sede" ou "quero comer". Se perdi esses maus hábitos, eu devo isso à minha mãe e, mais tarde, à minha primeira mulher, Ruth. Se hoje não guardo esses costumes senhoriais, foi pela boa educação que delas recebi.

Das discussões políticas, entre as recordações, sobrou uma mágoa na família: no final dos anos 1930 inauguraram no Rio, para os lados do antigo Senado, logo quando começa a praça Paris, um monumento em homenagem à República de 1889. Além das personagens principais e conhecidas, Deodoro à frente, há, nas laterais, placas de bronze rememorando episódios significativos do movimento republicano. Pois bem: não há referências a meu avô, que na época da proclamação era alferes (segundo-tenente), servia no 1º Regimento de Cavalaria e, segundo seus filhos e parentes, fora ativo na conspiração contra a monarquia. De fato, sua ação está registrada em livros, com a reprodução de uma carta de meu bisavô, Felicíssimo do Espírito Santo Cardoso, monarquista, a seu filho, meu avô, Joaquim Ignácio, onde se lê: "Vocês fizeram uma república que não serviu para nada; aqui, como antes, continuam mandando os Caiado"...

Além disso, tenho uma gravura, originalmente publicada em livro, que mostra três oficiais no Palácio Imperial de Petrópolis entregando ao imperador a carta de banimento: um é meu avô, outro, o tenente Sebastião Bandeira (padrinho de batismo de meu pai) e o terceiro, o capitão Adolfo Mena Barreto. Diante de "tamanha injustiça" — meu avô não constar do Monumento à República — houve um movimento no Rio e, finalmente, foi erigido um busto em sua homenagem, que primeiro esteve no jardim diante da casa onde morava o ministro da Guerra, no Maracanã, e mais tarde (creio que quando um sobrinho dele, Dulcídio do Espírito Santo Cardoso, foi prefeito do Rio no segundo período de Vargas) foi transferido para a Barra da Tijuca, onde até hoje se encontra, embora eu nunca tenha ido vê-lo em seu novo endereço. Na inauguração, pelo contrário, lá estive quando menino e guardo a foto do busto ladeado por meu pai e por mim.

Nesses inícios dos anos 1940, houve grande impacto da guerra sobre nossa vida. Para quem, como eu, nasceu em 1931 e descende de militares, a guerra foi um marco que ultrapassou o entusiasmo pelas batalhas, o entusiasmo pela guerra. Houve também muito contato com a vida política.

Quando, logo depois de iniciada a guerra na Europa, meu pai foi transferido para São Paulo, primeiro nos hospedamos no Hotel Esplanada, que depois foi sede da Votorantim e hoje é a Secretaria de Agricultura de São Paulo — no prédio ao lado se situa a Fundação Fernando Henrique Cardoso. Governava São Paulo Ademar de Barros. Meu pai ficava sediado no comando da então 2ª Região Militar, perto do hotel, na rua Conselheiro Crispiniano, em prédio que foi demolido para que se erguesse a Praça das Artes. O comandante era o general Maurício Cardoso, que não era parente meu e a quem vi uma só vez. Era avô do general Alberto Cardoso, que foi ministro-chefe da Casa Militar em meu governo.

Meu pai tinha dupla função, uma militar, outra política: informar o Exército sobre o que fazia o governador de São Paulo, Ademar de Barros. Daí que logo ao chegar nos houvessem colocado em hotel caro demais para a família, e que, mais tarde, políticos e empresários paulistas tivessem oferecido a meu pai um jantar no Automóvel Clube.

Logo nos mudamos para uma casa no bairro de Perdizes, na rua Santa Adelaide, entre a Turiaçu e a Cândido Espinheira. Conto isso por duas razões: uma, que nem sempre o prestígio político é sustentado por haveres... Meu pai, então major, mal podia suportar as finanças da família, tanto assim que, quando seu irmão Carlos veio para São Paulo (como interventor no Banco Alemão, que com a guerra sofrera intervenção federal), ele foi morar conosco, trazendo a família. No Rio, também moramos com a família de outro irmão de meu pai, Joaquim Ignácio, o Quiquim, que mais tarde foi interventor do Banco Francês e Italiano, em São Paulo.

Para confirmar o que disse sobre haver trazido a política do berço: em nossa casa nas Perdizes havia um telefone (de parede...). Pois bem, era censurado pela polícia política do governo paulista. Em compensação, meu pai recebia cópias (datilografadas, ainda) de conversas que a contrainformação do Exército obtinha. Aprendi, portanto, desde cedo, que conversar pelo telefone, quando os governos são autoritários (e mesmo nas democracias), é perigoso. Melhor falar só o que se pode dizer sem segredos ou culpas.

## DESLUMBRAMENTOS E O CHOQUE DA GUERRA

Viver em São Paulo, na rua Santa Adelaide, hoje Lincoln Albuquerque, e depois na Pompeia, foi descobrir um mundo novo. Nas Perdizes, nosso vizinho era um fiscal do imposto sobre o consumo, com uma família numerosa, acho que de Minas. Do outro lado da casa havia um casal de fazendeiros, sem filhos. Minha irmã e eu (já havia nascido um irmão, Antônio Geraldo, mas era pequeno) fomos matriculados no Ginásio Perdizes, situado na avenida Água Branca, hoje, Francisco Matarazzo. Em casa estudávamos música com a professora Gilda Gusso, cujo irmão era padre. Aprendíamos piano, instrumento então obrigatório, do qual meus pais sabiam algo. Minha irmã e, mais tarde, meu irmão aprenderam, enquanto eu sempre fui desastrado.

Tanto na escola como nas ruas onde morávamos ou que frequentávamos, a religiosidade católica era imensa. No colégio eu tinha um colega muito católico, com quem disputava as medalhas de primeiro aluno, ou o aluno mais bem-comportado (as medalhas se alternavam, ora para um, ora para outro, acho). Era Plínio de Arruda Sampaio, mais tarde deputado federal constituinte, e que, quando perseguido em 1964, foi para o Chile e ficou conosco até sua família chegar. A diretora da escola, dona Júlia de Almeida, morava na rua Monte Alegre, paralela à Santa Adelaide.

Era um sem parar de procissões e rezas, mais na casa dos vizinhos do que na escola. Às vezes levávamos em procissão uma imagem de santa até alguma casa e lá, bem como no caminho, rezávamos com afinco. Eu me aborrecia porque minha irmã, ao se deitar, antes de dormir, só rezava um terço e eu queria que ela rezasse um rosário, ou seja, três terços completos.

Meu pai era um espírito tolerante, mas não sei se crente. Minha mãe se esquecera do protestantismo paterno, era católica, à moda brasileira. Eu tanto insisti que eles, que só haviam casado no civil, acabaram por se casar na Igreja católica, no largo das Perdizes, hoje largo Padre Péricles, na paróquia de São Geraldo, onde oficiava o padre Deusdedit de Araújo. Foi nessa mesma igreja que fiz a primeira comunhão. Usava um escapulário e nos dias da Semana Santa rezava ajoelhado em uma porção de milho ou de feijão, para fazer penitência. Já bem mais tarde, quando nos mudamos para a avenida General Olímpio da Silveira, fazia o mesmo na igreja de Santa Cecília. Só que nesse caso havia também o café da manhã depois da comunhão e um jogo de basquete.

Esta era nossa vidinha paulistana, bem distante da que eu conhecera no Rio, de praia, família e política. Uma vida de vizinhança, vigorava um espírito comunitário.

A despeito disso, ou até por causa disso, morar em São Paulo foi, para mim, um choque. Explico: nos bondes que corriam pela avenida da Água Branca havia cartazes que diziam: "São Paulo é a cidade industrial que mais cresce na América Latina". Era verdade. Entretanto, eu nunca havia visto no Rio ruas sem pavimentação. Em São Paulo não havia calçamento na própria avenida da Água Branca, onde ficava o Ginásio Perdizes. Os trilhos dos bondes se assentavam entre a grama no meio da rua, sem pavimentação em volta. Na quadra em que morávamos, na Santa Adelaide, havia. Mas logo adiante, na outra quadra, quando a rua desembocava na avenida Água Branca, era terra o que se via.

Pela manhã vinham cabritas trazidas pelos donos, que iam de porta em porta oferecer leite. As carroças eram puxadas por burros e eu ia com frequência à serraria do Maluf, em frente ao parque da Água Branca, comprar madeiras que usávamos para abrigar as aves nos galinheiros do quintal. Nas margens do rio Tietê, distante, havia campos e peladas de futebol.

Quando nos mudamos para a Pompeia, nas cercanias do estádio do Palestra Itália, atual Palmeiras — fomos para uma casa vizinha à de amigos de meus pais recém-chegados do Rio —, lembro ouvir os toques de recolher e o ruído de sirenes, alertando-nos para treinamentos simulando bombardeios aéreos.

Anos depois, já morando na avenida General Olímpio da Silveira, eu costumava passear pelo bairro do Pacaembu — o estádio fora concluído em 1940 —, onde aqui e ali as ruas ainda eram de terra. Em Higienópolis, não, era um bairro todo calçado.

Foi em 1943 que voltamos a morar no Rio. Copacabana vivia às escuras por causa de eventuais submarinos alemães. Em São Paulo havia abrigos antiaéreos com sacos cheios de areia, que em geral ficavam em garagens dos prédios de apartamentos. Mesmo mais tarde, quando nos mudamos de novo para São Paulo, o ambiente de guerra estava presente, com racionamento e tudo. No Colégio São Paulo, onde fiz parte do curso secundário (o curso ginasial funcionava na rua Gabriel dos Santos; o colegial, na Água Branca), havia a obrigação de fazer o treinamento pré-militar, o que me ajudou a mais tarde ser dispensado do serviço militar obrigatório. Aprendíamos a rastejar e a montar e desmontar fuzis. Meu treinador era o tenente da reserva do CPOR Gustavo Sá e Silva, filho de um dos proprietários da escola e, depois, professor da FGV.

Para a minha geração, principalmente para quem tinha alguma relação com as Forças Armadas, a Segunda Guerra Mundial foi de fato marcante. No Rio, mais ainda. Quando moramos na Tijuca, antes de ir para São Paulo pela segunda vez, meu tio Felicíssimo, irmão de meu pai, vivia a poucas quadras de nós, na rua Professor Gabizo, em uma casa num terreno de uns cem metros de profundidade, embora estreito. Na casa dele havia máscaras contra gases asfixiantes, de vez em quando eu levava uma embora comigo. Ele tinha um filho segundo-tenente que estava no Sul, e temíamos que fosse convocado a ir para a Itália, com a Força Expedicionária Brasileira.

Uma filha desse tio tomou um tiro de fuzil de um guarda. Ela estava no carro do pai, que tinha placa oficial, e eles tentaram entrar, não lembro se em um quartel ou na casa do ministro da Guerra, que ficava no Maracanã. O motorista, apesar da ordem de parar, avançou. O guarda não teve dúvidas: fuzilou o carro e matou minha prima.

Conto isso para mostrar que havia nervosismo e o trato com as armas começava a existir no meu horizonte. No quintal de meu tio, sempre ao lado de soldados que eram motoristas, serviçais ou agregados, brincávamos de matar ratos com tiros... de fuzil. Isso nunca aconteceu na casa de meus pais.

Apesar de meu pai ter espírito mais civil do que militar (era mais intelectualizado, bacharel em direito, sabia francês e espanhol e de vez em quando escrevia notas ou artigos em jornais do Rio), alguns episódios de guerra ficaram gravados em minha memória. Por exemplo, a certa altura, houve uma espécie de desfile militar em nossa rua, na direção do Colégio Militar. Eu quis participar e entrei em um tanque de guerra. Mais de uma vez fui ao cais do porto do Rio, de manhã cedo, quase madrugada, acompanhando meu pai. Íamos ver o embarque de navios mercantes que seguiam guarnecidos para o Nordeste. Por sobre nossa cabeça passavam hidroaviões militares do tipo Catalina, cena comum na época. Eu adorava ver todos esses aparatos militares e, sobretudo, as continências que eram devidas a meu pai...

E também era uma delícia para as crianças quando íamos à casa de minha avó ou de meus tios ver Copacabana vestida de negro, com as janelas cobertas por veludos. Naquela altura, na quadra de 1940, minha avó morava na avenida Atlântica, esquina com a rua Constante Ramos, em um prédio que tinha um jardim enorme que dava para a avenida, na praia, onde também morava o marechal Rondon, a quem visitei uma vez acompanhando uma tia. Na mesma rua Constante Ramos, no número 64, morava o general Horta Barbosa — então presidente do Conselho Nacional do Petróleo —, sogro de outro irmão de meu pai, Clóvis, que casara com uma filha dele chamada Julice (combinação dos nomes dos pais, Júlio e Dirce). O casal e seus filhos, meus primos, viviam na casa do general.

Quando morávamos na Tijuca, ou mesmo se em férias no Rio, caso eu quisesse tomar banho de mar, era para essa casa que eu ia, ou então para a da minha avó, que só mais tarde se mudou para a rua Voluntários da Pátria, em Botafogo, antes de passar a viver, até o fim da vida, na rua Conselheiro Lafayette, quase no Arpoador, também nas cercanias do mar.

Em suma, até entrar na Universidade de São Paulo, em 1949, eu não era completamente paulista: as raízes cariocas afloravam e me marcavam. Quando fui para o Colégio São Paulo, por exemplo, fui objeto do que hoje se chama *bullying*: usava sapatos bicolores, que os cariocas, ao contrário dos paulistas, julgavam elegantes. E mais: eu tinha o hábito de cumprimentar colega por colega, dando-lhes a mão, o que em São Paulo não era habitual, parecia ridículo... Talvez fosse.

Mesmo antes de entrar para a universidade, fui aos poucos me tornando mais paulistano. Ou melhor, era o que os sociólogos da época chamariam de "personalidade marginal", nem de cá, nem de lá. Quando ia para o Rio, em Copacabana, e usava meus ternos paulistas, meus tios me gozavam. O mesmo ocorria em São Paulo, quando ainda tinha o sotaque ou os costumes cariocas.

Meus pais procuravam morar sempre que possível perto dos colégios em que os filhos estudavam. Na segunda vez que viemos para São Paulo e fomos viver na avenida General Olímpio da Silveira, nos instalamos em um prédio hoje demolido que ficava perto do Colégio São Paulo. A partir dessa época meus colegas e amigos de adolescência passaram a formar parte de meu círculo de convivência. Minha mãe preparava bons bifes antes de sairmos em passeios pela cidade. Meus amigos se deliciavam conversando com meu pai, que era bom de contar casos. Ele decidira voltar para São Paulo por volta de 1945, reformar-se, como dizem os militares, e trabalhar como advogado — graduara-se em direito na então Universidade do Brasil, futura UFRJ.

Entre os colegas daquela época, lembro especialmente de Célio Benevides de Carvalho, cujos parentes do Ceará escreviam para uma revista literária chamada *Clã*, e de Luís Ventura, de quem guardo até hoje um quadro de sua autoria, pois foi ajudante de Portinari. Ainda havia a Radha Abramo, que depois se casou com seu primo, Cláudio Abramo, e a Maiah de Almeida Pinsard, que morava numa rua situada acima de uns arcos de tijolos que hoje se veem ao vir do aeroporto de Congonhas, logo antes de entrar no túnel que desemboca na rua da Consolação.

Quando olho meu álbum de formatura, que ainda possuo, aviva-me a memória de outros colegas: Waldir Toniollo, filho de um médico e que morava em Santana; José Antônio Puoli, que se casou com outra colega, Edneia, e que me ajudou em minha primeira campanha eleitoral, pois era associado ao Rotary e lá fiz propaganda; Osmar Penteado de Sousa e Silva, que se formou em engenharia e com o qual eu ia ao Clube Tietê para... remar. Foi ele quem, cinquenta anos depois, ou mais, por indicação de seu cunhado, o arquiteto Carlos Lemos (que veio a ser meu vizinho de chácara em Ibiúna), fez a reforma do apartamento em que hoje resido.

Creio que a partir dessa época passei não só a me sentir mais paulista, como mais ligado à literatura. Não no ginásio, mas no colegial eu já lia romancistas nordestinos (José Lins do Rego, Jorge Amado, Rachel de Queiroz, Graciliano Ramos etc.) e alguns estrangeiros: adorava um livro de William Saroyan, *O jovem audaz no trapézio voador*; Thomas Mann e sua *Montanha mágica*; John Steinbeck e *As vinhas da ira*; e sobretudo Romain Rolland, que descrevia famílias e sua decadência, sobretudo em *Jean-Christophe*, mostrando o ir e vir, o subir e descer na sociedade. Isso sem falar dos poetas. Havia, também, em uma estante de meu pai, um livro que desde pequeno me chamava a atenção: *A mulher de trinta anos*, de Balzac. Imaginava-o erótico... E na mesma estante havia Spencer e os evolucionistas que tanto influenciaram meu pai.

Interessava-me por discussões sobre pintura e literatura. Andávamos muito a pé e discutíamos com paixão sobre esses assuntos. Mas nem todos os colegas eram intelectualizados. Caio Celidônio, por exemplo, foi cursar agronomia em Piracicaba. Filho de médico, morava na rua Albuquerque Lins, em frente ao casarão de um banqueiro onde havia uma piscina. Lá, de raro em raro, nadávamos; e na casa deste meu colega, namorávamos as colegas de escola, em dependências que havia no quintal. Até hoje lembro o nome de uma "namorada", uma loura mais velha do que eu e que... era noiva. Coisas de adolescente.

Também tive certo pendão para a vida associativa. Afora o

já mencionado convívio com a grande política brasileira, eu me ocupava, desde o ginásio, com a pequena política: participei ativamente do grêmio estudantil e cheguei a ajudar a organizar uma (acho que fracassada) associação de estudantes secundaristas. Promovíamos reuniões no velho edifício Martinelli, nas quais sobressaía um estudante chamado Bolívar, que não sei se se perdeu pelo nome ou se teve algum sucesso em formar tal entidade.

Com o término da guerra, em 1945, ventos novos sopraram. Da varanda do edifício em que morávamos, meu pai saudou o general Olímpio Falconière, comandante de parte da Força Expedicionária e que desfilava à frente de um batalhão de pracinhas que vieram da Itália para São Paulo. Quando, mais tarde, houve um grande comício no estádio do Pacaembu com a presença de Prestes e do poeta Pablo Neruda, dois tios vieram do Rio para assistir à festa. Meu pai lhes disse: "Os que leem sabem muito; os que veem às vezes sabem mais"... Ou seja, não aprovava os entusiasmos juvenis de seus irmãos. Não haviam chegado os tempos do nacionalismo combatente de O Petróleo é Nosso. O conservadorismo tradicional ainda imperava em nossa casa.

Mas a democracia já era paixão popular e a questão social começava a ter força na vida nacional. Getúlio, de líder amado pelo povo, começava a ser percebido nas classes dominantes como "agitador populista". O sentimento antigetulista era forte em São Paulo. O jornal O Estado de S. Paulo havia pagado caro por suas posições liberais — meu pai chegou a dar fuga a um diretor do jornal que fora perseguido, Ibanês de Morais Sales. O episódio se deu, creio, quando ainda morávamos na Santa Adelaide, mas vejo o dr. Ibanês em nosso apartamento da Olímpio da Silveira. Embora no fundo apoiasse Getúlio e ainda continuasse amigo de Dutra, meu pai mantinha relações com o campo oposicionista.

Quando morávamos em Perdizes, por volta de 1940, meu pai ouviu Getúlio fazer seu famoso discurso com inclinações pela

Alemanha, proferido em um encouraçado da esquadra. Ele, que era muito contrário ao imperialismo inglês, não teve dúvidas: enviou um telegrama de congratulações ao "Chefe da Nação". O nacionalismo de meu pai o fez apoiar o presidente que parecia ser contra os verdadeiros exploradores do Brasil...

Dutra sempre foi admirado em minha casa por sua correção: não roubava e não gostava de quem roubasse. Era leal aos amigos, ademais. Nas eleições em que concorreu para presidente, em 1945, ele ganhou de Eduardo Gomes. Meu pai votou nele, no PSD em aliança com o PTB, com os que haviam apoiado Getúlio e se adaptavam aos novos tempos democráticos. Fui com ele visitar a tumba de políticos eminentes que foram tenentes ou apoiaram as revoluções de 1922 e 1924 — homenagens desse tipo, no dia 5 de julho, data das duas revoluções, era coisa habitual. Em São Paulo e no Rio, políticos iam aos cemitérios prestar suas reverências e faziam discursos. O mesmo ocorria na tumba de meu avô, no cemitério São João Batista, no Rio.

Em determinada ocasião, em São Paulo, em que acompanhei meu pai a uma dessas peregrinações, fomos a um cemitério da Zona Leste e lá encontramos Júlio de Mesquita Filho e outros líderes democráticos. Meu pai, que foi o orador, decepcionou os liberais de São Paulo, pois omitiu críticas a Dutra e elogios a Eduardo Gomes, com quem estivera preso em 1922. Não o tinha na mesma conta dos democratas paulistas. Não sei as razões.

NA USP, OS GRANDES MESTRES

No curso ginasial tive um professor de geografia que era aluno da Faculdade de Filosofia, Ciências e Letras da USP, então conhecida como FFCL. Esse professor era entusiasta dos professores franceses de sua área, sobretudo Pierre Monbeig, que vieram para cá na formação da USP; alguns permaneceram, outros voltaram para casa, mas de vez em quando vinham a São Paulo.

Na mesma época, 1948, quando já se aproximava o momento de prestar o vestibular, fui de férias a Lindoia na companhia dos amigos de adolescência Célio e Luís. No hotel havia uma varanda na qual um senhor passava horas lendo. Curiosos, queríamos saber o que ele lia, e ele, de propósito, não nos deixava ver os livros. Até que um dia nos chamou para conversar. Tratava-se de Fidelino de Figueiredo, historiador e crítico de literatura, professor da FFCL, da qual nós não tínhamos muita ciência, salvo pelo entusiasmo de nosso professor de geografia. Leitores e admiradores que éramos do grupo de poetas paulistas dos anos 1940, dos quais ele nada sabia por não se interessar por jovens poetas locais, ficamos levemente decepcionados. Ele, que era português, era especialista nos clássicos da literatura portuguesa.

O professor nos convidou a visitá-lo em seu gabinete num casarão na avenida São Luís, próximo da faculdade, que na ocasião ocupava o último andar da escola Caetano de Campos, na praça da República. Depois de novas conversas, ele me disse que eu talvez me vocacionasse mais para... ciências sociais. Por quê? Porque, influenciado pela literatura (os romances dos escritores baianos e nordestinos), e, talvez, pela ação política de meu pai, meu interesse maior era por questões sociais. Foi por isso que no fim do ano de 1948 também me inscrevi no vestibular da FFCL. Embora eu me imaginasse um futuro advogado.

Outra vez, os fados, que me pareciam maus, pois queria cursar direito, me levaram à sociologia: fiz concurso para as duas escolas, de direito e de filosofia, e fui reprovado em latim na Faculdade de Direito do Largo de São Francisco. Havia duas bancas: em uma operava o temido Alexandre Correia, professor de direito romano, e na outra não me recordo quem. A má sorte me levou ao rigoroso professor, a quem, intimidado, não fui capaz de responder a algumas perguntas. Resultado: apesar de ter obtido a média para entrar na faculdade, bombei por causa do latim. Eu de fato não era bom na língua romana. (Anos depois, membro do Conselho Universitário da USP, defendi ardorosamente um filho do professor Correia que julguei coberto de razão por pedir a nulidade de um concurso para uma das cátedras da Faculdade de Direito, ganho por outro professor.)

Conformei-me e fui assistir às aulas de ciências sociais na FFCL. Diga-se que fui o segundo colocado no vestibular para o curso de ciências sociais, só perdi para Ruth Villaça Corrêa Leite, com quem me casei anos depois.

As primeiras aulas de filosofia a que assisti foram do professor Cunha Andrade e versavam sobre os pré-socráticos gregos. Minhas preocupações eram outras, por isso captei pela rama o sentido daquilo. Graças à ajuda de Roque Spencer Maciel de Barros, aluno prestes a se formar, entendi do que se tratava e escrevi meu primeiro trabalho na faculdade, sobre Parmênides. Tirei seis, numa escala de zero a dez. Não gostei, pois me havia esforçado e o Roque sabia muito de filosofia (mais tarde foi professor na USP e redator de editoriais no *Estadão*). Procurei Cunha Andrade e percebi que ele não havia lido meu texto. Era um tipo folgazão, saía com os estudantes, mas não se dedicava muito aos trabalhos dos alunos.

Não foi só isso que me desconcertou. Os professores que se incumbiam do primeiro ano e lecionavam sociologia ou antropologia conheciam muito sobre tribos indígenas e comunidades. Estava na moda nos Estados Unidos o estudo de comunidades; Robert Redfield, com seu livro sobre a península do Yucatán, no México, era o modelo. E também os sociólogos que haviam escrito sobre Chicago, ou os antropólogos ingleses que estudavam os grupos étnicos da Polinésia ou grupos africanos. Muitas vezes, dedicavam-se a questões de método: ora o funcionalismo americano, ora Max Weber. Por aí andavam meus professores, o que não correspondia a meus interesses sociais mais concretos.

Florestan Fernandes, segundo assistente de Fernando de Azevedo, sendo o primeiro Antonio Candido, redigia seu livro sobre *A organização social dos tupinambá*. Não ainda o mais famoso, sobre a função social da guerra entre os tupinambá (aprendi logo que não se escreve o nome das etnias no plural), no qual defende a utilização do método funcionalista (aliás, praticava-o) para explicar "situações coetâneas". Ou seja, quando o devir histórico não é conhecido ou não conta para a interpretação das práticas correntes. E nos ensinava Max Weber, em aulas nas quais eu, pelo menos, não entendia nada (Rui Mesquita, mais velho do que eu, era ouvinte de algumas dessas aulas).

Na faculdade também fui aluno do professor Martial Gueroult, do Collège de France, a instituição máxima do ensino naquele país. É uma espécie de academia na qual uma vez por semana, ao longo do ano letivo, seus membros fazem conferências abertas ao público (anos mais tarde fui professor do Collège, substituindo Foucault, que viajara ao exterior e me oferecera a oportunidade). Gueroult, cujos principais trabalhos eram sobre Espinosa, dava seguimento, nas aulas a que assisti, a um curso que começara no ano anterior sobre Kant e Descartes. Não entendi nada de Kant. Graças ao então professor assistente, Lívio Teixeira, compreendi alguma coisa de Descartes. Na ocasião, Ruth, Maria Sylvia de Carvalho Franco, Marialice Mencarini Foracchi e eu, junto com Tristão Fonseca Filho, líamos o *Discours de la méthode* no apartamento do dr. Carvalho, pai de Maria Sylvia, na rua do Arouche. Essa leitura, sim, era compreensível, ou imaginávamos compreender.

Havia dois professores com os quais eu conseguia aprender algo: Antonio Candido e Emílio Willems. O alemão Willems nos falava de estudos de comunidade; havia publicado um livro, *Cunha*, sobre a cidade homônima, e outro sobre a imigração dos alemães e a colonização de Santa Catarina. Candido foi o melhor expositor que tive na época. Mais tarde, fez pesquisas sobre educação e escreveu seu doutorado sobre outro tema, *Os parceiros do Rio Bonito*, em que mostrava que sabia muito também de antropologia. Quando eu já era professor assistente de Roger Bastide, substituí-o para que ele terminasse a tese. Inspirou-se sobretudo no estudo sobre os nuer, de Evans-Pritchard. Ele era capaz de tornar compreensíveis para nós, jovens alunos (eu tinha dezessete anos quando entrei na USP e fiz dezoito no primeiro ano), as aproximações metodológicas de Weber, incompreensíveis na linguagem de Florestan.

Em economia havia o professor Paul Hugon, que vinha de uma faculdade de direito creio que em Lyon, e dava aulas em português, o único dentre os muitos franceses que me ensinaram ou foram professores na FFCL. Ensinava teoria do valor, além de história da economia. Consegui entender algo porque seu assistente, professor José Camargo, que escreveu mais tarde sobre demografia, ajudava na facilitação do tema. O outro assistente, Hélio Schlitter Silva, tentava nos fazer compreender a lei da oferta e da procura, com gráficos e tudo. Foi meu professor no segundo ano, quando a faculdade já se mudara da Caetano de Campos para a rua Maria Antônia.

A grande estrela na sociologia era Fernando de Azevedo. Educador reconhecido, usava pince-nez e era famoso por suas posições na área da educação, assim como Anísio Teixeira, Lourenço Filho e uns poucos mais, que propuseram a Escola Nova. A nós, Azevedo ensinava basicamente Durkheim. Com ele aprendi que o fato social é exterior, anterior e coercitivo, em comparação com a ação individual, que os psicólogos estudam. Expunha bem, com longas pausas dramáticas. Florestan e Candido, seus assistentes, usavam um guarda-pó branco por cima das roupas ao assistir às exposições do mestre.

Havia outros professores, muitos dos quais foram meus colegas mais tarde. Na antropologia, por exemplo, Egon Schaden, de quem posteriormente Ruth foi assistente, que além de antropologia cultural ministrava, com Willems, aulas sobre medição de crânios, de antropologia física. E havia, sobretudo, Gioconda Mussolini, assistente de Schaden, que conhecia muito bem a literatura americana e inglesa sobre "os povos primitivos" e escrevera sua tese sobre os caiçaras do litoral de São Paulo. Cansei de ler sobre os nuer, de Evans-Pritchard, ou *Argonautas do Pacífico ocidental*, de Bronislaw Malinowski. Ou Radcliffe-Brown. Ou ainda Raymond Firth, sobre a Polinésia, e muitos outros, sobretudo ingleses, que se interessavam pelos nativos da África ou de onde fosse. Daí que Antonio Candido tenha se utilizado da obra de Pritchard, e de vários outros, na descrição da fome entre os caipiras paulistas como dos "mínimos de sociabilidade" indispensáveis à sua sobrevivência.

O predomínio, contudo, e a influência maior provinham do pensamento francês, de Lévi-Strauss, que nos anos 1930 e inícios dos 40 lecionara na USP, começara a escrever sobre o estruturalismo e mesclava pensamento abstrato com situações concretas. E, no plano mais geral, os alemães influenciavam-nos: Karl Mannheim era um ídolo, tanto por seus estudos sobre planejamento e democracia, quanto, e sobretudo, por seu livro sobre os estilos de pensamento, *Ideologia e utopia*. Para entender a sociologia alemã, nos guiávamos pelo livro de Raymond Aron sobre o pensamento alemão contemporâneo, e o manual de sociologia de um professor alemão, Hans Freyer.

Mas a verdade é que professor inspirador era Florestan Fernandes. Pelo exemplo de vida e a dedicação à sociologia (conhecia muita antropologia também) e aos estudantes. Foi ele quem me incentivou a continuar a faculdade e quem, mais tarde, me deu oportunidades de trabalho. Enfim, foi crucial para a minha decisão de me dedicar às ciências sociais. Tenho vivo na memória o dia em que, depois das aulas (eu estava no segundo ano), fomos até uma cafeteria ao lado do Conservatório Dramático e Musical, quase no final da avenida São João. Professor não é só quem dá aulas didaticamente corretas: é quem inspira e ensina o aluno a pensar. Foi o que Florestan fez comigo.

No curso havia também um tormento: matemática e estatística. O responsável por análise matemática era o professor Omar Catunda, casado com a pianista Eunice Catunda, mas quem dava as aulas era sua assistente, Elza Gomide. E o de estatística insistia em nos fazer entender as equações que dão sentido ao cálculo de probabilidade (nós nem sabíamos fazer simples tabelas, imagine-se desenvolver uma equação). Tivemos estatística por dois ou três anos, e matemática por um ou dois anos. Em parte, o curso era dado na rua Maria Antônia, ou então, na avenida Brigadeiro Luís Antônio, pois a seção de matemática ainda funcionava lá. Graças a esses cursos, tínhamos licença para dar aulas de matemática para o ginásio, o que nunca tentei, para sorte dos eventuais futuros alunos.

Bombei em matemática e tive que fazer novo exame depois das férias de verão. Impossível esquecer minha reprovação. O professor, não lembro quem era (na banca havia um, sisudo, membro do grupo conservador, reacionário mesmo, dirigido por Plínio Correia de Oliveira, a Tradição, Família e Propriedade, TFP), pediu-me que demonstrasse a fórmula pela qual se define a superfície do círculo. Eu não tinha a mínima ideia. Saí-me com uma quase provocação, dizendo que era muito simples: toma-se um compasso, apoia-se a ponta dele em um lugar qualquer e se desenha o círculo; sua superfície seria tudo o que estivesse dentro do círculo...

Para entender algo de matemática e estatística, contava com a ajuda de Ruth. Antes do vestibular, ela pensara seguir o curso de física, gostava desse tipo de disciplina, mais lógica e abstrata. Estudávamos juntos matemática e estatística. Nunca tive pendor para as ciências exatas. Em compensação (não sei se compensa...), gostava de história. Tive um bom professor, francês, de história medieval (creio que se chamava Philippe Wolff) e me deliciei com as conferências de Fernand Braudel, a quem conheci melhor quando dei aulas na École des Hautes Études en Sciences Sociales, da qual ele era diretor.

Aprendi geografia, principalmente humana (uma invenção francesa), com Aroldo de Azevedo. Na cátedra de ciência política, ensinava Lourival Gomes Machado, mas antes dele havia um francês, Charles Morazé (professor da Science Politique em Paris, Science Po, como se dizia). Morazé havia escrito um livro famoso, *Les Bourgeois conquérants: XIX$^{ème}$ siècle*. Ele nos ensinava a ler bem e a escrever de modo claro. Havia que começar com o enunciado do tema, analisá-lo decompondo-o em partes e subpartes (A, a1, a2; B, b1, b2 etc.) para chegar a uma síntese opinativa na conclusão. Para Morazé, ler jornais era fundamental para bem escrever, de modo claro e direto. Recomendava-nos os artigos de Chateaubriand — o jornalista brasileiro, não o literato francês.

Falei de alguns de meus professores, principalmente dos franceses. Deixei para o final aquele a quem mais devo minha formação, depois de Florestan Fernandes: Roger Bastide. Os mais antigos se referiam a ele por Bastidinho, porque fora precedido por um influente professor e articulista homônimo, Paul Arbousse-Bastide. Esse Bastide era alto e ensinava na cátedra de política, que veio a ser ocupada por Lourival Gomes Machado e... por mim, em 1968. Já aquele que me ajudou a entender algo de sociologia, o Bastidinho, era baixo, fumava, ou melhor, mascava charuto incessantemente. Sabia português, mas, pelo menos comigo, nunca falou em outra língua senão em francês.

Roger Bastide, modesto e culto, era de origem protestante e

não era discípulo de Durkheim. Enquanto professor, fez-nos perceber, a nós, alunos de ciências sociais, algo muito importante: o sentimento de que a psicologia conta, que entender os fatos sociais como externos não era o bastante. As experiências vitais, inclusive religiosas, ajudam a compreender o ser humano e seu comportamento. Deu-nos cursos sobre psicanálise e sobre *Les Deux sources de la morale et de la religion*, de Henri Bergson. E conhecia também algo da sociologia americana, que procurava nos transmitir.

Em suma, tive no curso de ciências sociais uma formação sólida e um tanto eclética.

## 2. A formação do sociólogo

O que distinguia meus professores, sobretudo os mais jovens, era a paixão pela pesquisa. Entre eles, havia sempre o temor de que nos transformássemos em ensaístas. Ora, o que se ensinava na USP, sobretudo na FFCL, era que nas ciências o raciocínio deveria ser indutivo, não dedutivo. Sem dados e sem investigações sobre eles continuaríamos a ser cultores do improviso, do talento e das interpretações sem base. Até a postura e a roupa que usávamos, um guarda-pó branco, como se fôssemos médicos, tudo em nós apontava para o fazer científico.

A pesquisa rigorosa era a paixão de Florestan Fernandes e ela nos contaminava. Alice Canabrava era outra que amava dados. Um dia, quando eu ainda era seu assistente e não havia terminado o curso, ela me disse: "Você, a continuar assim, vai ser como o Antonio Candido, mais ensaísta do que cientista". Candido vinha da crítica literária, falava de modo fácil e muito bem. Embora aos meus ouvidos aquelas palavras tenham soado como um elogio, eram uma advertência crítica, com a qual nunca concordei.

Se bem me lembro, a primeira pesquisa que fiz, com a ajuda de Ruth, antes mesmo de nos casarmos e de terminarmos o curso, foi sobre a umbanda em Araraquara, uma religião que misturava o kardecismo europeu com religiões africanas. Tentei fazer algo sobre a mesma religião na cidade de São Paulo, nos bairros habitados predominantemente por gente de origem italiana, no Brás e na Mooca, para escrever um estudo comparativo, mas nunca o terminei. De fato, minha iniciação à pesquisa, para além de ter sido ajudante de Lucila Herrmann e assistente de Alice Canabrava, se deu quando fui trabalhar na cátedra de Roger Bastide, na qual, entre outros, estavam Maria Isaura Pereira de Queirós e, como assistente, Gilda de Melo e Sousa.

Com Gilda, casada com Antonio Candido, e com Ruth — ambas eram de Araraquara —, fomos a Minas, à região histórica de Ouro Preto. Gilda fazia uma pesquisa sobre a ascensão social dos negros por intermédio das irmandades religiosas, e nós a ajudávamos. Em Ouro Preto ela se encontrou com críticos de arte europeus, de renome, que estavam no Brasil por causa do Quarto Centenário de São Paulo. Yolanda Matarazzo os ciceroneava. Nós a acompanhamos e fiquei fascinado.

Frequentemente eu era encarregado de amealhar dados para Roger Bastide escrever seus artigos. Muitas vezes, orientado por ele e Maria Isaura, fui ao Hospital do Juqueri, de doentes mentais, para fazer observações e entrevistas com os internos. Até então, mais do que investigações, eu levantava dados por ordem dos professores. A exceção foi uma pesquisa na qual coletei dados para Guerreiro Ramos, a quem Florestan respeitava, sobre a evasão escolar nos cursos do Senai, e sobre a qual escrevi um paper. Eu entrevistava a família dos alunos, que em geral moravam nos bairros mais distantes de São Paulo, para além do Ipiranga, por exemplo... Nem se podia imaginar que o Ipiranga seria um bairro praticamente central da megalópole em que São Paulo se transformou.

A grande oportunidade para entender um pouco mais da mecânica das investigações na área das ciências sociais e das hipóteses de que tanto necessitam ocorreu em 1951-2, quando Bastide e Florestan foram contratados pela Unesco para levar a cabo um grande estudo sobre as relações raciais em São Paulo. O diretor do Departamento de Ciências Sociais da Unesco, Alfred Métraux, foi quem contratou os trabalhos (Rui Coelho, mais tarde assistente de Fernando de Azevedo, trabalhava com ele). No Brasil, os pesquisadores principais foram, como seria natural, Bastide e Florestan, que àquela altura já era primeiro assistente de Bastide. Florestan havia trocado a cátedra de Sociologia II, sob o comando de Fernando de Azevedo, pela de Sociologia I, de Bastide, pois a assumiria quando o titular voltasse para a França. Foi o que aconteceu.

Quanto a mim, passei de auxiliar de ensino de Bastide a assistente de Florestan. Antes disso, eu me desentendera com Alice Canabrava e ficara desempregado. Foi quando, já casado, depois de ter ajudado Ruth a dirigir parte de uma pesquisa de campo sobre emprego e desemprego em São Paulo para a Secretaria do Trabalho, sob a supervisão de Celeste Sousa Andrade, fui ser auxiliar de ensino de Roger Bastide. E foi a partir daí que iniciei minhas colaborações para a revista *Anhembi*, de Paulo Duarte.

Com isso não apenas ganhava por artigo, verdade que pouco, como comecei a entender a importância de estudos que não apenas os históricos e sociológicos. Paulo Duarte, que fora redator-chefe do *Estadão*, se dedicava à antropologia, ao estudo dos sambaquis (depósitos calcinados de areia que continham vestígios de grupos indígenas) e mantinha relações com pesquisadores do Musée de l'Homme, em Paris. Muito amigo de Florestan Fernandes, foi importante para meus contatos com novas áreas da cultura, além de pagar pelos artigos que eu escrevia na *Anhembi*.

A pesquisa sobre relações raciais aos poucos foi se transformando em estudo sobre os negros em São Paulo. Mais tarde, com o incentivo de Florestan, eu, Renato Jardim Moreira e Octavio Ianni, seus assistentes, estendemos esses trabalhos para abranger os negros do Sul do país. A razão do interesse era óbvia: se o grande sociólogo Gilberto Freyre tornara a escravidão e os negros do Nordeste o modelo de estudos sobre o tema no Brasil, valeria a pena verificar se suas teses se sustentariam em outras regiões como o Sul, onde a escravidão teve um peso menor e a imigração, sobretudo alemã, italiana e polonesa, foi maior.

Recuemos um pouco. Para Florestan Fernandes, a pesquisa patrocinada pela Unesco se tornou a grande oportunidade para que se fizesse em São Paulo algo semelhante ao que os sociólogos americanos haviam feito com Chicago. Usaram a cidade quase como pretexto para estudar as classes sociais e a marginalização dos negros. Publicaram nos Estados Unidos vários estudos a respeito do contexto social e criaram uma espécie de "escola" na sociologia americana. Ao estudar os negros e a escravidão, pensava Florestan, estudaríamos também a maior comunidade urbana do Brasil: São Paulo. Pouco depois, em 1954, um amigo americano de Florestan e de Antonio Candido, Richard Morse, escreveu um livro sobre São Paulo, *De comunidade a metrópole*, do qual fiz uma resenha para a *Anhembi*.

Até hoje, quem ler as hipóteses levantadas por Florestan e a quantidade de dados empregados não para ilustrar as opiniões, mas para comprovar teses (tenho em meus arquivos esses documentos), entenderá que se tratava de alçar as ciências sociais a um patamar mais elevado. Florestan havia sido aluno, simultaneamente, da Escola de Sociologia e da FFCL. Na primeira trabalhara com Donald Pierson, que veio de Chicago e era influenciado intelectualmente por Georg Simmel; na segunda, teve formação semelhante à minha.

Florestan tinha ambições intelectuais mais, digamos, europeias, bem como o conhecimento do método científico disponível. Não era muito conhecedor da bibliografia quantitativa, mas aprendera como fazer pesquisas, sobretudo em antropologia, com pesquisadores de campo como Herbert Baldus e os sociólogos de Chicago. Seus primeiros trabalhos foram sobre folclore e sobre as rodas de crianças e suas canções.

A pesquisa que a Unesco encomendou com o propósito de mostrar que as relações entre negros e brancos eram mais "suaves" no Brasil acabou por ser um estudo de como o preconceito se instaurou na sociedade brasileira e serviu de justificativa psicológico-cultural para manter os negros excluídos da sociedade dos brancos. Era verdade, como supunha Pierson, que o preconceito no Brasil era mais de cor do que de raça. Não obstante, Bastide e Florestan desnudaram as bases raciais e os preconceitos correspondentes da sociedade escravista brasileira, bem como mostraram que essa situação continuava impregnando os dias de hoje.

Com isso, muito do que Gilberto Freyre tentava mostrar para o Nordeste não poderia ser generalizado para todo o Brasil e, quem sabe, mesmo no âmbito nordestino haveria uma apreciação edulcorada da realidade. Sempre mantendo o respeito por Gilberto Freyre, e mesmo a admiração, tanto os responsáveis pela investigação em São Paulo como os que éramos seus assistentes e ampliamos a análise para o Brasil Meridional, fomos, pouco a pouco, revendo alguns de seus pontos discutíveis, pelo menos para o Sul, e fazendo as necessárias distinções tendo em vista as realidades que pesquisávamos. Contudo, nenhum de nós, de São Paulo, dispunha do talento para escrever, nem tinha formação em antropologia comparável à de Gilberto Freyre.

Foi depois da pesquisa para a Unesco que eu, graças ao apoio generoso de um grande amigo, o editor Fernando Gasparian — sua mulher, Dalva Funaro, fora colega de Ruth no Colégio Des Oiseaux, e nós nos aproximamos quando ele patrocinou um curso de Caio Prado Júnior que teve lugar em sua casa, no Jardim Paulistano —, obtive da Confederação Nacional da Indústria (CNI), sediada no Rio, um aporte financeiro considerável para que fizéssemos pesquisas na área da sociologia do trabalho. Logo depois da renúncia de Jânio, em agosto de 1961, João Goulart nomeara Gasparian interventor naquela instituição. E foi com recursos provenientes da CNI que foi fundado o Centro de Sociologia Industrial e do Trabalho (Cesit).

Eu, como diretor do centro, deixei os recursos sob o controle de Florestan Fernandes. Antes de prosseguir, um esclarecimento: Roger Bastide voltara para a França em 1954 e passara a ensinar na École Pratique des Hautes Études en Sciences Sociales e, em seguida, na Sorbonne. Florestan, que o substituiu na cátedra em que eu atuava como auxiliar de ensino, me indicou para ser primeiro assistente, ou seja, seu substituto mais imediato.

O plano de estudos do Cesit proveio de Florestan. Havia que contemplar vários colaboradores, os da cátedra e os do novo centro. Da cátedra, as assistentes Maria Sylvia de Carvalho Franco e Marialice Mencarini Foracchi fizeram estudos, a primeira sobre os trabalhadores livres na sociedade escravocrata, a outra sobre a formação dos públicos, sobretudo entre os jovens, influenciados pela TV. Coube a Octavio Ianni estudar a formação do Estado e, a mim, o papel dos industriais na modernização do Brasil.

Entre os pesquisadores nomeados para o Cesit, estava José de Sousa Martins (que imitava bem e jocosamente meu modo de falar), Lourdes Sola, Leôncio Martins Rodrigues, Gabriel Cohn, José Francisco Quirino dos Santos, Gabriel Bolaffi, Claudio Vouga e outros.

Com o dinheiro recebido da CNI compramos uma perua Kombi, da Volkswagen, com a qual fomos algumas vezes ao Sul para nossas pesquisas. De sociologia do trabalho, propriamente, que eu me lembre, eu havia feito uma investigação na fábrica de café de propriedade da família de Marialice Mencarini, localizada no Ipiranga. Os poucos resultados dessa pesquisa, eu os apresentei anos mais tarde ao primeiro congresso da Sociedade Brasileira para o Progresso da Ciência (SPBC) de que participei. Tenho uma foto em sala de aula exibindo na lousa umas equações para explicar as relações entre os dados da pesquisa. Tínhamos orgulho de fazer "qui quadrados" ($X^2$) para mostrar se havia alguma congruência entre as variáveis em análise...

Voltando ao Cesit: a contribuição mais importante do centro foi servir de nucleação de um grupo de jovens que, inspirados e dirigidos por Florestan Fernandes, começavam a pensar alguns temas da sociedade brasileira contemporânea. Renato Jardim Moreira, Octavio Ianni e eu fazíamos análises sobre os estados do Paraná, Santa Catarina e Rio Grande do Sul.

O Estado começava a ser esquadrinhado, o populismo também, este mais na cadeira de política, na qual o nome de Francisco Weffort despontava. Leôncio Martins Rodrigues já estava mais diretamente ocupado em análises dos trabalhadores industriais. Outros, como Marialice Mencarini Foracchi, lidavam com a sociedade de massas, embora o conceito não fosse usado nem mesmo conhecido por nós, e assim por diante. Ou seja, com o Cesit tivemos os meios para mergulhar na sociedade da urbanização e da industrialização então emergente. Foi a partir daí que comecei a me interessar pelo papel dos empresários.

Na faculdade, eu era encarregado dos cursos introdutórios, ministrados aos alunos recém-chegados à universidade. Eram aulas de introdução à teoria social geral e se baseavam em autores europeus e americanos. Abalancei-me mesmo a traduzir um pequeno texto de Talcott Parsons, que acabou sendo publicado numa coletânea de ensaios que a Companhia Editora Nacional, então predominante no mercado, lançou, *Homem e sociedade*. Era com base nos textos dessa seleção que dava minhas aulas.

Sempre acreditei que os alunos do primeiro ano mereciam toda a atenção dos professores, e pus em prática essa crença. Foi nos cursos introdutórios, com classes bem mais numerosas que os demais, que me treinei como professor. Na verdade, antes mesmo de terminar o curso na FFCL, comecei a dar aulas, bem como Ruth, na Escola Estadual Fernão Dias Paes, de ensino ginasial e colegial, em Pinheiros. Fued Boueri, secretário da Educação de São Paulo e cunhado de minha sogra, ofereceu-nos a oportunidade quando ainda estávamos no terceiro ano da faculdade. Fomos nomeados professores substitutos.

E mesmo antes disso eu já dava aulas em um cursinho precário, que treinava candidatos ao vestibular, em especial para o da Faculdade de Direito do Largo São Francisco. O cursinho ficava na rua Direita, funcionava à noite e eu ensinava história, a mesma matéria, tanto geral como do Brasil, que ensinei no Fernão Dias Paes.

No governo Lucas Nogueira Garcez (1951-5), particularmente, os professores da USP começaram a ganhar um pouco melhor e a comprar automóveis, raridade para a classe média, e mesmo para a alta. Quando dei início à carreira, pouquíssimos professores tinham um. Na Economia, que me lembre, Maurício Segall, da família Klabin; na Filosofia, Fernando de Azevedo, dono de uma baratinha Hudson com a qual ele adorava sair a toda, fazendo ruído e nos provocando inveja. Logo depois, tanto Florestan como Antonio Candido compraram seus carros.

Pois bem, ganhei de minha tia Sylvia, irmã de meu pai e minha madrinha de batismo, dinheiro para comprar um Opel 1939. Era antigo, mas para mim foi um acontecimento. Ia com ele ao Fernão Dias, e levava Ruth. Só tirei licença para guiar depois de alguns meses... E confesso que nem sabia que os pneus eram infláveis e havia que recolocar o ar de vez em quando.

Abro mais um parêntese para contar uma história, não tão

remota, que mostra o que era o Brasil. Certa vez fui ao Rio de carro com uns amigos. Durante a viagem, ouvi uns ruídos estranhos, mas mesmo assim chegamos ao destino. Uma biela havia fundido, pois eu não tinha verificado o nível do óleo do carro e muito menos o de água para refrigerar o motor. Graças a um tio, fomos a uma oficina da rua Bambina que deu um jeitinho. Só na volta fiz a necessária retificação do motor, em uma oficina no Cambuci que pertencia, entre outros, ao José Mindlin. Era a precursora da Metal Leve, que ele e seus sócios fundariam mais tarde. Fui levado à dita oficina pelo Maurício Segall, meu colega e amigo, que pertencia, como já disse, pela mãe, à família Klabin, entrelaçada aos Lafer, e era filho do pintor Lasar Segall.

## POLÍTICA E VIDA UNIVERSITÁRIA

Ao longo dos anos 1950 o país mudou. Getúlio voltou ao poder pelo voto, mas, pressionado por choques com as elites que não aceitavam seu nacionalismo e cercado de escândalos de corrupção, suicida-se em 1954. Há uma grande comoção, o povo chora seu "protetor". Depois de três presidentes que o substituem, sem votos, surge Juscelino Kubitschek, que dá um salto de otimismo e modernidade no país. JK governa de 1956 até janeiro de 1961, quando assume Jânio Quadros.

Na mesma década de 1950, o movimento sindical revive. Despontam as grandes greves, que afetam sobretudo os trabalhadores têxteis, setor industrial em que havia maior concentração de operários. Ainda estávamos longe da famosa greve de Osasco, de 1968, em que aparecem novas lideranças, mas já havia muita movimentação na sociedade.

Enquanto isso, na universidade vivia-se em berço esplêndido: a política só entrava ocasionalmente, e era malvista. Eu, pela formação familiar e pelo interesse por problemas sociais reais, me sentia um tanto inquieto. Meus principais professores brasileiros, Fernando de Azevedo, Florestan Fernandes e Antonio Candido, eram para mim esfinges quanto à política. Azevedo havia sido secretário de Educação de Adhemar de Barros, mas rompera com ele. Candido era do Partido Socialista, mas na universidade não atuava politicamente. Florestan tinha fama de ter sido trotskista, amigo de Hermínio Sacchetta, um prestigioso líder dessa facção, e traduzira um livro de Marx, mas temia a contaminação política em nós, jovens, o que na prática nos afastaria das pesquisas e estudos.

Uma vez Antonio Candido me chamou a seu gabinete para expressar suas preocupações com meu envolvimento na "politiquice" universitária, que eu estaria desperdiçando meu eventual talento como sociólogo. Florestan, por sua vez, um dia me perguntou, objetando: "Que é isso de 'vocês' andarem agora a ler e prestigiar este tal de Lukács?". (Referia-se ao grupo do *Capital*, explico mais adiante.)

Comecei a me envolver na política universitária e na política mais geral. Em 1957, fui eleito representante dos ex-alunos da USP junto ao Conselho Universitário, no qual permaneci por muitos anos, pois mais tarde representei os doutores e, depois, os livre--docentes, até sair do Brasil, em 1964. As eleições para o Conselho Universitário eram animadas: tive milhares de votos e o apoio substancial dos egressos das faculdades de filosofia, medicina e economia. Meu suplente era Antonio Delfim Netto, de quem fui colega quando ensinara na Faculdade de Economia. E o concorrente representava mais os ex-alunos de direito (sobretudo os delegados de polícia) e demais instituições de ensino. Obviamente que não a totalidade de qualquer um dos egressos de cada faculdade. Ganhei as eleições. Como e por quê?

Fui eleito porque àquela altura eu tinha ligações com os grupos mais progressistas e com o Partidão, a começar por Caio

Prado, histórico quadro do PCB, a despeito das origens na alta burguesia paulista, o qual mantinha com seu primo Elias Chaves Neto a *Revista Brasiliense*, fundada em 1955 e que durou até 1964. Desde que meu pai se elegera deputado federal em outubro de 1954 e fora para o Rio, eu, que me casara em 1953, morava na rua São Vicente de Paula, em Higienópolis — no apartamento do térreo morava Mário Schenberg, notável físico, e na prumada da frente, a cantora Inezita Barroso. Em 1955 me mudei para a casa paterna que ficara vazia, na rua Nebraska, no Brooklin Novo.

Ainda tinha vários amigos mais ou menos ligados à esquerda. Notadamente Fernando Pedreira, que mais tarde veio a ser redator-chefe do jornal *O Estado de S. Paulo*, casado com a artista plástica Renina Katz, e o advogado Agenor Barreto Parente. Com eles e muitos outros mais comecei a fazer parte dos grupos ditos progressistas, no geral ligados ao Partido Comunista, embora, quase todos, mais ligados aos círculos literários e artísticos do que aos políticos. Brilhava a poetisa Antonieta Dias de Morais. E sempre conosco estavam Eduardo Sucupira, além de meu padrinho de casamento e médico, João Bellini Burza. Ruth dava aulas tanto no MAM como em centros ligados a universidades. Foi professora em uma faculdade em Sorocaba (eu a levava de carro à avenida Rebouças, às seis da manhã, para que pegasse o ônibus até Sorocaba).

Foi nessa ocasião que andou por São Paulo o poeta haitiano René Depestre, casado com Edith Gombos Sorel, uma judia de origem húngara. Depestre fazia sucesso. Era comunista e culto, mais culto do que comunista. Fizemos, em meu apartamento da rua São Vicente de Paula, um círculo literário no qual ele expunha sobre literatura francesa. Participaram muitos amigos, dentre os quais Álvaro Bittencourt e sua mulher, a francesa Madlon. Álvaro era dono da livraria Parthenon, de obras raras, na Barão de Itapetininga, da qual fora sócio José Mindlin. Não lembro se

Maurício Segall, também pertencente à esquerda filo-comunista, assistia às aulas de Depestre, mas lembro dele chamando a atenção do poeta haitiano, pois este não só dava aulas como, quando podia, tentava namorar as moças do grupo...

A DESCOBERTA DA ARTE

São Paulo comemorou seu quarto centenário em 1954. Para nós, jovens, foi um deslumbramento. Houve até balé clássico, com Galina Ulánova (cometi a ousadia de publicar um artigo sobre ela). Antes disso, o marco artístico cultural, para mim, havia sido a inauguração do Museu de Arte (dito, "do Chateaubriand"), na rua Sete de Abril. Foi lá que vi, pela primeira vez, alguns dos quadros que amava nas fotos publicadas em livros de arte, sobretudo um Velázquez, *Retrato do conde-duque de Olivares*. Um belo dia, menos do que o encontrar, vi Assis Chateaubriand andando por lá. O diretor do museu era o Pietro Maria Bardi e havia um curso para monitores, a que tanto Ruth como eu assistimos. Bardi tinha um assistente, Jorge Wilheim, que se tornou amigo nosso.

Quando mais moço, assisti, com meu pai, no Theatro Municipal de São Paulo, a uma peça de Nelson Rodrigues, *Vestido de noiva*. E antes, no Rio, ia ao Municipal com minha avó e duas tias para ouvir óperas, na temporada de inverno. Elas, no inverno ameno do Rio, necessariamente de casacos de pele, que fora da estação eram guardados em casas de refrigeração. Desde o começo do namoro com Ruth frequentávamos muito o Teatro Brasileiro de Comédia, o TBC. Cacilda Becker, Sérgio Cardoso, Walmor Chagas, Glauco de Divitis e sobretudo os diretores, dentre os quais Gianni Ratto, tinham nossa torcida.

Tornei-me amigo de alguns pintores, como Luís Ventura,

que ao voltar da França trouxe e deu-nos, a mim e a Ruth, como presente de casamento, uma gravura original de Goya, e Mário Gruber, que presenteou minha mãe com um quadro seu. Ainda possuo ambos. Além de haver conhecido Waldemar Cordeiro, abstracionista num momento em que a esquerda combatia o abstracionismo, em nome da arte realista. E também Francisco Rebolo Gonsales e Di Cavalcanti, dos quais ganhei quadros. Uma particularidade curiosa: o quadro do Di se destinava a outra pessoa, com quem ele veio a romper; ao se encontrar com Luís Ventura no enterro de Graciliano Ramos no Rio, pediu ao amigo que trouxesse o quadro a São Paulo e o desse a mim.

Passei a ter amigos cineastas, como Ruy Santos, que também fazia fotos, e Nelson Pereira dos Santos, que se tornou o celebrado diretor de cinema e hoje é meu colega na ABL.

O ESPAÇO DA CIDADE EM QUE VIVÍAMOS

Em São Paulo, na fase posterior à juventude, mas ainda moços, nosso "espaço hodológico", é assim que o chama Sartre, referindo-se aos caminhos e barreiras do mundo, ou seja, o espaço no qual vivíamos e que guardamos em nossa memória, era restrito. Ia da praça da República, onde se localizava a faculdade, até, no máximo, a praça da Sé. Com a mudança de endereço da faculdade, estendeu-se à rua Maria Antônia.

As três principais livrarias estavam naquelas paragens. A Jaraguá, a mais frequentada pelo grupo da já extinta revista *Clima*, ficava na rua Marconi; a Brasiliense, do Caio Prado, na Barão de Itapetininga, quase na esquina da Marconi; também na Barão, mais perto da praça da República havia a Livraria Francesa, de Paul Monteil, que ficava no quarto andar de um prédio no qual também funcionava a *Revista Brasiliense*. Na faculdade, ainda aluno, eu abrira uma conta-corrente em um escritório que tinha dois donos, na rua Quinze de Novembro, e era lá que fazíamos encomendas de livros importados de ciências sociais. (Mais tarde, tive outra conta, quando já era professor, em uma livraria de Washington, que tinha um nome francês, acho que Lafayette.)

Mas não só: havia também a Biblioteca Municipal, na praça Dom José Gaspar, diante da qual os frequentadores se reuniam para conversar, os chamados "adoradores da estátua", pois havia uma estátua de Minerva logo na entrada do edifício. Eram leitores, e conversadores, fanáticos. Entre eles estava o Ottaviano de Fiore, chamado de Barão, título que de fato possuía. Era aluno de geologia da USP e filho de um dos professores italianos que vieram para formá-la; mais tarde, foi meu vizinho de chácara em Ibiúna.

Embora eu não pertencesse a esse grupo, ia muito à biblioteca e passava as tardes lendo. Quando professor assistente na Economia, cheguei a dispor de um escritório na torre do prédio da biblioteca, pois consultava jornais antigos e os deixava lá de um dia para o outro, até terminar as anotações. No primeiro andar da biblioteca havia uma sala grande para o público, onde aconteciam manifestações culturais. O diretor da instituição era o poeta bissexto e ensaísta Sérgio Milliet. Foi lá que ouvi Maria de Lourdes Teixeira e seu marido José Geraldo Vieira, então escritores famosos.

Minha maior paixão na época era pela literatura. Escrevi uns poemas (péssimos) que publiquei na revista que formamos, os irmãos Campos (Haroldo e Augusto), o Boris Fausto, o Ataliba Nogueira Filho e eu, chamada *Revista dos Novíssimos* (poetas, claro). Houve um festival de poesia e ouvi, estupefato, Roland Corbisier, cuja filha foi minha aluna em 1964, perguntar, creio que a Camus, com uma frase incompreensível: "*Maître, est-ce que l'Absolu sépare?*" [Mestre, o Absoluto separa?]. Oswald de Andrade e Pagu andavam pelos corredores do Museu de Arte e nos congressos de poesia. Era uma vida cultural ativa.

Entretanto, não só de estudos vivíamos: frequentávamos duas confeitarias que se localizavam nas imediações. Uma, a Confeitaria Vienense, em um andar quase em frente ao prédio da *Revista Brasiliense*; a outra, Casa Alemã, que se situava depois da praça do Patriarca, na rua Direita. Era chique tomar chá nas duas; no fim do ano letivo íamos com os professores, os franceses em especial, para as despedidas. Mais tarde, meu pai, que àquela altura era sócio de um escritório de advogados (o outro sócio, Padin, era irmão do futuro bispo, dom Cândido Padin), também tinha escritório na Barão de Itapetininga.

Quando aluno da faculdade e, logo depois, já assistente, alguns amigos, notadamente o Renato Jardim Moreira e também, creio, o Roque Maciel de Barros, gostavam de ir a um bar, também na praça Dom José Gaspar, o Paribar. Mas eu, de família austera nessa questão, não tinha o hábito de bebida alcoólica e nunca fumei. Renato gostava de ir a uma gafieira de frequência mais popular que se situava na Vila Buarque. Lá estive, umas poucas vezes. E, sobretudo, havia o Clube dos Artistas, o Clubinho, também na Vila Buarque, no Instituto dos Arquitetos, onde certa feita expusemos nossas poesias nas paredes...

Além disso, eu trabalhava, embora não muito, na Difusão Europeia do Livro, a Difel. Bento e Lúcia Prado, Leôncio Martins Rodrigues e eu fazíamos a revisão de textos traduzidos pela editora, do mesmo dono da Livraria Francesa. Foi quando publicamos a tradução que Leôncio e eu fizemos do *L'Esprit des lois*, de Montesquieu.

A SEDUÇÃO DA POLÍTICA

A partir do momento em que passei a me envolver mais nas atividades políticas, fazia o que devia, mas não na faculdade.

Nesta eu tinha mesmo certa preocupação para não despertar sentimentos hostis. Política era, ali, coisa distante. Com uma exceção: quando a própria faculdade entrava em choque com os governos do estado de São Paulo. Nesse caso, era usual que houvesse notas públicas dirigidas ao povo e ao governo, emitidas pela própria Congregação.

Houve uma ocasião em que eu, já pertencendo à diretoria da associação de assistentes e livre-docentes da USP (antecessora da Adusp), da qual fui um dos fundadores, fui ter com o governador Jânio Quadros. Eu já o conhecia vagamente, pois ele participara com meu pai de movimentos políticos. Entramos na sala, presente, entre outros, Alberto Carvalho da Silva — primeiro presidente da Fapesp —, professor assistente da Medicina, na cadeira de Samuel Pessoa, e presidente da dita associação de assistentes. Jânio nos recebeu no palácio dos Campos Elíseos (que fora a residência de Elias Chaves, fazendeiro próspero e avô do já referido amigo de nome similar), em uma sala propositadamente escura, com as cortinas semicerradas, enquanto ditava algo para sua secretária.

De repente o governador virou-se para nós e, com sua dicção característica, perguntou: "Senhores, em que posso servi-los?". Ato contínuo começou a quase ofender-nos. Eu, em geral calmo, vi uma escuridão em minha frente e gritei com ele. Para surpresa geral, o governador baixou o tom e começou a nos escutar. Pedimos uma segunda audiência, e junto com a data veio o recado: "Não tragam aquele menino"... (O que me faz lembrar uma cena, a que não assisti: quando candidato a presidente, Jânio, em um almoço na casa da família Mesquita, de repente foi perseguido ao redor da mesa de jantar pelo Luís Carlos Mesquita, o Carlão, que foi meu aluno. Jânio corria de medo...)

Voltemos ao principal: os contatos com o Partidão. Certo dia, cansados dos círculos intelectuais, exigimos estar com as bases. Havia um dirigente estadual, cujo nome de guerra era algo como Meninão ou Guri, que ouviu nosso clamor e nos levou para assistir a uma reunião, creio que na Mooca. Decepção: só discutiam coisas concretas, como salários, movimentos, greves. Nada a ver com nossas preocupações intelectuais com, *in abstracto*, a luta de classes...

Logo depois, capitaneados por Fernando Pedreira, que escreveu um artigo crítico para o *Hoje*, jornal do Partidão em São Paulo, apoiamos uma espécie de dissidência. Foi o que bastou para sermos vistos como "intelectuais", com certo desprezo.

Em 1956, houve em Moscou um Congresso do Partido Comunista no qual Khruschóv denunciou os crimes e abusos do stalinismo. Agildo Barata, ex-militar e na época dirigente do Partidão, chegou chorando à casa de meu pai no Brooklin Paulista. Estava desfeito; lutara por ideais e se encontrava diante de companheiros, como Arruda Câmara, confirmando que era aquilo mesmo: Stálin havia mandado prender e matar muita gente que discordava dele.

Não era a primeira vez que eu via Agildo Barata. Antes me encontrara com ele em São Paulo também, numa visita que fiz, junto com meu pai, ao comandante da Zona Militar Centro, na rua Groenlândia. Era ninguém menos do que o general Estillac Leal, ex-ministro da Guerra de Getúlio e parente afastado de meu avô. Pois bem, Agildo mantinha contatos com os oficiais, não com todos, que conhecera em seu período de Exército. E ao mesmo tempo, não sei se antes ou depois do episódio que relato, outro comandante da Zona Militar Centro veio uma vez a casa de meu pai para avisar que um primo meu, militar (este sim, do PCB), estava sendo procurado e ia ser preso, como de fato foi.

Em suma, na década de 1950, com vaivéns, a classe dirigente, apesar da campanha O Petróleo é Nosso, e sobretudo a Campanha da Paz, esta mais marcadamente comunista, mobilizou muita gente: havia temor de guerra, que aumentou quando os americanos começaram a lutar na Coreia. Até então militares e ex-militares ainda mantinham certa cordialidade, mesmo com os não nacionalistas, com os autoproclamados "democratas". Brigavam no Clube Militar, mas chegavam a manter relações pessoais.

No decorrer da década, inclusive sob Getúlio Vargas, a Guerra Fria esquentou: o acordo de assistência recíproca com os Estados Unidos, que abrangia aspectos militares — o ministro da Guerra era outro primo-irmão de meu pai, Ciro do Espírito Santo Cardoso —, e a intensa campanha de imprensa começavam a surtir efeito. À antiga cordialidade se sobrepunha a polarização ideológica.

Não sei precisar o momento, mas em meados dos anos 1950 a atividade política de meus amigos começou a ser anti-Partidão. Quando houve a invasão da Hungria pelas tropas soviéticas, em 1956, eu assinei um manifesto contrário, publicado nos jornais.

Desde o tempo em que Ruth e eu ensinávamos no Fernão Dias, um ex-aluno dela, Leôncio Martins Rodrigues, tornara-se nosso amigo. Ele era ligado ao trotskismo, portanto, anti-stalinista. Pois bem, ele não só leu os artigos do Fernando Pedreira, como uma noite levou à nossa casa, na rua São Vicente de Paula, um argentino de nome J. Posadas, bem conhecido, que era dirigente da Quarta Internacional. Os da corrente dele estavam felizes porque, enfim, a verdade sobre o stalinismo aparecia. Esse dirigente queria saber quem era Pedro Salústio, o pseudônimo com o qual Pedreira assinava no jornal *Hoje* seus artigos críticos ao Partidão.

Apesar, portanto, de haver estado superficialmente ligado ao Partidão e de ter logo rompido publicamente, a ideia de que eu era um subversivo, e, se não, pelo menos um comunista disfarçado, me perseguiu por muito tempo, para o bem e para o mal. Para o bem, digo, porque se para os direitistas ficou a imagem do esquerdista, para eles negativa, já os esquerdistas gostavam. E para o mal porque em 1969 perdi a cátedra que ganhara por concurso na USP e mesmo antes, em 1964, me exilei no Chile para não ser preso. Desde os tempos do famoso congresso em 1956, em Moscou, no qual Khruschóv denunciou as barbaridades de Stálin e mesmo antes, minha posição já era outra.

Um dia resolvemos, creio que Fernando Pedreira, Agenor Barreto Parente e eu, ir ao apartamento de Paulo Emílio Sales Gomes, em Higienópolis. Fomos porque ele havia sido comunista, décadas antes, vivera em Paris, era grande amigo de Antonio Candido e conhecido crítico de cinema. Contamos a ele nossas aflições. Ao que respondeu: "Mas só agora?". Ele rompera décadas antes com o Partidão...

O CONSELHO UNIVERSITÁRIO E AS PRIMEIRAS PESQUISAS

Quando fui eleito pela primeira vez para o Conselho Universitário da USP, em 1957, fui recebido com receio. Meu colega, que representava os livre-docentes, era Alberto Carvalho da Silva, da Medicina. São Paulo era governado por Jânio Quadros. O reitor era professor da Faculdade de Farmácia, Gabriel Teixeira de Carvalho, mas os que mandavam no Conselho formavam uma trinca composta pelos professores José Otávio Monteiro de Camargo, o "Camargão", de matemática da Poli; Zeferino Vaz, da Farmácia e diretor da Faculdade de Medicina de Ribeirão Preto; e Eduardo Marcondes Machado, de pediatria na Medicina da USP (era irmão do ex-ministro de Vargas, Marcondes Filho). A esses se somavam ainda os da Faculdade de Direito, Honório Monteiro, antigo ministro do Trabalho de Dutra, e o industrial Luís Eulálio de Bueno Vidigal. Depois chegou Gama e Silva, que deixou péssima memória no tempo do AI-5 e de quem fui colega no Conselho durante muitos anos. Ajudei-o a ser reitor (*mea culpa!*). Sempre havia no Conselho um representante da Congregação de cada escola e seu diretor, além dos referidos representantes dos antigos alunos, dos doutores e dos livre-docentes. No total, eram de 22 a 25 membros.

Quando entrei no Conselho Universitário, órgão máximo de direção da USP, os professores catedráticos me viam como um subversivo. Eu lutava fortemente pela organização da carreira universitária, objetivo maior de nossa associação de professores assistentes, atual Adusp. Os catedráticos mandavam para valer e podiam demitir *ad nutum,* à vontade, os auxiliares que quisessem, mesmo se fossem livre-docentes ou doutores. Entretanto, eu era razoavelmente bem-educado, digamos. Isso no início desconcertava os professores no Conselho, e depois os ganhava.

Terminei por participar de jantares de um grupo restrito de professores, entre os quais os "donos da USP". Certa vez fui ao Rio, ainda a capital do país, a pedido do reitor, Gabriel de Carvalho, com ele e mais dois professores. Lá chegando, me senti em casa: conhecia ou tinha parentes em postos-chave. Na USP ninguém sabia disso. Eu vivia para as pesquisas e para a docência, sem me importar com o poder. Quando meu pai era deputado federal, só fui uma vez à Câmara, ainda no Rio. Minha vida era outra, era a de um professor de universidade.

Na mesma década de 1950, durante a realização do XXXI Congresso Internacional de Americanistas, de antropólogos, no Hotel Esplanada, veio a bomba: Getúlio se suicidara, acusando as forças que agiam contra ele. Doara seu sangue, disse, ao povo a quem sempre defendera. De imediato, mesmo longe do epicentro das demonstrações, na praça da Sé, a massa getulista, ou talvez nem isso, a massa simplesmente, caminhava aos brados por São Paulo. Quiséssemos ou não, a faculdade também foi tomada pela politização que se iniciava. Fomos, de certa maneira, tragados pelo que ocorria no país.

Retomando o fio, nossa capacidade para analisar os dados de pesquisa era relativa. Renato Jardim Moreira, como disse, conhecia um pouco mais de análises quantitativas. Florestan sempre fez suas análises com dados qualitativos. Lembro que, de posse dos dados dos questionários que aplicamos sobre o preconceito racial, terminamos por ir à Faculdade de Medicina, não para pedir ajuda a seus professores, mas para usar as máquinas IBM de que a faculdade dispunha na Administração. Nós mesmos perfurávamos os cartões IBM e os colocávamos em uma máquina que os franceses (aprendi mais tarde, em Nanterre) chamam de *trieuse*, e nós, de separadora; olhávamos o resultado na processadora IBM e o anotávamos à mão em um caderno.

Certa vez fui à Faculdade de Economia falar com um professor de estatística, inglês, Wilfred Stevens (sua mulher, Kera, dava aula de literatura inglesa na FFCL). Ele fizera o planejamento para o cálculo de safras agrícolas em Portugal e em São Paulo. Nós havíamos lido um livro famoso, *The American Soldier*, de Paul Lazarsfeld e Samuel Stouffer, no qual havia escalas de atitude. Era o que precisávamos para fazer as análises. Ninguém as conhecia na Faculdade de Economia e tampouco na nossa. De pouco resultou o encontro com o professor.

Foi também na década de 1950 que houve novidades na FFCL. Seguíamos com as pesquisas sobre preconceito racial no Sul do Brasil (Renato não chegou a escrever sobre o tema, apesar de ser quem mais sabia de técnicas quantitativas de pesquisas). Ianni e eu escrevemos o livro *Cor e mobilidade social em Florianópolis*; fiz minha tese de doutoramento sobre os negros na sociedade escravocrata do Rio Grande do Sul, defendida em 1961, e com ela publiquei um livro sobre a escravidão no Brasil Meridional; Octavio Ianni fez sua tese sobre os negros no Paraná.

Pouco a pouco, além de vários *surveys* aplicados a estudantes em uma amostra das escolas desses estados, passamos a fazer mais análises sobre a escravidão e a sociedade correspondente do que sobre os preconceitos raciais na contemporaneidade. Os dados dos *surveys* feitos com estudantes daqueles estados foram usados por um padre da universidade católica americana Notre Dame, que viera ao Brasil com propósito de estudar o preconceito racial. Só esporadicamente nós os usamos.

No livro *Capitalismo e escravidão no Brasil Meridional: o negro na sociedade escravocrata do Rio Grande do Sul*, fiz uma análise não só do que era o miolo da questão — o capitalismo baseado na mão de obra escrava — como da sociedade rio-grandense. Sua base, nas charqueadas, era escravocrata, com muitos trabalhadores nessa condição; nas estâncias, onde os trabalhadores eram menos numerosos, junto com os escravos poderia haver trabalhadores livres e agregados. No conjunto, contudo, a sociedade era definida pela existência de escravos (nunca se deve considerar, contudo, os escravos como uma casta, pois essa tem outras características). E a classe dominante era senhorial. Na época, eu usava conceitos weberianos por vezes mesclados — com certa dose de imprecisão — com análises dialéticas de inspiração marxista, e falava em dominação patrimonialista para referir-me aos senhores de terras e de escravos.

De toda maneira, o livro retrata o que era a sociedade gaúcha das charqueadas, sublinha a diferença entre os escravos que trabalhavam em ofícios e aqueles que trabalhavam "no eito" (na lavoura), e desenvolve pontos sobre o processo do abolicionismo. Tenta mostrar em que medida a sociedade gaúcha se transformou com a presença do trabalho livre advindo da imigração, a passagem ao capitalismo baseado nos assalariados. Ressalta também o número relativamente reduzido de escravos (sempre na comparação implícita com o Nordeste) e suas limitações. Não era um livro apenas sobre o preconceito racial, embora dele também cuidasse, mas um trabalho sobre as peculiaridades de uma formação social que estava incluída no circuito do capitalismo, a despeito de seu setor principal, as charqueadas, basearem-se na escravidão.

Na verdade, estávamos, Ianni e eu, sob influência do "seminário sobre Marx", durante o qual lemos *O capital* (em diferentes línguas) e, até que eu me fosse para Santiago, também partes das *Teorias da mais-valia*.

Antes de falar a respeito desse seminário, o fato importante que houve no Departamento de Sociologia naquela década foi o convite ao professor Georges Friedmann, do Conservatoire des Arts et Métiers, de Paris, para fazer seminários na cátedra de Sociologia II, cujo titular era Fernando de Azevedo.

Durante a campanha eleitoral de meu pai, candidato pelo PTB à Câmara Federal em 1954, eu, que desde quando casara havia trocado o Opel por um carro novo, tcheco, marca Singer (como as máquinas de costura), conhecia razoavelmente os bairros mais populares. Com o carro novo, levei Friedmann para ver como se fazia campanha eleitoral nos arredores de São Paulo. Entrávamos em diretórios onde, algumas vezes, apesar de no frontispício haver placas do PTB, eu dizia ao professor: Aqui não é PTB, mas PCB.

Normalmente os eleitores pouco sabiam disso e pouco se importavam. Queriam votar no partido de Getúlio Vargas. Entregava-se a eles a chapa completa, as cédulas de papel, que, se possível, vinham encimadas com o nome de Getúlio Vargas para presidente ou senador, ou o que fosse. Recebiam um bolo de cédulas com as diversas candidaturas (para presidente, governador, deputado federal e estadual) e partiam para as urnas. Friedmann não entendia o estilo à la Macunaíma dos brasileiros de fazer política. Escrevo isso também para salientar as vantagens de então possuir um carro: dava acesso imediato a certo tipo de pessoas influentes e à militância política.

Depois de uma série de seminários, Friedmann falou bem de mim como sociólogo para Fernando de Azevedo, para desconforto deste, que apesar de ter tido como assistente Florestan Fernandes, com quem eu trabalhava, rivalizava com ele. Mas também lhe disse que no ano seguinte seria melhor chamar um assistente dele, Friedmann, mais jovem. Verdade: um jovem entenderia nossas plagas melhor do que ele. Tínhamos uma cultura diferente: embora pertencentes ao Ocidente, fazíamos parte de um "extremo Ocidente", como foi caracterizado mais tarde por outro sociólogo francês, Alain Rouquié, que também foi embaixador em Buenos Aires e em Brasília, depois de ter trabalhado no Cebrap.

O novo assistente recomendado pelo professor Georges Friedmann era Alain Touraine, que me influenciou bastante, e não só a mim. Touraine, casado com uma pesquisadora chilena, Adriana Arenas, havia feito uma pesquisa sobre trabalhadores, comparando a situação das minas chilenas com o que ocorria nas empresas de aço, uma localizada em Lota e a outra em Huachipato, ambas no Chile. Ele falava espanhol, era jovem e dava aulas brilhantes, embora difíceis: estava influenciado pelo americano Talcott Parsons, mas com visão francesa, tratando de redefinir a seu modo as ações sociais. Começava a trabalhar com os movimentos sociais.

Touraine esteve em São Paulo para esses seminários mais de uma vez, em anos distintos, e uma delas coincidiu com a presença de Sartre no Brasil. No final dos anos 1950, havíamos escrito uns textos que seriam publicados na revista de Sartre e Simone de Beauvoir, *Les Temps modernes* — o primeiro deles, "Hégémonie bourgeoise et indépendance économique", de minha autoria, saiu em 1967.

Na cabeça dos jovens sociólogos de São Paulo, só existia luta de classes. Era a sociedade e o mercado que contavam. Touraine certa vez me disse, depois de ler o que eu escrevera para a revista francesa: está bem, mas também existe Estado, política, populismo. Ele abriu nossos olhos de sociólogos para o contexto político-social. E nos mostrou algo que nunca mais esqueci: que as aves que aqui gorjeiam não gorjeiam como lá... Ou seja, não dá para escrever a história do Brasil como se fosse a repetição da história, imaginária, da França, da Inglaterra, ou de qualquer outro país. Havia que buscar a diversidade, o particular no geral. Só isso, que se vê também na metodologia marxista, já bastaria para eu ser eternamente grato a ele (de quem sou amigo até hoje).

Até então, a grande influência sobre a nova geração, como disse, era exercida em São Paulo por Florestan Fernandes. Os impulsos "marxistizantes" dele, que àquela altura eram mais do que contidos, e sobretudo os nossos, eram corrigidos pelo rigor científico. Líamos vários autores. Na verdade, o entusiasmo maior, além de Karl Mannheim, era por Max Weber, em especial o da *Economia e sociedade* e o dos ensaios sobre a vocação para a política e para a ciência. Líamos também a *História econômica geral* do mesmo autor. Na base de nossa formação havia Durkheim, não só o das *Regras do método sociológico*, mas também o da *Divisão do trabalho social*. Em suma, éramos teoricamente ecléticos.

Florestan Fernandes publicou os *Fundamentos empíricos da explicação sociológica* distribuindo cada santo em seu altar: se era para analisar processos sociais coetâneos e repetitivos, Durkheim; no caso de longos processos históricos de transformação, Marx; e quando se quisesse dar sentido às ações sociais e ver algum sentido nelas, Max Weber. Era a troica reinante. Bastide escreveu uma resenha de meu livro *Capitalismo e escravidão...* numa revista francesa de sociologia, na qual dizia que na França não seria possível, num mesmo livro, a coexistência de autores tão distintos em seus métodos. Era um elogio.

Touraine nos trouxe o sentido dos movimentos sociais, do Estado, da política. Não que deixasse de ser científico e sociológico. Pelo contrário, sublinhava as ações sociais e os movimentos, mas nos mostrava o contexto. Francês, via as diferenças entre as sociedades latino-americanas e as europeias, estas mais industrializadas e urbanizadas, com classes mais organizadas e alguma noção de seu papel na História. Sabia que na América Latina havia classes, mas ressaltava também o papel do Estado e, sobretudo, do populismo e das lideranças carismáticas.

Não sei se eu via tudo isso à época, ou se é aquele que sou hoje que percebe um Touraine visionário. De qualquer modo, foi ele quem nos abriu os olhos. Os seminários que nos introduziram à sociologia das sociedades industriais e do trabalho foram fundamentais para uma guinada na temática.

# 3. As mudanças no Brasil e os primeiros livros

Ao mesmo tempo que fazíamos pesquisas sobre os negros e a sociedade escravocrata e seguíamos nossa rotina acadêmica, iniciamos uma leitura de Marx, talvez embalados pelo que acontecia no país, mas sempre com mais vocação universitária do que política. Por quê? José Arthur Giannotti, colega de turma de minha irmã Gilda nos estudos de filosofia, assim como de meu futuro cunhado, Roberto Cardoso de Oliveira, voltara da França, de Rennes, para onde alguns alunos do curso de filosofia eram mandados. Se o Departamento de Sociologia sofria a influência dos franceses, o de Filosofia mais ainda. Em minha época de aluno, e mesmo quando professor, estava no Brasil o filósofo Gilles-Gaston Granger, tradutor de Wittgenstein para seu idioma; a certa altura veio Claude Lefort, e sucessivamente vários professores franceses.

Giannotti era brilhante e ganhou uma bolsa para estudar na França. Na volta, creio que em 1958, estávamos ele, Ruth e eu no Posto 6, em Copacabana, perto de onde meu tio Carlos vivia numa cobertura vizinha ao prédio em que meu pai morou. Era da casa de meu pai ou de meu tio que saíamos para a praia. Pois bem, naquela manhã, Giannotti, de súbito, como é seu jeito, propôs: "Por que não tomamos Marx para lê-lo heuristicamente, à moda do que os franceses fazem com os filósofos?".

## A LEITURA DE O *CAPITAL*

Foi o começo do círculo de leituras sobre Marx. Nada a ver diretamente com a militância política, mas sim com a vontade de saber. Não havia ainda a moda de ler *O capital*, que na década seguinte, a de 1960, se espraiou da França para o mundo. Que me lembre, só em Buenos Aires, e talvez em Córdoba, na Argentina, havia alguns leitores organizados de Marx.

Aceita a proposta, formamos um grupo composto por aquele trio inicial e mais Fernando Novais, Bento Prado, Paul Singer, Octavio Ianni e alguns alunos, como Francisco Weffort, Roberto Schwarz, Michael Löwy e Gabriel Bolaffi. Pouco a pouco fomos reunindo outros interessados, como Sebastião Advíncula da Cunha, que além de economista de um grupo de consultores trabalhou por pouco tempo com Florestan Fernandes, e Juarez Brandão Lopes, que da Faculdade de Economia, onde colaborava com Mário Wagner Vieira da Cunha, passou à de Arquitetura, mas era sociólogo com sólida formação nos Estados Unidos.

Disse que não havia relação direta com a militância política. Na verdade, entre os que tinham alguma experiência na área, mas pouca, havia, além de mim, Paul Singer, que militara no Dror, movimento de jovens pró-Israel de tendência socialista. Mas o seminário pôde se organizar e se manter por vários anos porque também nós estávamos engolfados pela temática do desenvolvimento e das classes. A época era de grandes transformações e era preciso compreendê-las. As ferramentas de que dispúnhamos na universidade, as análises durkheimianas, o funcionalismo de Robert Merton e outros mais não nos permitiam compreender a dinâmica daquilo a que estávamos assistindo. Nem mesmo Max Weber, que estudara as origens do capitalismo e o papel das religiões.

O poder era o tema de preocupação central para as análises de outro grupo, que se formara no Rio, advindo do Instituto Superior de Estudos Brasileiros, ligado ao Ministério da Educação e Cultura. À frente deste estavam Candido Mendes e Hélio Jaguaribe, além do filósofo Álvaro Vieira Pinto. Nós, "a faculdade", como dizíamos, polarizávamos com eles, mas sem que o assumíssemos de fato: víamos as classes, eles, o Estado. Para nós eles pareciam ideológicos, enquanto nós seríamos cientistas. Diga-se de passagem que também éramos um grupo de amigos, e nos deliciávamos com o jantar que se seguia ao seminário, no qual falávamos sobre quase tudo, menos de Marx...

Nos seminários propriamente ditos, fazíamos leituras minuciosas, cotejando as versões em espanhol, francês e inglês com o texto original — as dúvidas eram frequentemente esclarecidas por Paul Singer, que sabia alemão. A polarização se dava entre Bento Prado e Giannotti. Bento defendia existir uma "antropologia fundante", quer dizer, Marx centraria suas teorias nas estruturas condicionantes, mas o motor de tudo era o ser humano; Giannotti defendia que no *Capital* estaria presente algo como um desdobramento lógico, dialético, fundamentado nas coisas, nas estruturas objetivas do trabalho, nas relações objetivas entre as pessoas. Sabia, é claro, existir uma reificação (coisificação) no mundo das mercadorias, a ser desvendada.

Podem parecer termos abstratos... e eram. E as polêmicas eram grandes, às vezes desembocavam na filosofia pura: Giannotti era "acusado" de fazer uma leitura calcada na fenomenologia (Heidegger, mas, sobretudo, Husserl), e Bento Prado seria "idealista", e por aí nos perdíamos... Entrava então Paul Singer, com seu bom senso, para nos trazer à realidade das coisas. Tratava-se, ele nos relembrava, de compreender a dinâmica do capitalismo e das classes que se formavam nele.

Enquanto isso, Ianni e eu, dentre os membros do grupo (depois Fernando Novais escreveu, com maestria, seu livro famoso: *Portugal e Brasil na crise do antigo sistema colonial*), ao rejeitarmos o empirismo que impregnava os conceitos da sociologia (subdesenvolvimento e modernização, um contínuo que ia do atraso ao desenvolvimento e assim por diante), precisávamos de muletas que tornassem mais operacional a sabedoria adquirida, assim julgávamos, com a leitura de Marx. Essas muletas, como conto nas introduções das reedições de meu livro *Capitalismo e escravidão...*, vieram do tal puxão de orelhas de Touraine, mas sobretudo da leitura de Sartre, no *Questions de méthode*. E do conhecimento advindo de havermos lido um pouco de Lukács, pois seu livro sobre história e consciência de classe fora traduzido para o francês em 1960 pelas Éditions de Minuit (*Histoire et conscience de classe*). E de nosso próprio empenho em "fazer ciência", isto é, observar fatos, concatená-los e interpretá-los. Não éramos meros ideólogos.

A VISITA DE SARTRE

Não só a leitura do *Questions de méthode*, de Sartre, lançado em livro em 1960, me marcou: sua visita ao Brasil no mesmo ano da publicação, depois de haver estado em Cuba, foi crucial. Veio, pasmem, a convite do Grêmio da Escola Paulista de Medicina, do qual o presidente era um antigo (e até hoje) amigo meu, Luiz Meyer. Convidou-o com a cara, a coragem e a óbvia admiração. O grande filósofo aceitou. O que fazer? Ficou hospedado em um hotelão, o Excelsior, na avenida Ipiranga, perto da São João, depois da praça da República. Estava sempre à disposição, sobretudo, dos jovens.

Fez uma conferência no Mackenzie que nos deixou embasbacados, sem sabermos muito bem o porquê. Foi jantar em minha casa do Brooklin, com Simone de Beauvoir, que cuidava do que ele comeria com olhar de babá. Mormente nestas terras estranhas.

Houve, para mim, dois ápices da visita. Primeiro, a transmissão pela TV Excelsior de um debate realizado no auditório do Teatro de Cultura Artística, na rua Nestor Pestana. Fomos, além de mim, creio que o Giannotti, o Luiz Meyer e o professor assistente de sociologia da USP, Rui Coelho. Rui era fluente em francês e havia trabalhado na Unesco, em Paris. Na hora do debate, porém, deu-lhe um branco e eu, de francês mais precário, acabei por conduzir as perguntas. O que obviamente ajudou na aproximação com os dois franceses. E a convite de um jovem professor de filosofia, Fausto Castilho, de uma faculdade recém-criada em Araraquara, Sartre topou fazer uma conferência na cidade (a famosa visita do casal está toda documentada).

Alain Touraine, então novamente no Brasil, não só assistiu à conferência da TV em São Paulo como foi comigo e Ruth para Araraquara, terra natal dela. Foram também Adriana, sua mulher, e a filhinha deles, Marisol, de menos de um ano (recentemente, no governo do PS na França, ela foi ministra da Saúde Pública). Ficamos na casa dos pais de Ruth e o casal Touraine num hotel, se bem que Adriana ia à casa de meus sogros para alimentar a filha.

Simone de Beauvoir falou sobre feminismo no Theatro Municipal, e eu servi de intérprete, para espanto de Madlon Bittencourt, que não confiava em meu francês. Sartre falou na sede da diretoria da faculdade, na antiga prefeitura da cidade. Fez uma conferência sobre o ser e o nada. Não entendemos muito, mas adoramos.

Diga-se que na ida os dois passaram a noite em Louveira, em uma fazenda de Júlio de Mesquita Filho, e dormiram numa cama de casal, quando já eram mais amigos do que casados. Pouco importava para eles: eram pessoas modernas e liberadas. Sartre deixou comigo tanto as folhas de papel de telegramas da Western que encontrou no hotel e no verso das quais fez anotações (incompreensíveis) para a conferência no Mackenzie, como uma autorização dando-me os direitos autorais para que eu publicasse o que quisesse daquelas notas. Naturalmente, nunca a usei.

Conto esses pequenos episódios, que nos marcaram e não só a mim, não para me gabar, mas para mostrar o clima do momento: Sartre voltava de Cuba, a revolução, no início, era a esperança; o casal, famosíssimo, se interessava mais pela juventude do que pela "velharia". Estavam pasmos com a eleição no Brasil: Jânio era candidato à Presidência. Ainda não havia vencido as eleições, mas, depois, foi eleito.

Para um intelectual francês, a eleição de Jânio poderia representar a barbárie, tanto mais que substituiria a Juscelino Kubitschek que, bem ou mal, fizera Brasília e sonhara com um Brasil mais industrializado e mais integrado ao mundo. (Assisti, mais tarde, boquiaberto, a uma conferência na faculdade do então ministro da Cultura da França, André Malraux, em que fazia elogiosas referências ao simbolismo do urbanismo de Brasília, uma cruz cujos braços se abriam a partir do tronco principal.)

Depois disso, eram trevas o que se antecipava. A despeito do entusiasmo por Cuba e das declarações de Jânio, sempre ambíguas, sobretudo a respeito do Terceiro Mundo (como no caso do Egito, elogiando Nasser), e mesmo da admiração de Sartre e Simone por Fidel, a escuridão parecia se aproximar. O otimismo de Juscelino contrastava com a visão de Jânio, que dizia, maliciosamente, que seu antecessor arruinara o país.

Apesar do entusiasmo despertado por JK, seu candidato, o

general Teixeira Lott, se comovia os nacionalistas e as esquerdas, não chegava a mover as massas que haviam sido despertadas. O discurso morno do general-candidato parecia às massas como se estas estivessem rejeitando o que de benéfico para elas próprias havia sido construído pelo desenvolvimentismo. Jânio Quadros, com seu capote negro cheio de caspa, e visitando os bairros da imigração japonesa com seus pés cruzados, criava um populismo imagético que atraía o povo. Subiu ao poder, segundo a esquerda, nos braços da elite, na época simbolizada pela UDN. Mas, de fato, voou nas asas de seu talento verbal, arrastando multidões, contra o sem graça do general Teixeira Lott, candidato que era apoiado pelo partido do governo, o PSD. Venceu.

Os intelectuais franceses foram-se do Brasil e não os vi mais. Na verdade, a Sartre vi, de longe, em Paris, em maio de 1968, fazendo uma palestra e sendo vaiado pelos estudantes "revolucionários". Antes disso, tentei encontrar Simone. Estive na França em 1961 e levei comigo trechos vertidos para o francês do livro que publicara baseado no meu doutorado. Encorajado pelo texto a respeito da tese que o professor Gérard Lebrun, muito respeitado, escrevera, pensei que poderia lançar o livro naquele país e que Simone talvez pudesse me ajudar. Não a encontrei, infelizmente. E infelizmente não guardei os comentários de Lebrun sobre minha tese, mas lembro que muito me envaideceram. Aliás, devo à leitura dos ensaios de Lebrun o motor que me levou a ler Pascal mais tarde.

Eram novos tempos, novos engajamentos, ilusões e realidades diferentes. Meu "marxismo" teve uma boa dose de *souplesse*, de flexibilidade, graças ao *Questions de méthode*. E, sem dúvida, o contato com o casal ajudou-me a ficar menos provinciano. Era o "grande mundo" da cultura, contrastando com o que vivíamos ao sul do Equador.

Foi durante o período em que líamos *O capital* que terminamos, os assistentes de Florestan, as pesquisas sobre relações raciais, o preconceito e a sociedade escravista. Dessa investigação nasceu minha tese de doutoramento. No Rio Grande do Sul, sobretudo em Porto Alegre, mas também em Pelotas e na cidade do Rio Grande, vasculhamos arquivos, fizemos entrevistas, aplicamos questionários nas escolas e frequentamos tanto gafieiras como clubes de negros. Em Porto Alegre o clube se chamava Floresta Aurora, mesmo nome de um jornal que se publicou no século XIX e que encontramos na Biblioteca de Pelotas. Não dispúnhamos de tecnologia adequada: fotografávamos os textos com uma máquina americana ou alemã, creio que da marca Kodak.

Encontramos pessoas que sabiam bastante da história de Porto Alegre, antiga e contemporânea, como Laudelino Medeiros, professor da UFRGS e que integrou a banca do meu doutoramento — além dele e de Florestan Fernandes, fizeram parte da banca Sérgio Buarque de Holanda, Lourival Gomes Machado e Tales de Azevedo, professor na Universidade Federal da Bahia. Da vida local, sabia, especialmente, um jornalista, Carlos, não tenho certeza do sobrenome, talvez Guimarães, mas que nos ajudou bastante a entender a sociedade gaúcha. O mesmo se diga do médico Fernando Osório, fazendeiro local, descendente do general heroico de mesmo sobrenome, que nos ajudou a entender Pelotas e sua economia, outrora baseada na produção de charque.

A compreensão da sociedade escravista, da temática do escravo que queria se libertar e da mentalidade dos estancieiros foi sendo por mim reconstruída a partir da visão do que entendia ser o método dialético, já devidamente corrigido graças às leituras de Sartre e Lukács. Dentre os estrangeiros que andaram pelo sul, devo muito a Louis Couty, que me ajudou a desvendar como funcionava a economia escravista. Eu lera seu livro, *Le Brésil en 1884*, publicado no Rio no mesmo ano.

Couty me permitiu ver as diferenças entre os *saladeros* do Uruguai e Argentina e as charqueadas do Sul do Brasil. Nos primeiros, a mão de obra era livre e assalariada. Em nosso caso o charque era produzido por escravos. Era como se o capital variável (que paga a mão de obra) fosse como o das máquinas, fixo. O que poderia implicar aparentemente uma vantagem era o contrário: os escravos custavam a seus proprietários (comida, roupa e abrigo) o tempo todo; no regime dos *saladeros,* o proprietário pagava os assalariados, mas não se responsabilizava por sua manutenção, e na entressafra poderia dispensá-los. Isso entre outras diferenças.

A introdução da tese que fiz era pedante e metodológica. Nossos mestres da USP achavam sempre necessário mostrar o método utilizado, e foi o que tentei fazer. A versão publicada depois amenizava a que escrevi originalmente.

Florestan Fernandes e eu morávamos na mesma rua do Brooklin. Na minha casa havia telefone, herança paterna, pois como deputado ele tinha prioridade para obtê-lo: telefone era um bem raro, a ser declarado no Imposto de Renda. Florestan vinha diariamente à minha casa para usá-lo, conversava muito com Paulo Duarte. Se eu estivesse dormindo, ele ia ao quintal, para onde dava a janela de meu quarto, e fazia algum barulho para que eu e Ruth nos levantássemos. Falava ao telefone e, depois, com um cafezinho na mão, conversávamos sobre o que nos vinha à cabeça. Foram anos de intenso convívio. Quando os filhos dos dois casais estavam em idade de ir à escola, ora Ruth, ora d. Myrian, esposa de Florestan, os levavam de carro. Não obstante, até mesmo quando eu era senador e Florestan deputado, eu sempre o tratei como "senhor". Era assim.

Florestan rejeitou a primeira versão da introdução da tese, talvez porque eu tratasse mal o método funcionalista. Acreditou que seria uma crítica indireta a ele, apontando uma vez mais suas resistências à dialética, não por razões teóricas, mas porque nos distrairia das questões de fato... Talvez tivesse razão. A paixão pela dialética, não obstante, transparece no livro, na oposição entre senhores e escravos. No entanto, e eu me dei conta disso, a aspiração do escravo não poderia ser como a do trabalhador: tornar todo mundo semelhante a ele. Os escravos queriam o oposto, a liberdade de que a classe senhorial dispunha e eles não.

A generalização da própria condição seria pensável em uma sociedade burguesa, na qual os proletários seriam portadores do futuro. Não em uma sociedade senhorial, na qual não teria sentido almejar uma sociedade composta só por escravos. Ou seja: voltamos à noção de que as aves que aqui gorjeiam não gorjeiam como lá.

Ficava afastada a hipótese de empregar sem modificações os conceitos aplicáveis às sociedades urbano-industriais, desenvolvidas, ao se analisar sociedades escravocratas e senhoriais, "dependentes" — voltarei ao conceito —, como eram as nossas antes da abolição. Embora integradas ao capitalismo, pois produziam mercadorias até para o mercado externo, elas tinham suas relações de produção baseadas no trabalho forçado. Para entendê-las havia que fazer uma revolução copernicana: havia, sim, dominação, havia mercado (local e também internacional), produziam-se, portanto, mercadorias, mas, e aí estava o xis da questão: o escravo não era um proletário, sua consciência seria outra.

O escravo representaria o que na economia capitalista assalariada se chamaria "capital fixo", como as máquinas, e não "capital variável", como os assalariados. E assim por diante. Ou seja, a relação do particular com o geral e com a base social da produção precisaria ser refeita. Não se poderiam, sem mais, aplicar os conceitos produzidos em outras épocas para explicar as relações produtivas, a sociedade e os mercados dos países ditos "subdesenvolvidos". Ainda mais se sua base fosse a produção escravista, como era o caso. Havia muito trabalho teórico a ser feito.

## O PAPEL DOS EMPRESÁRIOS E A FORÇA DOS TRABALHADORES

A análise entre variáveis é, nesse sentido, abstrata e não satisfaz ao espírito analítico que busca entender processos reais. Foi o que tentei dizer no *Empresário industrial e desenvolvimento econômico no Brasil*, no qual não me limitava a fazer esquemas comparativos abstratos e que escrevi como tese de livre-docência, defendida em 1962.

Não só fiz entrevistas com muita gente e dei base empírica às análises, como tentei mudar o foco predominante, que era ver na história do Brasil a repetição da história dos países desenvolvidos pelo capitalismo. O que estava em tela de juízo não era apenas a sociologia, mas a visão política, sustentada pelo Partidão e pelos nacionalistas, que atribuía a condição de oponente das grandes empresas internacionais à burguesia industrial, que além disso estaria disposta a fazer uma aliança com as forças socialmente progressistas: o proletariado e os camponeses. Seria a "nossa" revolução burguesa.

Primeiramente vale falar sobre os trabalhadores do campo. Era época de Francisco Julião e das Ligas Camponesas. Quando fazia a pesquisa sobre os empresários em Recife, conheci e visitei Celso Furtado em seu apartamento da praia da Boa Viagem, acompanhado por Leôncio Martins Rodrigues, que me ajudava nas entrevistas. Na ocasião, Celso era o superintendente da Sudene, que criara no governo de Juscelino. Foi ele quem nos proporcionou, a mim e ao Leôncio, um jeep com motorista (mais tarde soube que era informante da polícia...) para levar-nos até ao engenho ocupado pelo movimento agrarista. Eu me convenci, e não só por essa visita, mas por leituras, sobretudo o estudo feito por uma ex-aluna, Maria Conceição D'Incao, que aqueles trabalhadores rurais não cabiam na categoria de camponeses.

À diferença dos colonos alemães, italianos e os demais, do Sul, as lutas no Nordeste, como nos confins entre São Paulo e o Mato Grosso, eram levadas adiante por trabalhadores rurais, os boias-frias. Estes não eram apenas sem-terra, mas, sem a memória de haverem sido o que nunca foram, pequenos proprietários. De novo, estávamos diante de camadas socialmente novas, de origem diferente, sem a tradição das lutas camponesas europeias e de outras partes do mundo.

Fiz uma conferência sobre os movimentos agrários na Fiesp, que ficava no viaduto Dona Paulina, antecedida por outra palestra, de Florestan Fernandes. À minha saída, a pessoa que me havia recebido disse: "Você sim, não é comunista". Nem Florestan era! Eu apenas dizia as coisas com a linguagem mais "educada", digamos. Na verdade, era tão solidário quanto podia com as lutas dos que trabalhavam no campo, mas não os chamava de camponeses, e não via nos empresários rurais apenas latifundiários a serem eliminados, mas empreendedores capitalistas (não todos, é claro). Publiquei em Belo Horizonte, na *Revista Brasileira de Estudos Políticos*, em outubro de 1961, o artigo "Tensões sociais no campo e reforma agrária", que espelha essa visão. Note-se que, em dezembro de 1960, fui nomeado pelo governo Carvalho Pinto membro de uma Comissão de Revisão Agrária, presidida pelo então secretário de Agricultura, José Bonifácio Coutinho Nogueira. Não obstante, politicamente a visão oposta ganhava espaço entre os progressistas: a possibilidade de aliança entre a burguesia nacional e os trabalhadores, da cidade e do campo, ambos movidos pelo sentimento anti-imperialista.

Quando me dediquei a investigar o papel dos empresários industriais no desenvolvimento econômico do país, não parti dessa visão ideológica, mas do sentimento genuíno de procurar entender sua ação, suas visões e seus limites. Eu já havia publicado, no início da década de 1960 e mesmo antes, artigos em revistas e jornais nos quais ficava patente meu interesse pelo tema da industrialização no Brasil. O que pensava então encontra-se sobretudo nas resenhas para a revista *Anhembi*. Em 1953, escrevi "Um estudo sobre São Paulo", resenha do livro de Monbeig sobre a cidade; em 1957, aquela sobre o livro de Richard Morse. Tentei responder por que São Paulo se industrializou. Dei continuidade a essas resenhas em pelo menos dois artigos um pouco mais elaborados — "Condições sociais da industrialização de São Paulo", que apareceu na *Revista Brasiliense* e numa revista mexicana em 1960, mesmo ano em que publiquei "Atitudes e expectativas favoráveis à mudança social" na revista *Sociologia* e no *Boletim do Centro Latino-Americano de Pesquisas em Ciências Sociais*, do Rio de Janeiro.

Para escrever sobre os empresários e o desenvolvimento, entrevistei uma amostra dos grandes empresários, dentre os quais o senador Ermírio de Morais, este sim nacionalista, como também meu amigo Fernando Gasparian. Entretanto, me dei conta de que a maioria deles ora tinha ligação com o capital agrário, ora se associava a empresas que vieram a se chamar multinacionais, mas que ainda eram qualificadas como trustes ou cartéis internacionais. Não que inexistissem diferenças e tensões entre os nacionais e os estrangeiros, nem que elas inexistissem entre os empresários. Havia aqueles que assumiam uma posição nacionalista e preferiam ver as empresas estatais crescerem a serem substituídas por conglomerados internacionais. Mas a dinâmica do crescimento industrial não se dava a partir dessas visões, e sim pelas imposições concretas do mercado, com as limitações da tecnologia disponível.

Inspirado por Weber, em *Empresário industrial...* eu usava indiscriminadamente "tipos ideais" mesclados com análises histórico-estruturais. Mais tarde vim a ser criticado por tal amálgama; as análises, contudo, eram sempre embebidas de historicidade. Florestan Fernandes já abençoara tais utilizações não ortodoxas em seu livro sobre os fundamentos das explicações sociológicas.

Dentre as caracterizações típicas, destaco a distinção que fiz dos capitães de indústria, diferenciando-os dos dirigentes de empresa, entre os quais havia os que se davam conta da necessidade de se preocupar com as condições de funcionamento do sistema político-econômico do país e os que se limitavam a focar na esfera da produção.

Também mostrava que, historicamente, dadas as condições a partir das quais emergiu a indústria, era necessário sopesar as diferentes oportunidades existentes ou a serem criadas para que o setor mais tradicional dos empresários, em virtude de sua imbricação com interesses tanto agrários como estatais, não fosse um obstáculo que entorpecesse o crescimento industrial. Via, portanto, o empresariado como provindo de diferentes setores da sociedade, com interesses e visões distintas entre si, portanto oscilantes a respeito de suas plataformas e com baixa capacidade para impor uma diretriz comum e consequente à industrialização e ao desenvolvimento do país.

Já havia na indústria, e chamei a atenção para isso, uma camada de administradores. Se era verdade que a mentalidade familiar e o patriarcalismo podiam embotar a visão mais consequente dos empresários, isso não ocorria com os dirigentes de empresas, que se serviam de administradores profissionais para gerir suas indústrias.

Mais ainda, tentei responder por que razões os paulistas saíram à frente na industrialização. Outra vez, com Weber na cabeça, enfatizo as particularidades dos que chamei de fazendeiros do Oeste paulista, nos quais prevalecia, diferentemente dos demais, o espírito empresarial, e que adotavam a defesa do trabalho livre e de decisões mais racionais para aproveitar e criar chances do mercado. Foram eles que promoveram a imigração, e, pois, o trabalho assalariado.

Ao lado desses empresários, os imigrantes, quando se estabeleceram nas cidades e se tornaram proprietários de pequenas oficinas que prosperaram, deram a base social para a industrialização. Sem falar que o operariado também era composto grandemente por imigrantes e seus descendentes.

Como sociólogo, não me limitei a mostrar as estruturas subjacentes às ações dos empresários e procurei lidar com as formas de sua socialização, suas expectativas e seus projetos. Mas sempre tendo como pano de fundo uma análise histórico-estrutural. Enfim, dava ênfase à formação de uma camada empresarial, uma verdadeira burguesia, que, a despeito da variabilidade de sua formação social, começava a ser diferente das classes tradicionais, que no entanto continuavam a ter peso na vida brasileira.

Falei também de vários autores que, ao investigar o desenvolvimento das sociedades capitalistas, exerciam influência em nossa sociologia, em especial na do desenvolvimento econômico. Estavam em voga as teorias da modernização. Nos capítulos iniciais, que davam um embasamento mais geral a minhas elucubrações sociológicas, eu criticava sobretudo W. W. Rostow, economista que distinguia cinco etapas no desenvolvimento econômico de um país — partia-se da sociedade tradicional, passava-se por um período de transição para, finalmente, alçar voo; ainda haveria um desenvolvimento tecnológico-industrial e então se chegaria à maturidade e enfim ao consumo de massas.

A crítica que fiz aos autores que tratam do empresariado brasileiro equivale à que eu fazia aos demais formuladores das teorias da modernização, inclusive latino-americanos: cobrava a inexistência de maior especificação histórica em suas análises dos processos e movimentos sociais. Sem que se entenda o contexto histórico-estrutural, mesmo quando conceitos que possam parecer adequados são utilizados, a análise é "abstrata". Isto é, não toma em consideração o contexto. Análises como as de Rostow transformavam as etapas em modelos vazios de sentido histórico-estrutural.

Além de Rostow, tratei também de Bert Hoselitz, então em voga. Hoselitz fazia distinções entre sociedades desenvolvidas e subdesenvolvidas, considerando os padrões de comportamento variáveis em cada uma das situações. As sociedades desenvolvidas tenderiam a ser guiadas pelo desejo de realização de seus membros e teriam objetivos mensuráveis, como a formação educacional, enquanto nas subdesenvolvidas ou em desenvolvimento as pessoas manteriam critérios do tipo "status atribuído", com o uso, por exemplo, das relações de parentesco ou de religião para definir suas posições e vantagens sociais.

E mais: nos países desenvolvidos as pessoas tenderiam a empregar critérios universais, do tipo das regras da lei, enquanto nas nações em desenvolvimento elas tenderiam a agir de modo mais personalista, por meio de relações vigentes nas castas ou nas relações de parentesco. As economias desenvolvidas em geral se caracterizariam por uma complexa divisão social do trabalho, enquanto as menos desenvolvidas apresentariam uma divisão do trabalho menos especializada. Minha crítica a essas abordagens já foi dita: elas transformavam tudo em variáveis, que mesmo quando padronizadas eram abstratas, sem o sabor da experiência vivida social e historicamente.

Eu conhecia Werner Sombart, que escrevera, entre outros livros, *O burguês* e *O capitalismo moderno*. E, como já ficou claro, havia lido Max Weber, sobretudo *Economia e sociedade* e *A ética protestante e o "espírito" do capitalismo*. Sabia da importância do espírito empresarial, e, como sociólogo, não poderia fazer uma análise meramente ideológica, desprovida de conotação histórica. Mesmo ao usar tipologias, elas brotavam da própria história e dela estavam impregnadas. Além do mais, implícita ou explicitamente eu criticava os autores brasileiros que supunham ser a burguesia nacional um conceito heurístico e previsor das formas de comportamento: eles achavam que a burguesia local, como a francesa da época da revolução, teria a capacidade político-social de assumir um projeto de desenvolvimento nacional anti-imperialista, com o que eu não concordava.

Deixando de lado os autores criticados, era óbvio que eu discordava das orientações do Iseb e também do PCB, cujas políticas se ancoravam na existência e nas possibilidades de êxito desse projeto de desenvolvimento nacional. No fundo era a mesma ideia já criticada de uma polarização entre, por um lado, camponeses, industriais e massa popular, contra, por outro, as oligarquias rurais e seus representantes ou adeptos urbanos que, irmanados com o imperialismo, sustentariam um poder antinacional.

Ademais, a pesquisa foi feita em 1962, 63, pouco antes do golpe de 1964. Em princípios de 1962 houve uma reunião de chanceleres das Américas, em Punta del Este, no Uruguai. Para tal reunião, a pedido de Medina Echavarría, da Cepal, Comissão Econômica para a América Latina e o Caribe, preparei um paper sobre os empresários que mais tarde foi aperfeiçoado por mim e publicado, quando Aldo Solari deu continuidade à pesquisa sobre as elites no poder com Seymour Lipset.

Já atuava no Brasil, desde 1962, o Ipes, Instituto de Pesquisas e Estudos Sociais, organização empresarial criada para combater o comunismo e que financiaria parte do movimento que levou Castelo Branco ao poder em 1964. Estávamos em plena Guerra Fria. Washington se preocupava com o Brasil. Entre 1962 e 1964, a política se radicalizara. No mundo havia o enfrentamento que se seguiu à ameaça de a URSS implantar, como o fez, armas atômicas em Cuba. No Brasil, por mais que a campanha pelas reformas de base de Jango nada tivesse a ver com o que ocorria no exterior, ela serviu de pretexto para mostrar o risco da "comunização" do país. O tema comoveu primeiro as elites empresariais, e logo depois os militares.

As reformas eram vagas e nunca foram explicitadas por Jango Goulart. O objetivo político, mais do que qualquer outro, parecia ser o de mobilizar apoios a um governo que se sentia frágil. Não obstante, João Goulart, bem ou mal, expressava a necessidade de mudanças. Foi quando a "revolução", sob comando de seus adversários, se implantou e mudou muita coisa; porém não na direção eventualmente desejada por Jango e seus seguidores.

O programa de Jango (embora ele fosse estancieiro) foi visto negativamente pelos mais reacionários. Aos olhos dos mais conservadores, ele parecia quase um "agente do comunismo internacional". Tempos de muito embate.

# 4. Novos tempos, novas vivências

A história se acelerava no Brasil e eu continuava no mundinho acadêmico, membro do Conselho Universitário da USP, alheio às maquinações políticas eventualmente havidas no Rio, em Brasília ou onde fosse. Com uma ressalva: conhecia e era amigo de Darcy Ribeiro, chefe da Casa Civil de Jango. Meu cunhado, Roberto Cardoso de Oliveira, antropólogo, trabalhara com Darcy no Museu do Índio, no Rio. Minha mãe e meu pai, que àquela altura já havia sido deputado federal, também conheciam Darcy, que era muito carinhoso com eles. Ele morava em um subúrbio com sua mulher, a romena Berta Gleizer, também intelectual. Escreveram, conjuntamente, um belo livro sobre a *Arte plumária dos índios kaapor*. Às vezes iam à casa de meu pai para o banho de mar no Arpoador ou no Posto 6, em Copacabana. Foi assim que os conheci.

Em 1962 Darcy ajudou Anísio Teixeira a fundar a Universidade de Brasília (UNB), da qual foi o primeiro reitor. No mesmo ano esteve em São Paulo, no Hotel Jaraguá, tentando convencer os sociólogos da USP a irem a Brasília. Não fomos. Olhávamos mais para as classes e as forças sociais do que para o Estado, desconfiávamos da proximidade com o poder.

Quando Darcy já era ministro, eu o alertei por telefone (a conversa foi gravada pela polícia) sobre os riscos de uma viagem do superintendente da Supra (Superintendência da Política Agrária) a São Paulo. Os sargentos pareciam estar com Jango, que ademais dizia dispor de um dispositivo militar. O ministro veio e foi objeto de provocações. Conto isso para mostrar como andava meu "coração", não minha cabeça, que continuava na universidade.

Trago vivo na memória o dia 13 de março de 1964, em que Jango convocou um grande comício na praça em frente à Central do Brasil, diante do Quartel-General do Exército no Rio. Eu, que estava visitando meus pais, voltaria para São Paulo naquele mesmo dia. Do lar paterno na rua Conselheiro Lafayette fui até a estação de onde partiam os trens da Central. Passei ao lado do dito comício sem vê-lo, tal meu desligamento dos fatos políticos. Nas varandas dos apartamentos da zona mais próspera da cidade (a orla ou mesmo toda a zona de Arpoador, Copacabana, Botafogo e Flamengo) havia velas acesas... de protesto. Inclusive no prédio de meu pai, onde também morava Carlos Drummond de Andrade.

No trem, como era hábito, fui jantar no vagão-restaurante e lá encontrei alguns amigos: Plínio de Arruda Sampaio, José Gregori, que depois foi meu ministro da Justiça, e Marco Antônio Mastrobuono, que se casou com a Tutu Quadros, filha de Jânio Quadros. Viria um golpe, achávamos, só não sabíamos se seria de Jango e dos nacional-progressistas, ou das forças contrárias. E nós nada tínhamos a ver com uns ou com outros. Veio o golpe. Plínio e eu nos reencontramos no Chile, no mesmo ano de 1964. Ambos foragidos do Brasil.

Em suma, na década de 1950 vivi intensamente os problemas da USP, os acadêmicos e os de política interna à universidade, tentando reorganizar a carreira docente e ter participação ativa no Conselho Universitário. Graças a isso ampliei minhas relações no meio universitário. Ainda no governo Carvalho Pinto, em São Paulo, que se iniciou em 1959, conseguimos eleger um reitor mais diretamente ligado às pesquisas, o professor da Medicina Antonio Barros de Ulhoa Cintra. Um político influente, Hélio Bicudo, chefe da Casa Civil, mantinha relações estreitas com Plínio Sampaio, que era seu subchefe e ficou encarregado de um Plano de Ação do Governo do Estado (PAGE). Com eles dois não só conspiramos para eleger Ulhoa Cintra como novo reitor, como conseguimos, mais tarde, pôr em marcha um projeto que Caio Prado incluíra na Constituição do estado de São Paulo: a Fapesp, Fundação de Amparo à Pesquisa do Estado de São Paulo. Foi com o grupo da Medicina que trabalhava com Samuel Pessoa que se conseguiu fazer a Fapesp andar. Os primeiros diretores científicos foram Warwick Estevam Kerr, professor da faculdade de biologia de Rio Claro, e o médico William Saad Hossne, professor da faculdade de medicina de Botucatu, mais tarde incorporadas à Unesp.

Não foi, portanto, mera "politiquice" o que ajudei a fazer na universidade. Estava sendo consequente com o que eu acreditava ser a função política de um intelectual. Não se falava ainda em "intelectual público", termo que o professor Michael Burawoy (que foi presidente tanto da associação americana quanto da internacional de sociologia, a ISA, International Sociological Association, da qual, mais tarde, fui presidente) utilizaria nos anos 1980 quando trabalhávamos no mesmo departamento em Berkeley.

Vendo em retrospectiva, a década de 1950 e o início da de 60 foram determinantes para minha visão sociológica. Não apenas pelas leituras e pesquisas, mas porque o país mudava. Foi nesse período que meu pai assumiu mais abertamente posições nacionalistas (com Getúlio, criou-se a Petrobras) e, assim como seu irmão, ambos generais já na reserva, criaram e presidiram, respectivamente, tanto o núcleo de São Paulo, como o Centro de Estudos e Defesa do Petróleo e da Economia Nacional.

Para as eleições de 3 de outubro de 1954, pouco depois da deposição e suicídio de Getúlio, num primeiro momento meu pai foi cogitado como candidato ao governo de São Paulo com o apoio das forças populares e progressistas, em particular as ligadas ao Movimento da Panela Vazia (cuja mola era o Partido Comunista), que juntava reivindicação social e econômica, defesa dos trabalhadores, do salário e da Petrobras. Mas ele acabou saindo candidato a deputado federal pelo PTB e foi eleito com a segunda maior votação na chapa daquele partido. Na Câmara Federal ele atuou como nacionalista, que era, mas sem seguir a visão do Partidão, que apoiara parcialmente sua eleição anterior. Por isso perdeu seu apoio e a reeleição em 1958.

Se eu me aproximara do Partidão pela via cultural, meu pai, como militar, não queria saber de luta de classes, e sim de soberania do Brasil e de mais Estado na produção. Logo depois teve início a política nacional-desenvolvimentista de Juscelino, que sucedera na Presidência a Café Filho e Carlos Luz, após o suicídio de Getúlio. Ou seja, indiretamente, embora eu fosse acadêmico, sentia mais de perto as agitações políticas e as lutas que eram travadas pelo desenvolvimento do Brasil. A política, portanto, reitero, não só estava entranhada em mim desde o berço, mas com ela mantive relações estreitas, pela família e por mim mesmo, mas também distantes: queria ser professor e não líder político; se líder fui, na ocasião, foi no âmbito interno da USP.

NA FRANÇA, COM TOURAINE

No início da década de 1960 houve fatos que mudaram meu modo de ver as coisas, tanto da política como da sociologia. Passei parte de 1961 em Paris. Já obtivera o doutoramento, ganhei uma bolsa da Fapesp e fui trabalhar no Laboratoire de Sociologie Industrielle que Alain Touraine criara na 6ª secção da École des Hautes Études. As aulas de Touraine eram no Quartier Latin, na rua Monsieur-le-Prince, quase em frente a uma escadaria que a ligava ao boulevard Saint-Germain.

Em 1961 eu frequentava o Laboratoire, assistia a aulas na Sorbonne e morava com Ruth no prédio principal da Cité Universitaire, no andar onde se hospedava Tristão de Athayde, intelectual de muito prestígio, sobretudo entre os católicos. Na Cité Universitaire também moravam Bento e Lúcia Prado, e José Arthur Giannotti, todos de volta à França, e com os quais fiz uma viagem memorável à Itália. No meu Renault, visitamos os museus e tivemos altas discussões sobre os pintores e escultores que víamos nos acervos de Florença e Roma, além de muitas risadas.

Foi nessa época que encontrei Michel Foucault pela primeira vez, recém-chegado da Suécia. Giannotti e eu fomos jantar na casa do professor Jules Vuillemin, do Collège de France, e lá estava ele. Levei-o para casa em meu carro depois.

Em Paris assisti a um curso de Raymond Aron na Sorbonne. Reencontrei-o anos depois quando ele veio ao Brasil e fez algumas conferências no jornal *O Estado de S. Paulo*; guardo uma carta em que ele se escusa de não me haver dado a atenção que achava eu ser merecedor porque não ligou o nome à pessoa. Pois bem, no curso Aron mostrava não só conhecer bem Marx, como criticá-lo, em nome do liberalismo.

Simultaneamente, além das aulas de Touraine, participei de um seminário do qual faziam parte Raymond Aron, Michel Crozier e dois ou três assistentes do curso de Touraine. Crozier estava escrevendo o livro que o tornou famoso, *A sociedade bloqueada*, e Touraine desenvolvia sua teoria da ação social e começava a analisar os movimentos sociais. Foram contatos fundamentais para mim, que me fizeram rever minhas posições metodológicas e mesmo políticas.

Graças a Touraine, que mesclava Talcott Parsons com sua visão da sociedade, fiz as pazes com a sociologia dos americanos. Foi por essa altura, num jantar na casa de Touraine, em Antony, nos arredores de Paris, que conheci Paul Lazarsfeld. Touraine tinha um assistente iugoslavo que fora aluno da Universidade Columbia e conhecia bem as técnicas quantitativas de pesquisa utilizadas no livro de Lazarsfeld, *The American Soldier*. O outro assistente de Touraine, Lucien Karpik, cuja mulher era advogada e trabalhava no *parquet*, nos tribunais franceses, era não só competente como tinha uma visão não marxista das sociedades. Sofri um choque acadêmico que me ajudou a ver de outra maneira o que ocorria nas sociedades capitalistas.

Por um lado, como sempre, Paris me deslumbrava. Ao chegar, me encontrara com Paulo Carneiro, parente dos Horta Barbosa (o general com esse nome, sogro de meu tio Clóvis, era seguidor da religião positivista), representante do Brasil na Unesco (bom orador em francês) e homem influente. Ele ainda cultivava a memória de Auguste Comte, a cuja associação de admiradores pertencia e dela me tornou partícipe. O próprio Laboratoire de Touraine, e muitas outras secções da École, situavam-se em um imóvel no qual Comte vivera, e, segundo creio, pertencia à referida associação dos comtianos franceses. Paulo Carneiro era "homem do mundo".

Esse banho de europeização, no que tinha de contemporâneo (e não era tanto assim na França...), para mim, oriundo da faculdade e da USP, era uma espécie de continuidade. Uma continuidade acrescida de um aspecto positivo: em Paris, tanto Crozier como Touraine, para não falar de Aron (que estudara e publicara sobre a sociologia alemã), eram scholars e tinham conhecimento tanto da produção europeia como da americana.

Tinham sólida formação acadêmica, dedicavam-se à sociologia e à carreira acadêmica e seguiam os acontecimentos políticos, sem neles se engolfarem (talvez com a exceção de Aron, jornalista militante pelo liberalismo). Era a reiteração, mesmo renovada, do modelo que os franceses haviam levado para São Paulo. Com o tal aspecto positivo: tinham muita informação sobre a sociologia americana.

Abro novo parênteses para contar uma historinha ilustrativa. De Paris, em 1961, fui com Ruth para Nova York pela primeira vez. Conhecia um professor de antropologia da Universidade Columbia, Charles Wagley, que havia estado no Brasil. Ele me mostrou tanto a universidade como Nova York. Para minha surpresa fiquei encantado... mas eu não deveria gostar de uma cidade dos Estados Unidos! Bem, meu sentimento antiamericano gritou mais alto e acabou me levando a ver mais defeitos do que qualidades nos Estados Unidos. Na ocasião de minha ida a Nova York ainda havia bastante segregação racial. Lia-se nos assentos traseiros dos ônibus só PARA NEGROS; e os banheiros eram exclusivos para cada "raça".

Então, de onde teria vindo minha admiração? Do espaço generoso, da pluralidade racial — ainda que terrivelmente conflituosa —, da sensação de que, a despeito de tudo, havia no ar o sentimento de que ali cada um poderia "fazer-se". Noutros termos: a mobilidade social existia. Também havia, com certeza, certo individualismo, mas com dinamismo. Foi quando descobri que minha formação europeia era superficial: senti que as Américas, ou pelo menos São Paulo e Nova York, tinham mais proximidade cultural do que São Paulo e Paris, apesar de ser fluente em francês e, na época, falar mal o inglês.

Dito mais professoralmente: além das estruturas das sociedades, há diferenças e aproximações que são culturais. Bem ou mal, com muitas diferenças, americanos e brasileiros somos partes do Novo Mundo (não sei se essa afirmação pode se generalizar para todo o continente, nem mesmo para todo o Brasil; mas no caso de São Paulo e Nova York, parecia-me válida). Ou seja, além de incorporar nas análises as considerações sobre a política e suas instituições, seria preciso englobar também as culturas em suas variedades e especificidades, que podem aproximar ou distanciar segmentos sociais de países diversos.

Voltei para a vida acadêmica brasileira com a visão menos "marxizante" e mais do que meramente "sociologizante". As greves, as manifestações e a vida política haviam entrado para o cotidiano, pelo menos em São Paulo. Por mais que fôssemos acadêmicos, havia que levar em consideração o meio mais amplo. Foi então que reforcei minhas relações com o grupo da *Revista Brasiliense*, fiquei amigo do engenheiro Paulo Alves Pinto, sobrinho do então poderoso general Osvino Alves, ligado a João Goulart, e casado com Danda Prado, filha de Caio.

Loquaz que era, não só atuava muito no Conselho Universitário como entre os professores e tinha influência sobre os alunos. Nunca, entretanto, levei minhas crenças políticas ou filosóficas para a sala de aula: o exemplo de meus mestres me levava a ser "professor"; ensinava o mais objetivamente possível as diferentes correntes científicas formadas pelos sociólogos. A universidade ainda sabia distinguir entre as preferências pessoais dos professores e a necessidade de rigor acadêmico. Pouco tempo depois as paixões foram ocupando o espaço da razoabilidade. Eram tempos de Jânio e de sua renúncia; depois de Jango e seu "esquerdismo".

Sobre Jânio Quadros, que renunciou no dia 25 de agosto de 1961, um depoimento. Eu fora convidado, na verdade por José Aparecido de Oliveira, que era seu secretário particular e amigo de meu amigo Roberto Gusmão, para ocupar uma posição no Conselho Nacional de Economia, nomeação importante que dependeria de aprovação do Senado (a mesma vaga mais tarde ocupada por Fernando Gasparian). Fui a Brasília e, para não me indispor com o presidente, em conversas com José Aparecido, em vez do cargo proposto, aceitei integrar uma espécie de comissão que se ocuparia das relações entre Brasil e África, da qual fazia parte Candido Mendes.

Jânio, depois de ter sua renúncia aceita pelo Congresso, foi para a base aérea de Cumbica, à espera de ser transportado até um navio e ir para o exterior. No dia seguinte à tarde, em agosto de 1961, quando Jânio ainda estava na base aérea, fui à casa de Gusmão. Lá encontrei José Aparecido, prostrado, deitado em um sofá. Logo depois chegou o ministro do Trabalho, Francisco de Castro Neves, desconcertado ele também. Ou seja, Jânio não prevenira sequer os seus que esperava uma mobilização das massas depois de sua renúncia.

Num primeiro momento, os chefes militares vetaram a posse de Jango. Diante de um movimento nacional de defesa da Constituição, políticos e militares, com a participação de Tancredo Neves, negociaram a mudança de regime, de presidencialista para parlamentarista. Nessas condições, Jango assumiu a Presidência, mas maquinando um plebiscito para restabelecer os poderes presidenciais. Apesar do esforço do primeiro-ministro Tancredo Neves e dos ministros Celso Furtado, do Planejamento, e San Tiago Dantas, da Fazenda, nunca chegou a haver um entendimento político mínimo que possibilitasse investimento na economia e sossego na sociedade. Os dias de Jango estavam contados. E não só por isso: os norte-americanos estavam em plena disputa com a União Soviética e disso havia reflexos na política brasileira.

Em São Paulo, ainda nos tempos de Jânio, Roberto Gusmão assumiu a difícil tarefa de organizar uma Universidade do Trabalho e me pôs na comissão encarregada de pôr o projeto em pé. Em função disso, um dia, nas vésperas da renúncia, fomos a Belo Horizonte para um encontro com professores. Pois bem, estive em Belo Horizonte com aquele que, muito mais tarde, veio a ser meu cossogro e fora colega de meu pai na Comissão de Segurança Nacional da Câmara de Deputados: Magalhães Pinto, que era governador de Minas desde 1961. Fomos para "assuntar" sobre a nova crise, advinda da renúncia de Jânio. Nem ele sabia ao certo o que estava ocorrendo com Jânio...

Quando ocorre uma ação política, mesmo que chegue à renúncia de um presidente eleito, ou à sua derrubada, as personagens políticas não atuam, passo a passo, guiadas pela razão. As coisas acontecem. Têm causas e consequências, mas os atores, mesmo os principais, não estão necessariamente conscientes delas. Com minha formação sociológica, com os adendos franceses, fui percebendo que nas ciências sociais é conveniente, dependendo do tema, saber extrair da experiência vivida as lições possíveis. Especialmente se o foco for a vida política. Mas convém buscar explicações também em razões mais profundas, institucionais, estruturais.

GOLPE MILITAR E EXÍLIO

Voltando ao que ocorria no Brasil: depois dos zigue-zagues de Jânio, assume João Goulart que, em 1964, sofre um golpe. No dia 30 de março daquele ano começava a movimentação militar. As manifestações político-religiosas ocorridas anteriormente eram significativas, promoviam as marchas Com Deus e a Família: a classe média estava contra o "comunismo" de Jango. O que havia, de fato, não era o risco de comunismo, mas a incapacidade de governar, ou para dizer mais pedantemente: a perda de governabilidade. Assim era julgado o governo pelas elites brasileiras; parecia-lhes que havia um "desgoverno", e talvez houvesse. Mais desafiador que isso: Jango dava sinal de ser favorável à "reforma agrária" e aos trabalhadores.

Quando os presidentes se isolam das forças política e economicamente dominantes, e, pior, quando menosprezam o poder das forças entrincheiradas no Congresso, estão a um passo da renúncia ou do impeachment. Por mais que fosse popular, Jango foi perdendo apoio nas forças que contam para a sustentação de um governo não revolucionário. Além do mais, adotava uma retórica considerada pelos conservadores como "perigosa", a favor do povo, dos sindicatos e de vagas reformas.

Nesses casos, a queda pode dar-se seja pela força militar, seja pela sublevação das camadas dominantes e das classes médias. Ou por tudo isso de uma vez. Foi o caso de Jango Goulart: se apoio havia para um autogolpe, era pequeno. Muito menor do que o medo despertado por essa hipótese ou pelo temor nos grupos econômicos — em importantes setores ideológicos e em grande parte das classes médias — da continuidade de um governo hesitante, que poderia ser levado a marchar contra sua visão de democracia e do capitalismo, se não por si mesmo, pelos "esquerdistas" incrustados no poder. E não podemos esquecer que vivíamos a Guerra Fria

A posição da hierarquia da Igreja católica era clara: estavam com Deus e pela família; não eram pelas reformas vagas, a serem conduzidas por um governante com escassas possibilidades de sustentação. Não era sequer necessário que houvesse um complô entre os conservadores e os americanos. Ambos se uniram naturalmente, para derrubar um governo fraco e que poderia ferir seus interesses.

Quando cheguei do Rio, depois do Comício da Central do dia 13 de março, já mais curtido pelas experiências, procurei acalmar os estudantes e colegas na Faculdade de Filosofia sobre o que estava acontecendo. O embrulho era tal que mesmo os mais lúcidos estavam sem muito entender. Logo em seguida ao 31 de março, os professores, em assembleia permanente, queriam protestar contra João Goulart e seus generais golpistas. Telefonei para Luís Hildebrando Pereira da Silva, assistente de Samuel Pessoa na Medicina e bem vivido nas lides políticas, e pedi-lhe socorro: meus colegas, muitos deles, alguns eminentes, achavam que o golpe era do Jango, tal a confusão nos espíritos. Isso porque, entre os mais próximos ao governo, de fato havia quem imaginasse a possibilidade de uma reação, ou mesmo de autogolpe do lado de Jango. Não era meu caso. Se era assim, então por que fui perseguido?

Primeiro houve um fato: em abril de 1964 tentaram prender Bento Prado, julgando que fosse eu. Um antigo aluno me avisou quando estacionava o carro nas proximidades da rua Maria Antônia. Voltei para minha casa e, sem me sentir seguro, fui dormir, primeiro no apartamento de um aluno, no Bexiga, e logo em seguida na rua Dr. Bráulio Gomes, ao lado da Biblioteca Municipal, onde então morava outro amigo, Sérgio Muniz. Ainda lembro o zunir das sirenes dos carros de polícia. Soavam altíssimo, mais para assustar do que por necessidade. Daí fui parar no Guarujá, uma praia paulista, e fiquei, junto com Leôncio Martins Rodrigues, em um apartamento que pertencia a Melanie e Thomaz Farkas, donos da Fotóptica e meus antigos amigos.

Ruth continuava com nossos filhos na rua Nebraska. Tentou falar sobre mim com o vice-reitor em exercício da USP, meu colega no Conselho Universitário e de faculdade, o professor Antônio Ferri (pois Gama e Silva assumira o Ministério da Justiça). Não o convenceu a me dar uma licença. Eu planejava ir para o exterior e logo voltar: vagara a cátedra de Fernando de Azevedo e eu queria prestar o concurso para obtê-la. Ruth então apelou para meu antigo companheiro de Conselho Universitário, Honório Monteiro, afilhado de sua avó. Honório telefonou para consultar Miguel Reale, secretário de Segurança Pública. Reale, depois de verificar, respondeu: "Mas não se trata de um teórico, ele é um prático, está envolvido". O prático era eu.

Graças a essas e outras informações advindas de consultas e análises, decidi embarcar para Buenos Aires. Levava comigo os dados da pesquisa a respeito dos empresários, feita em alguns outros países da região, Argentina e México, notadamente. Eu a começara com a ambição de escrever a tese para postular a cátedra de Sociologia II que fora de Fernando de Azevedo e passou a ser, interinamente, regida por Rui Coelho, seu primeiro assistente. Para o levantamento dos dados contei com a ajuda de Leôncio Martins Rodrigues, que havia estado comigo em Buenos Aires em 1963, entrevistando empresários, e de Pedro Paulo Poppovic, que trabalhava com Florestan no Cesit e havia sido meu aluno. Pedro Paulo se encarregara de entrevistar os empresários mexicanos.

Saí do Brasil com a expectativa de logo voltar. Os preparativos para a "fuga" deveram-se a Maurício Segall, sempre capaz de prever, organizar e dar ordens. No avião, chorei baixinho; não entendia por que eu. Por que comigo? Estava mais interessado na tese e em ocupar uma cátedra do que em apoiar João Goulart ou "as esquerdas".

Ruth se empenhou muito em evitar que eu fosse preso. Ficou em São Paulo e mantinha correspondência constante comigo, desde que cheguei ao meu segundo e final destino, o Chile. Ela decidiu levar nossos três filhos para a casa de seus pais em Araraquara. A comunicação entre Santiago e Araraquara era feita por radioamadores, tal o atraso das comunicações. Foram dias, mesmo meses, angustiosos: imaginávamos que o mal-estar passaria logo, mas foi durando, durando... Então decidimos juntar a família em Santiago, onde eu tinha emprego. Ruth pediu licença não remunerada na USP e a obteve. Dias de muita incerteza e angústia. Tanto mais que em nosso coração, no passado, não havia batimentos acelerados em prol do governo de Jango Goulart.

Por mais prazerosa que fosse a vida no Chile, estar proibido de voltar à pátria, mesmo que isso não fosse dito explicitamente, causava um sentimento estranho. Em conversas com outros brasileiros em idêntica situação, senão pior, pois havia os que nem emprego conseguiam, eu dizia ironicamente a propósito dos que estavam, como eu, bem empregados em órgãos da ONU, que desfrutávamos do "amargo caviar do exílio"...

O ENCONTRO COM A AMÉRICA LATINA

Em Buenos Aires, fiquei em casa de um sociólogo que fora meu colega na França, José Nun, mais tarde ministro da Cultura em um dos governos peronistas. Pepe Nun, como o chamávamos, era não só inteligente e competente, como pertencia a uma família bem situada. Eu tinha alguns conhecidos na cidade, quase todos da faculdade em que se ensinava sociologia: Gino Germani, o principal sociólogo do país, Torcuato Di Tella e Jorge Graciarena, os três que, no ano seguinte, assinariam a autoria de um livro importante, *Argentina, sociedad de masas*.

Nos anos 1950 e 60, criaram-se, graças a incentivos da Unesco, dois polos importantes de pesquisas na região latino-americana, o Centro Latino-Americano de Pesquisa em Ciências Sociais, Clapcs, criado no Rio de Janeiro em 1957, e a Faculdade Latino-Americana de Ciências Sociais, a Flacso, organizada em Santiago do Chile, mais ou menos na mesma ocasião. O Clapcs foi dirigido até 1961 pelo sociólogo baiano Luís Costa Pinto, a figura referencial da instituição, sendo substituído por Manuel Diegues Júnior, um antropólogo alagoano ligado ao estudo do folclore. Na Flacso, que no início contou com José Medina Echavarría, os sociólogos Peter Heinz, suíço, e o norueguês Johan Galtung eram os expoentes.

Antes deles, a atuação de Anísio Teixeira, Darcy Ribeiro e Fernando de Azevedo fora importante na criação de centros de pesquisas educacionais, no final da década de 1950. Integrei um grupo de direção do centro paulista, por curto período, mas o conhecimento das questões educacionais ligado às pesquisas vinha dos três referidos professores.

No ano de 1960, enquanto no Congresso havia a discussão de uma Lei de Diretrizes e Bases da Educação, iniciou-se uma campanha em defesa da escola pública, campanha que em São Paulo foi inspirada por Fernando de Azevedo, mas, na prática, foi operada por Florestan Fernandes, seus assistentes e vários educadores, como Antonio Candido, com o apoio do jornal *O Estado de S. Paulo*. Era uma dessas ocasiões em que a faculdade se achava no dever de participar da política. Fiz conferências sobre o tema em sindicatos, e não fui o único; cheguei a ir a Brasília para falar com senadores que discutiriam a referida lei, pressionando-os.

Na mesma ocasião, fui certa vez ao Rio, para, depois de passar na rua Voluntários da Pátria onde se localizava o Instituto Nacional de Estudos Pedagógicos (Inep), ir ao novo centro da Unesco, também em Botafogo, e então participar de um encontro no Museu Nacional, na Quinta da Boa Vista, no qual estavam, entre outros, os sociólogos argentinos que eu viria a encontrar mais tarde. Gino Germani, na fila do almoço, perguntou se alguém conhecia o termo que nos livros de Merton, Parsons e outros sociólogos aparecia como "*social roles*", e como se dizia em português. Eu sabia: em português queria dizer papéis sociais. Isso bastou para que ele passasse a me distinguir.

Conheci a ele e a Torcuato Di Tella no Rio, e foi a eles que recorri logo que cheguei a Buenos Aires. Leôncio Martins Rodrigues e eu havíamos estado lá em 1963 para a pesquisa sobre os empresários, e ambos haviam me convidado a dar um curso.

Tudo indicava que eu ficaria em Buenos Aires, mais próximo de São Paulo. Meu objetivo era terminar a tese (que eu estava escrevendo na casa de José Francisco Quirino dos Santos e Célia Nunes Galvão, também no Brooklin, lá para os lados de Santo

Amaro, onde me refugiara para trabalhar) e voltar para concorrer à cátedra. As semanas iam passando, as notícias sobre o Brasil não eram as mais auspiciosas para mim. Foi então que Nuno Fidelino de Figueiredo, economista português que conheci quando era professor na Faculdade de Economia, filho daquele Fidelino de Figueiredo que eu encontrara em Lindoia na juventude e que me dissera para estudar ciências sociais, passou por Buenos Aires, vindo da Cepal onde trabalhava. Trazia um convite para eu ir para Santiago.

Poucos meses antes, Medina Echavarría me convidara para passar um tempo no Ilpes, Instituto Latino-Americano de Planejamento Econômico e Social, órgão da Cepal; não fui, mas enviei Francisco Weffort, ex-aluno e na ocasião colega de faculdade, e que seguira por um tempo o seminário sobre Marx.

Em 1960 ou 61, Medina Echavarría estivera em São Paulo e procurara Florestan, que não o recebeu, pois não o reconheceu como sendo o José Medina que tanto admirava. Florestan precisou correr escadas abaixo na faculdade para chamar de volta o visitante. Em função desse encontro, *don* José Medina me pediu mais tarde que preparasse o tal paper sobre os empresários para a reunião de técnicos, paralela à dos chanceleres, em Punta del Este, em janeiro de 1962.

Nuno Figueiredo era portador de um convite do mesmo Medina e de seu chefe, Cristóbal Lara, um mexicano que dirigia o Ilpes nas ausências, contínuas, de Raúl Prebisch. Na dúvida, fui a Santiago para me certificar do que haveria de concreto na proposta para trabalhar no Ilpes. Resolvi aceitar, sempre com a ideia de que estaria fora do Brasil por pouco tempo... Pois bem: fiquei quatro anos em Santiago e, depois, mais um na França, antes de, em dezembro de 1968, reincorporar-me à cátedra de Ciência Política da USP, para a qual eu prestara um concurso. Em abril de 1969, o AI-5 me alcançou e fui compulsoriamente aposentado como professor catedrático, com vencimentos proporcionais ao tempo de serviço.

Quando desembarquei em Santiago, vindo de Buenos Aires, fui recebido no aeroporto por Weffort e Andreas Gunder Frank. Andrés, como eu o chamava — um intelectual alemão bastante famoso em vários países da América Latina —, trabalhara no Canadá e nos Estados Unidos e escrevera sobre economia com um viés marxista crítico. Sempre que chegava a um país, escolhia dois ou três intelectuais locais, exitosos, e os criticava, sem o propósito consciente de ascender na apreciação crítica dos intelectuais nativos. Conheci-o em uma reunião no Centro Regional de Pesquisas Educacionais, de cujo conselho diretor eu era membro, filial paulista do Inep, Instituto Nacional de Estudos e Pesquisas, na Cidade Universitária, quando lá se reuniram vários cientistas sociais para discutir problemas sociais e agrários do Brasil.

Gunder Frank nos criticava sob a perspectiva, errônea, de que defendíamos que a sociedade brasileira teria tido bases feudais. Ora, mesmo antes de Caio Prado, mas sobretudo depois de sua *História econômica* e da *Formação do Brasil contemporâneo*, sem falar nos livros de Celso Furtado, sabíamos que nossa escravidão se dera dentro do mundo capitalista e que os senhores de escravos não eram feudais.

Frank, com sua pronúncia alemã, ao dizer "feudalismo" condensava as vogais "e" e "u" num som de "o", e nós ríamos, pois a sonoridade transformava a palavra em outra coisa, indizível em um encontro universitário. Acentuávamos seu engano e dizíamos que sim, que concordávamos e até achávamos prazeroso ter havido tal sociedade de base feudal...

O certo é que daquele momento em diante não só Weffort, que já trabalhava no Ilpes, se tornou uma vez mais meu colega, como mantive estreitas relações com Gunder Frank. Anos depois, recebi um doutorado honoris causa da Universidade Livre de Berlim e lá estava Frank. Antes disso, quando algumas vezes participei de encontros sociológicos em Berlim, Frank era figura presente, com seu sem-jeito característico e, no fundo, sua personalidade amistosa. Por ocasião de sua morte, enviei sentido telegrama à família. Frank dera ao filho o mesmo nome de meu primogênito, Paulo.

No Ilpes havia um curso para técnicos e economistas que vinham de toda a América Latina complementar sua formação na Cepal. Fui logo encarregado de dar aulas, em espanhol, sobre as bases sociais do desenvolvimento econômico. O pouco espanhol que eu sabia provinha de um ano de estudo no curso ginasial. Mais tarde, em Paris, para minha surpresa, boa parte de meus amigos eram latino-americanos que acorriam às aulas de Touraine. Os hispânicos, como todos os herdeiros de "línguas imperiais", se aferram a elas e têm dificuldades com a pronúncia de outras línguas. Nós os chamávamos de *bubulês*, porque era esse o som que hispânicos menos afeitos ao idioma estrangeiro pronunciavam ao falar "*si vous voulez*", confundindo o "v" com o "b". Nós, brasileiros, nos sentíamos superiores, pois nosso francês era menos sofrível.

Logo que cheguei a Santiago, meu primeiro contrato no Ilpes foi para uma vaga em um programa pago pelo Unicef. Fui então a Nova York, onde me hospedei no apartamento de um médico costa-riquenho, Vargas, que fazia a ponte de tal organização com a ONU. Na ONU, fui recebido pelo subdiretor executivo, encarregado dos programas do Unicef, Dick Heyward, um australiano. Eu, um tanto desconfiado e preparado para responder sobre questões de planejamento social, percebi que ele se interessava mesmo por verificar se eu sabia línguas. Ao conversar comigo, passava do inglês para o francês. Dei-me bem e o contrato foi assinado.

Mais tarde, esse mesmo Heyward foi a Santiago, para o encontro "Infância, juventude e desenvolvimento econômico", no qual Enzo Faletto e eu atuamos como relatores (há um livrinho com os debates e conclusões do encontro). Heyward ficou perplexo, pois não anotávamos muita coisa. Passamos uma noite em claro e fizemos o esperado relatório, que se transformou em publicação da ONU.

Volto à questão: por que quiseram me prender e fui parar em Santiago? É simples: há momentos de ruptura político-social em um país. Foi o que ocorreu em 1964. Nesses momentos, a divergência é percebida como resultado da ação não de adversários, mas de inimigos. O Brasil tem sua história repleta de momentos de "nós contra eles". E isso se dá não apenas entre os que estão no poder ou que o desejam, mas se espraia por toda a sociedade. Em 1964, não só houve uma ruptura da ordem política, que estaria supostamente ameaçada pelos comunistas e seus aliados ocasionais que estavam no poder, como o próprio Partido Trabalhista Brasileiro, mas atingiu cada fragmento da estrutura estatal, que entre nós é ampla, incluindo o sistema educacional e o de saúde pública, por exemplo.

Essa simplificação transformou os oponentes nas lutas internas em cada subsistema, como a universidade, em "inimigos da pátria". Na USP não foi diferente. Há relatórios de professores acusando outros, estigmatizando-os, e em alguns casos pedindo sua punição. E, no meu caso, eu exercia influência sobre alunos e professores, e não tinha pensamento conservador. Pelo contrário. Meu nome constava em um desses relatórios internos, feito por uma comissão de professores, que desejavam um "expurgo" na universidade. Embora, reitero, não tivesse conexões com o governo nem mesmo nutrisse por ele simpatias. Minha visão do governo era crítica, mas de esquerda e antipopulista.

# 5. O muito que aprendi no Chile

As portas do Chile se abriram para mim e aprendi muito nos quatro anos em que lá vivi. Quando cheguei, o presidente era Jorge Alessandri, tido como conservador. Nas eleições seguintes elegeu-se Eduardo Frei (pai), senador pela Democracia Cristã. O oponente que o sucederia era seu compadre: Frei apadrinhara a filha do senador Salvador Allende, Isabel, minha ex-aluna e mais tarde senadora e presidente da Casa.

Os governos anteriores, da Frente Popular, de que Allende participara como ministro da Saúde de 1939 a 1942, haviam criado uma estrutura educacional e de saúde pública que melhorou bastante a vida dos chilenos. Tais políticas tiveram continuidade nos governos sucessivos, sobretudo nos de Frei e Allende. Mas não foi isso o que mais me impressionou: lá eu tive a real dimensão da desigualdade no Brasil, ao comparar nossa realidade com a da Argentina ou do Chile, sem falar da dos países europeus nos quais eu havia vivido ou que havia conhecido.

Descobri que em meu país, na minha categoria social, a desigualdade era percebida como um fato natural. Nem sei se a situação era mesmo tão melhor no Chile, mas a atitude era outra. Desde cedo fui sociólogo de campo; fazia pesquisas sobre negros, em princípio os setores mais pobres do país. Acostumei-me a visitar, com Bastide e Florestan, cortiços, casas de cômodos e favelas, como o antigo Buraco Quente, sob o viaduto Maria Paula, em São Paulo, que foi posto abaixo e deu lugar a avenidas. Percorri áreas populares em Curitiba onde as casas eram de madeira, construções ainda mais comuns em Porto Alegre.

Uma impressão ficou gravada em mim: mesmo nas favelas, era nas piores áreas, em geral perto de riachos ou depósitos de lixo, que viviam as famílias mais pobres, as quais eram majoritariamente de negros. Nunca me esquecerei de uma noite, em Porto Alegre, no Clube Floresta Aurora, em que uma mulher negra bonita me disse: "Olha em volta, é com um deles (de classe inegavelmente popular, sem acesso à educação e pobres) que devo me casar...". Ela era professora.

### APRENDENDO A VER AS DIFERENÇAS

A visita a outros países, sobretudo depois que fui para a Cepal e comecei a conhecer melhor a América Latina, me mostrou, na prática, que nas ciências sociais, se possível, convém fazer análises comparativas. Agucei minha sensibilidade, antes mais embotada, para perceber as diferenças. Em 1961, começavam a chegar a Paris muitos imigrantes, vindos da África mediterrânea, mas não só. Muitos eram negros. Viviam entre si, sem que a comunidade circundante lhes abrisse espaço. Na época da Revolução Francesa havia a expressão *"les couches dangereuses"*, as camadas perigosas. Não havia expressão correspondente em português, embora houvesse o sentimento nas classes "altas" de que "o perigo vem de baixo".

Quando saía a campo em minhas pesquisas sobre os negros, havia tanta arrogância no ar que eu ia às favelas sem medo. Na minha adolescência em São Paulo, quando um engravatado passava na hora do almoço perto de alguma fábrica, os trabalhadores que comiam nas calçadas, ou descansavam, abriam espaço para a dita pessoa passar. Nem medo havia: era ausência de olhar da parte do engravatado, invisibilidade do outro.

Isso começara a mudar nos anos 1950, 60. Por mais que "*los de arriba*" considerassem demagógicos os chamamentos de Getúlio Vargas, Perón ou demais líderes populistas, para o povo o efeito de suas atitudes políticas começou a ser sensível, e as silhuetas populares passaram a ser vistas na vida das sociedades.

No Chile, que já havia passado por algumas transformações políticas, o sentimento de igualdade era maior, se bem que não absoluto. Certa vez fui com alguns companheiros da Cepal, entre os quais Jader Andrade, ex-diretor da Sudene, ver, em pleno movimento em favor da reforma agrária, ainda no governo de Frei (pai), uma *toma de tierras*. Era de manhãzinha, no inverno frio do Chile. De repente avistamos, ao longe, bandeiras típicas de tais movimentos e um grupo grande de pessoas se aproximando e entrando na casa de uma fazenda, perto de onde estávamos. Feita a ocupação, perguntamos a um dos líderes: "Por que *esta* fazenda e não a propriedade vizinha?". Nunca me esqueci da resposta: "*Porque el patroncito es arrogante, señor*".

Claro, não foi apenas a arrogância da camada dominante que acarretou os movimentos sociais. Havia também a política e uma espécie de explosão social. Mas os maus-tratos pessoais, a invisibilidade dos pobres e a indiferença diante das necessidades populares contavam. A classe dominante brasileira, de cultura portuguesa mais contemporizadora, aprendeu logo, apesar da escravidão, a moderar a arrogância. No Chile, de cultura hispânica, ela era escancarada.

Retomando o fio principal. Em Santiago, ainda sem a família, morei com Weffort, Celso Furtado e Wilson Cantoni, um professor do interior de São Paulo muito ligado a nós. Nós quatro morávamos numa rua paralela à do Ilpes, junto à Cepal, que estava situada na alameda, grande via que ligava os bairros de classe média e alta ao centro. Brincávamos que não se sabia quem era mais pão-duro, se Celso, Weffort ou eu, os três reconhecidamente não dispostos a gastar, mesmo porque não tínhamos o que gastar... Sobrava como pródigo quem menos tinha, Cantoni. Discussões sobre desligar ou não o aquecedor, movido a querosene, eram frequentes...

Quando Ruth chegou, fomos viver, para pasmo de meu pai, na casa do cônsul do Brasil em Santiago, que por acaso era meu primo. Nossos avós paternos e maternos eram os mesmos: duas irmãs haviam se casado com dois irmãos. O anfitrião tinha o nome do pai, o general Cyro do Espírito Santo Cardoso, que também foi, como o pai, ministro da Guerra de Getúlio Vargas. Refiz as relações familiares a tal ponto que meus pais, na única vez em que estiveram em Santiago, também se esqueceram de mágoas passadas e voltaram a ser parentes e em bons termos. Nem só de tristezas é feito o exílio.

Celso ficou uns poucos meses em Santiago antes de ir para os Estados Unidos, para Yale. A época em que esteve na Cepal coincidiu com um seminário dirigido por Prebisch, então presidente do BID. Isso ainda antes de a Cepal e o Ilpes se mudarem para onde estão hoje, em Vitacura. O seminário foi para mim revelador, aprendi muito. Dele participaram técnicos do Ilpes, como Aníbal Pinto, que ainda vivia no Rio mas passou umas semanas no Chile; Osvaldo Sunkel; Benjamin Hopenhayn; Pedro Vuscovic, que mais tarde foi ministro de Allende, e demais personagens conhecidas, inclusive Medina, com quem eu trabalhava, e outros colegas como Faletto e Weffort.

Prebisch era um maestro: ouvia a todos e fazia uma síntese excelente. E tinha, pelo menos aos meus olhos, uma grande vantagem: traduzira a obra de John Maynard Keynes, conhecia-a muito bem e escrevera sobre ela. Ele era o próprio pensamento da Cepal, que, como pude verificar, era feito a partir de muita gente, alguns venezuelanos, outros chilenos e alguns brasileiros, como Celso Furtado. Mas *don* Raúl, como o chamávamos, tinha uma poderosa capacidade de síntese. Depois de haver sido a expressão do pensamento da Cepal, a teoria ficou conhecida como sendo dele.

*Don* Raúl explicitava que haveria uma apropriação desigual do progresso técnico, cujos resultados, nos países centrais, seriam auferidos em maior parte pelos capitalistas, mas de qualquer maneira iriam parcialmente para o bolso dos trabalhadores, porque estes tinham capacidade de luta política, com seus sindicatos. Enquanto isso, na América Latina, não só faltava progresso técnico e capital, como a classe proprietária se apropriava da maior parte de seus frutos. Pior: no comércio internacional, os países ricos, que produziam bens industriais, levavam vantagem sobre os países subdesenvolvidos, cuja base produtiva era menos tecnológica e se prendia mais à agricultura e à criação de gado.

Logo, se quisessem ter desenvolvimento econômico, os países subdesenvolvidos teriam de juntar capitais, fomentar o investimento tecnológico-industrial e criar mecanismos internacionais de comércio. Isso iria requerer não só maior presença do Estado para planejar a acumulação e o investimento, mas também para fazer acordos internacionais que permitissem trocas menos desiguais entre os países. Não por acaso Prebisch, depois de haver trabalhado no BID, foi para Genebra, onde organizava nas Nações Unidas grandes conferências sobre comércio internacional na Unctad, sigla do inglês United Nations Conference on Trade and Development.

E também aprendi o que era uma discussão civilizada. Havia, notadamente, um centro cultural, dirigido pelo historiador Claudio Véliz, do qual participavam não só correntes políticas diversas como até alguns militares. Além disso, havia um grupo de sociólogos, com um cunhado de Aníbal Pinto à frente, Eduardo Hamuy, que deu guarida a muitos brasileiros, como Rui Mauro Marini e Teotônio dos Santos. Hamuy fazia pesquisas, inclusive de opinião. Eu era colega de Aníbal Pinto e, logo depois de haver vivido em Vitacura, na rua Las Ñipas (era vizinho de frente do médico Hernán Durán, que trabalhava na Cepal e cuja filha, Luisa, se casou com Ricardo Lagos, que viria a ser presidente do Chile), fui morar na rua dele, a Luis Carrera. Tornamo-nos muito amigos, dele e da mulher, Malucha Solari.

Pois bem, Aníbal era amigo de Clodomiro Almeyda, diretor da Escola de Sociologia da Universidade do Chile; graças a essa conexão, passei a dar aulas naquela instituição até sair do país. Clodomiro Almeyda foi posteriormente ministro do Exterior, no governo Allende, e presidente do Partido Socialista.

E sempre *ad honorem*, ou seja, não recebia salários. Era *profesor ordinario*, como eles dizem lá, encarregado de um curso. Também passei a dar aulas na Flacso e, mais tarde, na Escola de Economia, cujo diretor e depois reitor da Universidade do Chile era Edgardo Boeninger, amigo de Sunkel. Ou seja, ganhava meu salário na Cepal e contribuía, se é que assim posso dizer, para treinar sociólogos no Chile, fazendo o que eu mais gostava de fazer, dar aulas, mesmo sem receber salários.

Minha inserção no Chile foi completa. Entre 1964 e 1967 estive apenas duas vezes no Brasil. Em agosto de 1965, quando, para meu espanto, faleceu meu pai, que eu nem sabia estivesse doente. Antes disso eu fora à Europa representando o Ilpes em um centro da ONU sobre desenvolvimento econômico-social em Genebra, e na volta, graças a Antonio Candido, que então dava aulas na Universidade de Paris, consegui um visto de passagem pelo Brasil, onde fiquei menos de 24 horas.

Logo que soube, em uma manhã de domingo, da morte de meu pai (Sunkel me trouxe um telegrama dizendo que ele morrera, mas usando seu apelido, "Sapo", e não seu primeiro nome), tomei no mesmo dia um avião e fui ao Rio com um passaporte diplomático da ONU. Fiquei lá até a missa de sétimo dia, quando um oficial ali presente representando o Exército aproximou-se e me disse: "Você tem 48 horas para não ser incomodado". Entendi o recado, fui para São Paulo, fiquei em casa de Pedro Paulo Poppovic e noutro dia voltei, triste, para Santiago. Corria um IPM, inquérito policial-militar, contra mim, do qual posteriormente fui absolvido.

Os exilados só falavam de saudades e das coisas do Brasil. Eu, nesse ponto, era mais adaptável ao país que me acolhia, tinha uma profissão mais internacional e, por temperamento, me acomodava às situações e não tinha dificuldades de relacionamento. A notícia da morte de meu pai, contudo, foi dura.

O Chile foi, para mim, de muito proveito. Conhecera Enzo Faletto em viagem rápida a Santiago, anterior ao exílio. Ele trabalhara com Touraine na pesquisa sobre os operários chilenos, era discípulo querido de Medina e se tornou meu amigo e principal parceiro quando trabalhamos juntos no Ilpes. Na noite em que o vi pela primeira vez havia outros latino-americanos que gostavam de ouvir música. Espantei-me com a melancolia da música e do ambiente (era época das tascas, onde se ouvia música e bebia). O tango, comparado ao samba, é para gente pensativa e com algo de tragédia na alma, diferente da nossa música popular, mais despreocupada e alegre.

Enzo, não obstante, era muito divertido e a parceria com ele foi uma alegria. Ele se tornou não só meu amigo, mas de Ruth e de meus filhos. Trabalhávamos em minha casa. Às refeições servíamos sempre vinho, branco ou tinto, como era uso no país. E o vinho fazia falta mesmo se estivéssemos trabalhando, escrevendo à mesa de jantar... Foi assim que delineamos e depois redigimos o livro *Dependência e desenvolvimento na América Latina*, que rodou o mundo.

Voltando ao Chile e à América Latina. Para um brasileiro de classe média alta e viajado, o primeiro país "estranho", quando se ia na direção sul, era o Chile. Uruguai e Argentina, apesar do idioma e de algumas diferenças de cultura, eram uma espécie de continuidade atlântica do universo do Sul do Brasil. O Chile, talvez por causa dos Andes, barreira física bela e muito diferente das paisagens atlânticas, era outro mundo. Nem melhor, nem pior, diferente. A verdade é que eu não só me adaptei como gostei de viver no país. E serviu de plataforma para eu conhecer melhor a América Latina.

Para Santiago acorriam migrantes político-culturais de um continente de bruscas mudanças políticas e ideológicas. Santiago, com a Cepal e várias instituições internacionais, era uma espécie de refúgio. Fiz amizades com alunos, colegas e técnicos da região toda. Em especial com os que mais diretamente trabalharam comigo, como Adolfo Gurrieri, argentino; Luis Reyna, mexicano; Rolando Franco, uruguaio, entre outros. Sem falar de Aníbal Quijano, antropólogo do Peru que trabalhou na Cepal, ou do também mexicano Rodolfo Stavenhagen, que eu já conhecia antes de ir para o Chile. Quando passei o Natal de 1964 na Cidade do México (minha família ainda estava no Brasil), conheci Pablo González Casanova, que depois foi reitor da Unam e de quem me tornei amigo; viajamos para as mesmas reuniões algumas vezes, espalhadas mundo afora.

Não só conheci pessoas como participei de algumas ações da Cepal/Ilpes na região. A certa altura, por exemplo, fui ao Uruguai; Enrique Iglesias era presidente do Banco Central, e o governo fazia um plano de desenvolvimento econômico, com o qual colaborei.

Weffort e eu fomos trabalhar no Peru, à época dos governos militares. Subimos os Andes de carro, partindo de Arequipa, bela cidade com muros e casas brancas, para chegar a Cuzco, passando pelo lago Titicaca na fronteira boliviana e visitando povoados locais, para conhecer as pessoas mais de perto ao discutir o planejamento. Também visitamos, no litoral, fazendas produtoras de cana-de-açúcar, quando o governo tratava de desapropriá-las.

Na Cidade do México havia uma subsede da Cepal, e como eu estava lá em dezembro de 1964, fui com um grupo de amigos, de carro, até a Guatemala. Cruzamos o istmo que liga a península de Yucatán à América Central, e conheci os lagos e o povo daquele país, ao qual voltei em outras ocasiões. Também fui, a pedido de Prebisch, à Costa Rica e à República Dominicana para discutir com os presidentes e líderes a Associação de Livre-Comércio que queriam estabelecer na América Central. Na Venezuela, fui professor visitante do Centro de Estudios del Desarrollo (Cendes) e conheci os irmãos Luis José Silva Michelena e José Agustín Silva Michelena; aliás, tenho um doutorado honoris causa da Universidade Central desse país, bem como de vários outros da América Latina. A verdade é que me "latino-americanizei", graças à Cepal.

Conto essas histórias para dizer que, quando Enzo e eu escrevemos *Dependência e desenvolvimento...*, nós tínhamos não só conhecimento da literatura sociológica, histórica e política da região, mas certa vivência. Além dos países referidos, eu também conhecia a Colômbia, o Paraguai (onde se publicava uma significativa revista de sociologia) e outros, sobretudo a Argentina e o Uruguai.

Quero mencionar mais um brasileiro com quem convivi no Chile e que trabalhou comigo no Cebrap, em São Paulo: Vilmar Faria. Vilmar estudou na Flacso, vindo de Belo Horizonte, e, mais tarde, em Harvard. Conhecia muito sobre métodos quantitativos e com ele aprendi bastante, não só desses métodos, mas também de sociologia. Conheci de perto e fui amigo de tantos outros mais, como Carlos Estevam Martins ou Luiz Werneck Vianna, que estudou no Chile e cuja esposa traduziu o *Dependencia y desarrollo en América Latina*, originalmente escrito em espanhol, para publicá-lo pela Zahar.

Seguia o que aprendera: os livros ensinam, mas é bom complementá-los com a experiência direta das situações. Minha formação como sociólogo de campo continuava me impedindo de limitar meu conhecimento das estruturas da sociedade à mera leitura, e me levava, o quanto possível, a sentir as pessoas, a cultura local. A experiência política que eu tinha não substituiu a visão acadêmica, nem essa, tampouco, obliterou minha análise de processos sociais que estavam ocorrendo. E, sempre que pude, por meio de uma avaliação mais pessoal, direta.

Quando trabalhava na Cepal e dava aulas em Santiago, os temas dominantes nas ciências sociais eram desenvolvimento e marginalidade. O primeiro era o "ai dodói" da Cepal, com reflexos em toda a região; o segundo, uma reação católico-popular à predominância dos temas econômicos. Os argentinos José Nun e Lito Marín propuseram ao Ilpes que se fizessem pesquisas sobre a marginalização social na América Latina, com recursos financeiros de fundações. No Chile, o arauto da temática era o jesuíta belga Roger Vekemans, criador do Centro para el Desarrollo Económico y Social de América Latina (Desal) e a quem conheci bastante. Na verdade, apesar desse esforço de pesquisa inicialmente feito pelos dois sociólogos, só me ocupei do tema da marginalidade, e criticamente, na década de 1970, no Cebrap, em São Paulo.

## REPENSANDO O DESENVOLVIMENTO

A grande discussão entre meus colegas no Chile era sobre o desenvolvimento, em que ele consistiria. Foi a partir do seminário dirigido por Prebisch que Faletto e eu começamos a tentar fazer uma crítica interna ao pensamento então dominante na Cepal. Basicamente, crítica à ausência de análises sobre as relações interpessoais, as classes e sobretudo as estruturas sociais e políticas. Conhecíamos algo da história da região, Faletto mais do que eu — eu, mais a história do Brasil, do Uruguai e da Argentina; Enzo, a do Chile e dos países do Pacífico. Havíamos lido o historiador argentino Halperin Donghi, professor em Berkeley, e nos encontráramos com ele em Buenos Aires, para onde íamos pelo menos a cada três meses, quando trabalhávamos no Ilpes. Completamos nossos conhecimentos com alguma leitura sobre a América Central guiados por Edelberto Torres-Rivas, ex-aluno da Flacso que trabalhou conosco.

Também no Chile houve um grupo, de existência curta, que passou a estudar a obra de Marx, cuja leitura eu ainda tinha bem presente. Cheguei a fazer (para as aulas no Ilpes e na universidade, incluindo a Flacso) esquemas de como difeririam as economias de enclave, baseadas na mineração de cobre, no guano, na plantação de bananas ou no que fosse, em geral operadas por empresas controladas por capitais externos, daquelas nas quais a produção se baseava na agricultura ou na criação de gado, não só para o consumo interno, mas também para a exportação, cujos proprietários eram produtores nacionais. Com a acumulação básica de capitais feita nessas atividades, alguns dos diversos países foram, pouco a pouco, também construindo uma base industrial.

Em um caso, o capital vinha do exterior, produzia valor na região e "se realizava" no exterior, por meio das exportações, e parte dos ganhos lá permanecia, nas mãos das empresas investidoras e importadoras. No outro caso, o capital era fruto da exploração local, e, mesmo que se realizasse no exterior, voltava à região. E por aí íamos. Ou seja, não só nos ocupávamos da produção, mas das classes que estavam por trás dela e davam-lhe vida. Não se tratava só das estruturas econômicas, mas da dinâmica e das lutas (quando havia) das classes e seus setores. Olhávamos também, portanto, para o jogo do poder entre elas e mostrávamos como tipicamente tanto o Estado como as classes se diferenciavam entre os vários países considerados.

O livro foi escrito em espanhol e mimeografado, com revisão de Medina e do tradutor oficial da Cepal, Gregorio Weinberg. O intuito inicial era que fosse uma crítica interna, uma complementação ao pensamento da Cepal. Teve relativo sucesso e nos encorajamos a publicá-lo. Procuramos a editora mexicana Siglo XXI, que competia com a famosa Fondo de Cultura Económica, a que tanto devem a sociologia e a economia hispano-americanas, pois traduzia e publicava o que de mais interessante havia nessas disciplinas em diversas línguas, sobretudo em alemão. Fui ao México para uma reunião em Oaxaca e, na volta, encontrei na capital o *publisher* da Siglo XXI, Orfila Reynal, para tentar convencê-lo a publicar nosso ensaio, no que tivemos êxito. Aliás, maior do que imaginávamos, pois o ensaio não era ambicioso.

O livro, como os meus anteriores, não se limitava a um esquema comparativo abstrato. Pelo contrário, tratava de dar vida aos esquemas, impregnando-os das transformações históricas que compunham o pano de fundo das conceituações adotadas. Mesmo antes da leitura do *Capital*, dadas minha formação e as críticas às teorias da modernização, era óbvio que para nós o jogo entre o geral e o particular — na busca da totalidade, para usar a linguagem dialética — teria de ser feito. Mas as explicações estavam centradas na particularização das tendências, um processo histórico, que as singularizava em situações dadas.

Sem que se faça nas análises o percurso entre o geral e o particular, não se chega às totalidades concretas. A análise entre variáveis é, nesse sentido, abstrata, não satisfaz ao espírito analítico que busca ver processos reais. Foi o que tentei dizer nos livros anteriores, sobretudo no *Empresário industrial e desenvolvimento econômico no Brasil*.

Em *Dependência e desenvolvimento na América Latina* não queríamos sublinhar a dependência das economias da região, mas, ao contrário, apesar dela, queríamos ressaltar a possibilidade do crescimento, do desenvolvimento econômico. O livro serviu de passaporte, se posso assim dizer, para meus contatos universitários internacionais, que se beneficiaram da tradução para o inglês, assim como, mais tarde, para catorze outros idiomas. A versão do espanhol para o inglês foi feita por Marjory Mattingly Urquidi, casada com o economista e presidente do Colegio de México Victor Urquidi, em cuja casa eu revi o trabalho (publicado pela University of California Press em 1979).

Também participei de um "seminário" realizado na casa de Nancy e Alfred Stepan, professor em Yale, sobre o que ocorria no Brasil. Discutimos com vários colegas americanos o texto introdutório inicial que eu escrevera para a edição americana, um tanto pedante e talvez desnecessário. A publicação do livro em inglês levou em conta as considerações de meus colegas e amigos de Yale, tornando a introdução mais pertinente.

Apesar da ênfase na possibilidade (variável) de crescimento econômico a despeito da dependência existente entre as economias periféricas e as centrais, o livro foi publicado em espanhol no período em que Régis Debray também editava em francês seu livro famoso *Revolução na Revolução?*, logo traduzido para muitos idiomas.

Debray, a quem conheci em 1986, quando ele morava em um apartamento no Elysée e assessorava Mitterrand, havia sido preso na Bolívia e testemunhara a fibra de Che Guevara, isso em tempos de auge da Revolução Cubana. Resultado: nosso livro foi lido sob a ótica da dependência, inventaram até uma teoria da dependência. E ao mesmo tempo os leitores de esquerda buscavam em nosso livro fundamentação para a revolução social. Passei a década seguinte tentando dizer que não éramos "dependentistas". Inútil: as correntes políticas o leram como se fôramos...

Na época um pouco anterior às críticas à teoria da dependência, eu havia escrito, com José Luis Reyna, um ensaio comparativo das estruturas sociais e ocupacionais da América Latina, Europa e Estados Unidos, "Industrialización, estructura ocupacional y estratificación social en America Latina", que foi publicado em vários idiomas. Em função desse trabalho, quando ainda vivia em Santiago, recebi uma carta (e a tenho nos arquivos) de Albert Hirschman, então professor em Harvard, por quem sempre tive muita admiração e de quem, aos poucos, tornei-me amigo. Hirschman celebrava o oposto: o artigo contrariava a tendência vigente na América Latina, não se filiava à corrente da marginalização e era desenvolvimentista.

Hirschman era um ser humano excepcional. Além de haver sido combatente antinazista, voluntário nas Brigadas Internacionais na Espanha, personagem-chave da operação de salvamento de artistas e intelectuais judeus na França ocupada, intérprete no Julgamento de Caserta contra crimes de guerra etc., tinha um pensamento penetrante. Partia de pequenos acontecimentos e por meio deles jogava luz na cena toda. Isso sempre com o ar de quem não estaria a dizer coisas importantes, embora soubesse, no fundo, que suas análises eram inovadoras. Basta ler o que ele escreveu sobre a Colômbia para perceber o alcance de suas análises, para não falar nos livros mais recentes, tão bem sintetizados por Jeremy Adelman em *The Essential Hirschman*, de 2013.

## A HISTÓRIA NÃO ESTÁ ESCRITA DE ANTEMÃO

Nosso livro, como disse, foi recebido como se pertencesse à corrente dependentista. Lembro de um encontro da Latin American Studies Association (Lasa), nos Estados Unidos, no qual estava presente Hirschman, entre outros, e durante o qual eu criticava a teoria da dependência que então começara a ser famosa. Quando voltei da França para o Brasil, escrevi durante a década de 1970 vários trabalhos, muitos dos quais publicados pela revista do Cebrap, tentando posicionar melhor o ensaio, distingui-lo do dependentismo. Remava contra a maré. Tudo por causa do título e da visão da época.

Na verdade, queríamos ressaltar o papel das classes e grupos sociais que, ao trabalhar em condições estruturais dadas, com determinados objetivos econômicos, políticos e sociais, queriam construir o futuro e transformar a situação dos diversos países. Discordávamos da Cepal, mas dentro da visão cepalina, acrescentando a ela uma dimensão estrutural e incluindo os atores sociais.

Tentávamos mostrar que, conforme a inserção das economias nacionais, o percurso político-social variaria nas sociedades com economias de enclave, naquelas com controle nacional da produção e, entre estas, nas que conseguiam se inserir no mercado mundial, mesmo se associando a empresas internacionais. Eram situações distintas, condicionavam a ação dos agentes sociais, mas não seriam barreiras insuperáveis ao desenvolvimento. Não haveria por que ligá-las irremediavelmente ao atraso.

Não se tratava de uma proposta política de "fazer a revolução", tampouco de uma condenação ao atraso dos países que não seguissem esse caminho. Poderia haver desenvolvimento no capitalismo, embora, obviamente, haveria maior igualdade (e não necessariamente crescimento do produto) nas economias planejadas, socialistas. Mas esse não foi nosso foco.

Na verdade, sem o saber, estávamos lidando com o que veio a se chamar "globalização". Nossa linguagem era outra, ainda falávamos de trustes e cartéis. O economista americano Raymond Vernon falava de internacionalização, nós falamos de internalização do mercado interno, mas o conceito de globalização ainda não era usado, nem a realidade mostrava todas as consequências do investimento massivo de capitais do centro na periferia e menos ainda da integração dos mercados.

O que fizemos nesse livro seminal foi mostrar que havia formas diferenciadas de inserção das economias periféricas na economia mundial, as quais abriam oportunidades diversas para os países e que muito dependiam não só das estruturas criadas por esses distintos modos de inserção, mas também da ação social, ou, como estava na moda dizer, "dos projetos" de crescimento econômico da Nação e dos próprios empresários. Ou seja, queríamos ampliar o campo do possível, como diria Albert Hirschman.

A noção de que as economias da região eram dependentes e por isso havia marginalização social, entretanto, predominou nos círculos intelectuais, em especial nos progressistas e católicos. A formação de um exército de reserva ampliado pela marginalidade social era o bê-a-bá. Haveria sobra de mão de obra, mais do que a sobra necessária para conter os salários dos trabalhadores. Misturavam-se assim os "deserdados da terra", como dizia Frantz Fanon.

Em nosso caso, os que assim pensavam incorporavam ao exército de reserva do capitalismo os negros do fim da escravidão, apesar de que, de imediato, o sistema produtivo não tenha integrado os libertos ao capitalismo urbano, muito menos às fazendas. Em larga medida os imigrantes europeus os substituíram, ocupando os espaços abertos pelos avanços do capitalismo. Os ex-escravos, na maioria das vezes, ficaram sem eira nem beira. Marginais, de verdade, às sociedades que os circundavam, sem sequer serem necessários como exército de reserva do capitalismo. Nem tampouco os submissos aos sistemas andinos de mitra (e outros semelhantes) lograram sua incorporação ao sistema capitalista baseado no trabalho livre. Só se via uma saída: a revolução. Este era o pano de fundo do final da década de 1960 e início dos anos 70. E em geral não era diferente o resultado das análises sobre a África, a respeito das quais pontificava o economista egípcio Samir Amin.

Nosso ponto de vista, contudo, não era esse. Reconhecíamos a existência de setores não incorporados ao capitalismo, mas não condenávamos tal sistema à morte por ingurgitamento dos marginalizados nos países da periferia. Poderíamos não nos conformar com o sistema econômico-social, mas nosso realismo não nos levava a negar as possibilidades da existência e expansão do capitalismo na região. Tanto assim que logo que voltei ao Brasil, em fins de 1968, passei a escrever sobre o "desenvolvimento dependente-associado". Era a maneira, canhestra, de falar da globalização, conceito, repito, que ainda não era usual.

No final de 1967, Alain Touraine me convidou para integrar um grupo que se dispunha a ir para o recém-criado campus de Nanterre da Universidade de Paris, nos arredores da capital. Além de Touraine e de outros sociólogos, também Henri Lefebvre, conhecido historiador de esquerda, integraria o corpo docente. Dispus-me a aceitar. Medina Echavarría, diretor da Divisão de Sociologia do Ilpes, da qual eu era o vice-diretor, aconselhou-me: "Cuidado, a época é das grandes organizações burocráticas (como a Cepal), elas têm recursos, permitem uma carreira. Você, como eu, é exilado. Não vá".

Entretanto, o apelo da Europa e, para mim, o de Paris em especial, e sobretudo a reincorporação ao mundo universitário, levaram-me a aceitar. E assim fui nomeado — pelo próprio general De Gaulle, então presidente da França, que sempre foi burocrática — professor de sociologia na Universidade de Paris.

Minha família estava havia já quase quatro anos no Chile. Ruth era professora de antropologia da Universidade Católica, os filhos estudavam na escola internacional Nido de Águilas, cujas aulas eram em inglês, e eu, além da Cepal/Ilpes, tinha uma série de compromissos universitários. Deixei tudo e parti para o incerto, mas que me apetecia. Nunca me adaptei propriamente à vida tecnoburocrática.

Antes de falar da experiência na França em 1968, quero ainda registrar algo sobre o Chile, país ao qual sou grato. O adido cultural da embaixada brasileira era o poeta Thiago de Mello. Morava em Santiago em uma casa que pertencia a Pablo Neruda, que nela vivera, localizada no centro, no Cerro Santa Lucía. Neruda fora morar na Isla Negra, mas voltava à casa antiga de quando em quando, principalmente para jantares e festas, e vinha com a mulher, Matilde.

A casa de Thiago se transformara em ponto de encontro da intelectualidade chilena com os exilados brasileiros. O embaixador do Brasil, logo que chegamos, sabia disso, mas era homem pré-autoritarismo e Thiago não se incomodava em manter relações perigosas. Foi lá que conheci, entre outros, Allende e também Gabriel Valdés, que se tornou meu amigo, e o pintor Roberto Matta, o qual decerto nem me notou.

Pouco a pouco, a comunidade brasileira de exilados e foragidos também foi aumentando. Entre os mais chegados a mim, além de Francisco Weffort, havia Plínio Sampaio, Paulo de Tarso Santos e Almino Afonso, — os dois últimos, ex-ministros de João Goulart. Almino era antigo conhecido de meus pais e dele sou amigo até hoje. Tive a oportunidade de me encontrar com Anísio Teixeira, pois era conhecido de seu genro, Paulo Alberto Monteiro de Barros (Artur da Távola), que o visitou uma vez e me levou. Mais tarde Paulo Alberto, eleito senador, foi líder de meu governo no Senado. Sem me esquecer de quem, com seus olhos esbugalhados, assistiu a algumas aulas minhas, José Serra, importante ministro de meu governo, além de haver sido, mais tarde, prefeito, governador de São Paulo e senador. E Maria da Conceição Tavares, que sabia muito de economia, assim como Carlos Lessa.

Deixo de mencionar muitos outros, e se menciono estes é porque não só eram, como continuaram a ser, os que vivem, amigos muito chegados. A experiência latino-americana, que tanto me marcou intelectualmente, marcou-os também, e a muitos outros brasileiros. Juntos descobrimos que o Brasil faz parte da América Latina. As diferenças, que existem, não são tantas assim. Conformamos, mesmo sem saber, uma comunidade de espíritos com os demais latino-americanos que permitiu não só que elaborássemos uma visão democrática e integracionista, mas que daí por diante déssemos maior atenção a nossos vizinhos.

# 6. O curto-circuito de Maio de 68

De novo em Paris, embora dessa vez em circunstâncias diferentes. Eu iria ensinar em um campus novo, já havia publicado alguns livros, conhecia melhor a América Latina e acreditava estar a par do que ocorria nas sociedades mais urbanizadas e industrializadas, como a francesa. Antes de me estabelecer na França, fui a um seminário acadêmico na Alemanha, onde mantinha relações com alguns professores.

Nanterre fica distante da área de Paris que me era mais familiar, o Quartier Latin, bairro estudantil e popular onde estão a Sorbonne, o Collège de France e alguns dos melhores liceus. Algumas instituições da antiga École des Hautes Études, inclusive o Laboratório de Touraine, já ocupavam um edifício moderno. O laboratório havia se mudado para o boulevard Raspail, para um prédio que abrigava a área de humanas da École.

Fui viver num bairro que não conhecia, Nation, na outra margem do Sena mas com o charme da velha Paris, em um apartamento que aluguei graças a Maria Isaura Pereira de Queirós, amiga da proprietária, uma antropóloga que fora para a África fazer pesquisas. Era moderno e muito grande, raridade em Paris, com quadros valiosos, inclusive um Dalí, pintor com quem a antropóloga e seu marido, psicanalista, mantiveram relações. Tínhamos até empregada, Mme. Manuel. E para lá fomos com os três filhos e ainda levamos o André, filho de Pedro Paulo Poppovic, que era e é nosso amigo.

De carro, de casa até Nanterre, eu percorria toda a rua Saint Antoine, fazia um contorno em frente ao Louvre, pegava a avenida dos Champs-Elysées na direção da avenida da Grande Armée e seguia. Quarenta minutos depois estava na universidade.

QUANDO A SOCIEDADE FERVE

Luciano Martins, sociólogo que pertencia ao CNRS e era amigo meu de longa data; Waldir Pires, que mais tarde foi ministro da Defesa de Lula; Celso Furtado e eu tínhamos o hábito de almoçar juntos uma vez por semana, em geral em um mesmo restaurante do Quartier Latin. Por volta de fevereiro de 1968, Paulo de Tarso Santos, ex-ministro da Educação de João Goulart e exilado em Santiago, apareceu por Paris e foi a um desses almoços. Perguntou-nos: "E na França, o que vai acontecer?".

De Gaulle era o presidente e a França parecia calma e próspera, se modernizava. Celso, que de todos nós era o que melhor conhecia o país, pois estudara lá e já era professor universitário, não teve dúvidas: "Aqui não vai ocorrer nada especial; De Gaulle anda pelas ruas e é aplaudido, enquanto Luís XIV, o Rei Sol, era vaiado". Nós concordamos. O encontro deve ter ocorrido em fevereiro. Logo depois, em maio de 1968 explodia a revolução libertária que quase derrubou De Gaulle. Um dos chefes da agitação, Daniel Cohn-Bendit, era meu aluno de teoria sociológica, em Nanterre.

Aprendi muito, como sociólogo, naqueles dias. O movimento de Maio de 68 começou exatamente em Nanterre, campus a que acorriam, entre outros, os estudantes que moravam no elegante XVI$^{ème}$. A pauta era mais de ordem libertária do que propriamente social. A bem dizer, o estopim foi uma panfletagem sobre uma reivindicação comportamental: os rapazes não tinham permissão para entrar no dormitório das moças, embora o contrário fosse aceito. Pouco a pouco os estudantes foram incorporando alguns slogans: "É proibido proibir", "Sejamos realistas, ousemos o impossível". Quando o ministro dos Esportes e da Juventude visitou o campus para inaugurar uma piscina, Cohn-Bendit, que conhecia uma sobrinha do ministro, disse-lhe: "Isso que vocês querem é coisa de nazistas, esporte, ao invés de amor". Era esse o clima.

Havia em paralelo um movimento reformista desencadeado pelo governo propondo modificações nas universidades. Diante dos protestos estudantis, numa sessão da Congregação em Nanterre a que estive presente decidiram fechar as portas das escolas. Antes da resolução, um professor de geografia, por sinal comunista, havia tomado a palavra para dizer ao diretor, homem respeitável e herói da Resistência, que ele, professor, não podia mais convidar seus colegas da Polônia porque havia muita desordem no campus, com distribuição generalizada de panfletos e cartazes — enfim, ele achava uma vergonha e exigia medidas. Portas fechadas, então. Assim se mostraria, ao mesmo tempo, a não conformidade com as propostas de reformas da universidade feitas pelo ministro da Educação, Alain Peyrefitte, e com as "bagunças" estudantis.

Os estudantes ocupam a reitoria, os conflitos se intensificam, uma grande reunião no pátio da Sorbonne é reprimida, o reitor chama a polícia, os conflitos se espalham por todo o Quartier Latin. O curto-circuito se amplia quando operários ocupam a fábrica aeroespacial da Sud Aviation em Nantes, não obstante a oposição da CGT/PC. As greves se alastram e paralisam o país.

Por que o movimento de universitários se generalizou em Paris? Primeiro, porque havia um clima de descontentamento com a marcha das coisas. Com motivações diversas, o mesmo ocorria tanto nos Estados Unidos como na Europa, e mesmo na América Latina. O movimento de Paris, contudo, se tornou de fato uma "revolução" quando os meios de comunicação, TVs e rádios, reproduziram e ampliaram o significado do que acontecia nas ruas. Paris inteira, e falo do que testemunhei, entrou em erupção.

O jornal *Le Monde* entrevistava professores e dava curso às discussões sobre as pretendidas reformas universitárias. Tudo isso surpreendia os franceses. Mas não tanto a um professor brasileiro, da USP, familiarizado com universidades latino-americanas. Dei aulas quase o tempo todo em um auditório enorme, que os estudantes apelidaram Che Guevara; também dei um curso de pós-graduação, frequentado por Alan García, que veio a ser presidente do Peru, e por Jorge Sabato, filho do grande escritor argentino Ernesto Sabato e futuro ministro de Educação e Justiça de Raúl Alfonsín. Marta Harnecker, que fora minha aluna em Santiago e andara por Cuba, além de haver escrito um livrinho famoso que era a bíblia das esquerdas que não liam Marx, também andou por Nanterre. Ela queria muito que eu conhecesse Althusser, então o papa da juventude esquerdista. A ele não conheci, mas a Nicos Poulantzas, grego, fluente em francês e influente, sim.

De temperamento mais concessivo, não me importava que os estudantes fumassem na sala de aula, embora pessoalmente nunca houvesse fumado na vida. Até que um dia um *appariteur*, um bedel, bravo, me disse: "Vou dar parte disso à direção da escola". Era assim o ambiente, rígido e cheio de pequenas hierarquias.

Em maio de 1968 eu já vivia junto à escadaria que ligava a rua Monsieur-le-Prince ao boulevard Saint-Germain, em um apartamento que fora de uma prima que voltara ao Brasil (minha família também havia voltado). Por duas noites não consegui chegar em casa, dormi em hotéis. Paris inteira foi para a rua discutir a vida de cada um, a vida comum e também a política, mas secundariamente. Era uma reviravolta cultural.

Fui observar o movimento nas barricadas na companhia de Touraine, de Mário Pedrosa e do sociólogo italiano Alessandro Pizzorno, e uma noite encontrei Cohn-Bendit. Clemens Heller, então diretor administrativo da Maison des Sciences de l'Homme, que conhecera Trótski, exultava: mesmo sendo conservador àquela altura, sentia a mudança de ares. Levei o grande crítico de arte Mário Pedrosa (ex-sogro e amigo de Luciano Martins) a Nanterre: ele, ex-trotskista, mas muito *ex* mesmo, teve uma alegria quase infantil ao ver o campus tomado por operários com seus macacões de trabalho. Os operários haviam sido convidados a entrar e assistiam, com certo pasmo, às discussões nas quais se falava de amor, de solidariedade, da cultura, mas nada sobre salários...

Vi inúmeras passeatas em que estudantes e seus apoiadores cantavam a "Internacional Socialista", que diz, entre outras frases: "De pé, famélicos da terra!". Em Paris, os que se manifestavam, e também os operários, de famélicos não tinham nada. Mas queriam outra forma de viver.

Aparentemente acuado, De Gaulle, militar e previdente, assegurando-se do apoio das tropas francesas aquarteladas na Alemanha, o que de mais forte havia no Estado francês, falou pelo rádio à nação. A fala de De Gaulle, na qual dizia *"Assez de chienlit"*, basta de baderna, de mascarados, eu a ouvi na casa de um ministro do general, na Île Saint-Louis, cujo sobrinho fora cônsul em São Paulo e era meu conhecido. A ela seguiram-se nas ruas grandes manifestações de apoio ao governo. Por fim, com o acordo tácito dos comunistas na Assembleia Nacional, De Gaulle foi reconquistando a confiança e a ordem.

Mais duas historietas. Em Nanterre, eu conhecera Lucien Goldmann, célebre crítico e intelectual nascido na Romênia que também ensinava no campus. Ele morava no Quartier Latin, na rua de Rennes, não muito longe de minha casa. Um dia ele me telefona: "Cardosô, você quer ir a uma reunião de jovens professores de filosofia de Nanterre com Herbert Marcuse?".

Marcuse, grande intelectual, famoso por apoiar os movimentos dos guetos negros e dos estudantes nos Estados Unidos, estava em Paris para celebrar na Unesco o centenário do primeiro volume do *Capital*, de Marx. Eu havia comparecido à mesma celebração, na qual apresentei um trabalho (cuja versão francesa ("La Contribution de Marx à la théorie du changement social") devo a Mme. Braudel). Lá encontrei o dr. Júlio de Mesquita Filho, que me perguntou: "O senhor aqui?". Contestei-lhe com espanto ainda maior: "E o senhor?".

Aceitei a proposta de Goldmann e fomos à reunião de Marcuse com os professores de Nanterre. Desentendimento total. O intelectual achava importante ensinar os filósofos clássicos, os jovens professores queriam mudar o mundo. Assim era o *mood* daquele momento. Alguns acreditaram que Marcuse havia sido o inspirador do movimento. Na França, ao contrário dos Estados Unidos, não eram os guetos negros que protestavam, ou aqueles que lhes eram solidários, mas a pequena burguesia, e mesmo partes da burguesia. Marcuse foi solidário, mas a estudantada de Nanterre não tinha ideia de quem ele fosse.

## A "DINÂMICA" VEM DOS MOVIMENTOS

Muita coisa mudou na França. A "sociedade bloqueada" do livro de Crozier começava a se desbloquear. A universidade também. Os estudantes foram voltando às aulas e os operários ao trabalho. Para um sociólogo, o que eu assisti foi à movimentação de uma sociedade de massas na qual os meios de comunicação têm um peso enorme. Ainda não era a sociedade em rede, da internet, mas a propagação do clamor estudantil fez-se pela mídia. Sua junção ao protesto dos operários e sobretudo às inquietações do homem e da mulher comuns se deu quando os meios de comunicação entraram em cena.

Resumi minha experiência em Nanterre no discurso que fiz em Nova Delhi, ao transmitir a presidência da Associação Internacional de Sociologia (ISA) à socióloga inglesa Margaret Archer. Tudo que aprendera teria de ser revisto, ampliado ou substituído. A teoria que estudara dizia que as classes sociais dão a ossatura das sociedades capitalistas, e de outras também. E é certo. Mas a dinâmica provém de movimentos. Até então parecia aos sociólogos que, para poder estremecer as estruturas de poder, de uma ou outra forma esses movimentos deveriam estar ligados à base social.

Para Marx e muitos outros, tudo dependeria da luta de classes, dos conflitos entre elas ou de suas acomodações. Existem as classes, há interesses econômicos, há diferenças entre a apropriação privada e a coletiva. Mas há algo mais entre o céu e a terra. Não por acaso Touraine falava dos movimentos sociais e, embora nos Estados Unidos houvesse antes quem deles se ocupasse na sociologia, eles não eram tratados de modo tão central quanto o fez Touraine e quanto a vida da época exigia. Passei a dizer que em certos momentos ocorre como que um curto-circuito, a sociedade se engasga e surge o inesperado, o novo. Foi o que vi no movimento de Maio de 1968, em Paris.

Havia ansiedade por algo novo. Insatisfação com a submissão. Havia sinais quase imperceptíveis daquilo que Touraine valorizou logo depois, o feminismo. Não se falava em LGBT, longe disso. Mas os assalariados percebiam suas dificuldades financeiras e os alfabetizados, mesmo os da classe média, mal comparando, sentiam uma espécie de *malaise*, como se dizia na França anterior à Primeira Guerra Mundial. Era uma angústia, se posso assim chamar, cultural, existencial. E ainda havia a Guerra do Vietnã, com seus guerrilheiros improvisados derrotando o poderio militar dos Estados Unidos. O mundo mudava. O grito de Nanterre não ficou parado no ar, teve consequências, senão estruturais, político-culturais.

# 7. Anos de chumbo

Em 1968, a insatisfação também eclodiu no Brasil, mais dirigida, porém, ao que ocorria na política do que ao modo de vida. Tinham início os protestos contra o autoritarismo do governo, uma onda que vinha num crescendo cujo desfecho era inimaginável.

Castelo Branco fora substituído por Costa e Silva, em cujo governo se promulgou a Constituição de 1967. Alguns dos atos institucionais do período de maior arbítrio foram incorporados a ela. Havia expansão econômica, mais em consequência de mudanças fiscais e outras já promovidas por Castelo.

A despeito da relativa euforia econômica, a repressão aos "subversivos" campeava e só viria a se agravar. Mesmo assim, no final de 1968 acreditava-se ser possível alguma abertura na vida política brasileira. Em 1967 falecera, em Milão, trabalhando em uma organização internacional, Lourival Gomes Machado, titular da cátedra de Ciência Política da USP. Eu perdera a oportunidade de concorrer à cadeira de Sociologia na vaga de Fernando de Azevedo, pois estava no Chile. Tratei de adaptar a pesquisa que fizera sobre os empresários latino-americanos para, de volta ao

Brasil, concorrer à nova cátedra. Ainda na França, além das aulas e seminários, dediquei-me a escrever a tese para, em outubro de 1968, participar do dito concurso. Apesar do governo, proveniente de um golpe, ainda havia certo grau de liberdade no Brasil. A tese se transformou no livro *Política e desenvolvimento em sociedades dependentes*, de 1971.

Eu havia aproveitado o que me parecia ser uma brecha nos ímpetos autoritários. Estava foragido, não formalmente exilado. Poderia concorrer e, se ganhasse... Ganhei o concurso, mas a alegria duraria pouco.

Em dezembro de 1968, sob pressão da linha dura militar, foi decretado o AI-5. A suspensão das garantias constitucionais abriu caminho para a repressão a toda e qualquer oposição ao regime. Começavam os verdadeiros anos de chumbo. Eu, mal chegado ao Brasil, ouvi pelo rádio o ministro Gama e Silva (a quem chamávamos no Conselho Universitário, onde éramos colegas, de Gaminha) tonitruar em dezembro de 1968 o que veio a ser o famigerado ato. O governo militar reagia, de modo mais do que autoritário, às manifestações que ocorriam contra os que estavam no poder. Houve passeatas no Rio, e os grupos favoráveis à luta armada passaram efetivamente à ação.

Com o AI-5 acabavam-se as garantias constitucionais às liberdades, bem como os direitos básicos da cidadania. A cara de ditadura passava a ser compatível com a prática do regime; a repressão se banalizava em seu exercício cotidiano.

Depois de ouvir a voz macabra do ministro da Justiça, saí de casa e fui à USP. Lá chegando, fiquei sabendo que também eu havia sido "aposentado compulsoriamente" (tinha 37 anos...). Prendiam todos que entravam. E nos punham em um salão, creio que do prédio da reitoria. Com pose e certa audácia, apresentei o talão de cheques como se fosse um documento e o soldado, sem olhar o que eu mostrava, mas vendo minha disposição firme, me deixou seguir. Voltei para casa e pronto: estava aposentado, como havia acontecido dias antes com vários outros colegas. É desse jeito que, de repente, as coisas mudam na História e, às vezes, afetam a vida de cada um de nós, principalmente de quem tenta pensar e escrever, tudo de "subversivo" que eu fazia.

No exterior, antes disso, entre 1964 e 1968, pelo menos os brasileiros que tínhamos vida acadêmica tentávamos seguir o que acontecia: éramos contra a repressão. Entretanto, não tínhamos conhecimento real da situação. No Chile, antes de eu ir para França, já havia testemunhos de tortura ou de parentes de pessoas que foram mortas. Mas nunca tive simpatias, nem contatos, com a luta armada. Achava que ela seria ineficaz, exacerbaria a repressão, e eu não comungava com os ideais de quem a liderava. Era contra a ditadura, mas não gostaria que uma fosse substituída por outra, mesmo que este não fosse o propósito inicial dos ditos revolucionários.

## DAS IDEOLOGIAS E ESTRUTURAS AO HISTÓRICO E AO VARIÁVEL

Ainda era professor em Nanterre quando comecei a escrever a tese de cátedra. Em Paris, frequentava Luciano Martins, que também se ocupava dos empresários no Brasil. Já nos conhecíamos, pois ele estudara os empresários industriais em seu livro *Industrialização, burguesia nacional e desenvolvimento*. Ajudei-o nas máquinas IBM de Nanterre, que utilizei para lidar com os poucos elementos quantitativos que usei na tese.

Tive de ir ao aeroporto de Orly porque as máquinas processadoras de lá funcionavam melhor que as de Nanterre, que, como era de esperar, serviam mais à administração do que à pesquisa. Em Orly, os engenheiros estavam utilizando os computadores para incrementar a construção das estradas francesas, especialmente a Autoroute du Sud. Para nós, Luciano e eu, tais programas eram inúteis. Nas tentativas de usar as IBM, quebramos muito a cabeça e pouco aprendemos.

O que eu sabia sobre as máquinas processadoras de dados me fora ensinado na Faculdade de Medicina da USP, com os aparelhos da administração da escola. Na FFCL, nos trabalhos de sociologia quantitativa ainda utilizávamos técnicas baseadas nas primitivas separações das respostas pelo sistema McBee. Os cartões eram furados à mão e depois seus orifícios eram penetrados por uma agulha, como as de crochê. Claro, os que faziam pesquisas em estágios mais avançados já utilizavam outras técnicas, como no caso de quem quisesse trabalhar, por exemplo, com escalas de opinião.

A verdade é que repliquei na nova tese, sobre ideologias políticas dos empresários latino-americanos, o procedimento que havia usado no trabalho anterior sobre os empresários brasileiros, muitos dos quais entrevistei, assim como mais tarde repliquei com empresários de outros países da América Latina. A primeira parte da tese de livre-docência constava de uma revisão teórica dos autores que haviam escrito sobre o desenvolvimento econômico. Do mesmo modo, na tese de cátedra, sobre as ideologias e políticas de desenvolvimento nacional, primeiro eu fazia um apanhado da bibliografia existente na ciência política, depois entrava mais diretamente no tema da pesquisa.

Como Ruth regressara a São Paulo antes de mim, era a ela que eu, de Paris, enviava os capítulos à medida que ia terminando, pois havia um prazo para a inscrição no concurso. No que consistia, academicamente, o trabalho?

A parte inicial constava da crítica geral às teorias de modernização política, crítica que eu vinha fazendo havia tempos. Quando lecionava na Flacso, a influência de Karl Deutsch, principalmente entre os alunos de ciências política, era enorme. Seu conceito de "interdependência positiva" fazia sucesso. Não só lá: no Iuperj, centro criado no Rio por Candido Mendes, no qual era grande a influência de Hélio Jaguaribe, primava a inclinação por estudos mesclando análises institucionais com as de processos e de cultura política. Jaguaribe e Candido escreveram sobre os regimes políticos dos governos autoritários e seus trabalhos foram úteis para mim.

No exterior estavam em voga estudos nos quais as diferenças específicas a cada país quase desapareciam, a fim de que se retivessem os fatores gerais que, a despeito da variabilidade cultural, criavam uma base comum para as pessoas e para o rumo geral das sociedades de massa. Voltava-se a falar do *Homo economicus*, trajado agora de homem industrial. Era, de novo, a ideia de *genus proximum et differentia specifica* (gênero próximo e diferença específica) dos antigos economistas, tão criticados por Marx pela falta de especificidade histórica.

Na teoria em voga, os trabalhos de Samuel Huntington eram referência constante, mesmo antes de ele ter escrito *O choque de civilizações*. David Apter, professor em Yale a quem conheci em Buenos Aires, também teorizava sobre a modernização em suas análises sobre política comparada em países de diversos continentes.

Gabriel Almond, autor de *The Civic Culture* com Sidney Verba, gozava de imenso e merecido prestígio. Nós nos conhecemos quando fui professor visitante em Stanford, em 1981, ocasião em que conversamos algumas vezes sobre os temas que me afligiam. Sempre interessado em ideologias e comparações, ele me mostrou o valor de muita coisa que eu desprezava erroneamente, sobretudo por razões metodológicas, em especial as teorias da modernização.

Não obstante essas reconsiderações, quando escrevi em Paris

sobre as ideologias do empresariado argentino e brasileiro, foquei a crítica em David Easton e, mais ainda, em Almond e Verba. Minha oposição era clara: as teorias sobre a cultura cívica desses autores no fundo guardariam a defesa do que havia de "normal" (conservador) na sociedade e na política americanas. Era com essa referência que eles mediam, e eu criticava, os "desvios" dos casos discrepantes. Ou seja, os conceitos utilizados não eram fundamentados na história. Eu repetia argumentos semelhantes aos que usara para criticar os autores que escreviam sobre a passagem do subdesenvolvimento ao desenvolvimento nas sociedades industrializadas e urbanas.

Para estabelecer uma relação entre as ideologias e as estruturas, eu achava que, pelo contrário, haveria de se fazer uma imersão das estruturas e ideologias no social, que variavam historicamente. Por trás dos argumentos sobre a relação entre estruturas e ideologias poderia parecer que eu me valesse de Althusser, mas não era do formalismo desse autor que eu partia. Pelo contrário, criticava-o.

Com a distância de tempo, arrisco dizer que por trás das minhas convicções teóricas advindas da formação na USP e do seminário sobre Marx havia uma disputa, ainda que inconsciente, entre os intelectuais de São Paulo e os intelectuais do Rio e de Belo Horizonte. A maioria dos jovens talentosos dessas duas cidades havia feito seus cursos de pós-graduação nos Estados Unidos, em Harvard, Yale, Berkeley, Stanford. Já a escola sociológica paulista era de orientação mais francesa. A bem dizer, alguns de meus mestres brasileiros no fundo preferiam que nós ficássemos por aqui, sem influências do exterior. Eu, mais cosmopolita e dado a agregações, tive a sorte de ter sido obrigado a ir para Santiago, onde passei a ter contato com pessoas do mundo ocidental afora, não só com os latino-americanos.

E mais: no Ilpes/Cepal, interagíamos não só com os governos da região e com a ONU, mas também com fundações que financiavam pesquisas. Foi se aplacando o antigo horror que eu tinha por essas instituições "agentes do imperialismo", cooptando os intelectuais com "mãos de gato". Conhecera David Rockefeller, criador da Comissão Trilateral, um dos "fantasmas" mais poderosos do capitalismo internacional. Vimo-nos quando ele foi a Santiago, e mais tarde fui membro do conselho da Rockefeller Foundation. Esses contatos internacionais me ajudaram a criar as condições mínimas para manter a chama do pensamento no pior momento da repressão.

FICAR NO BRASIL E MANTER A LIBERDADE

Ao ser aposentado compulsoriamente, tive que tomar uma das decisões mais importantes da minha vida. Resolvi não só permanecer em São Paulo como tentar manter minha liberdade intelectual aqui no Brasil. Não foi uma deliberação fácil. Quem não lesse pela cartilha do governo corria riscos.

Conversei muito com a Ruth, que continuava dando aula de antropologia na USP, sobre o que fazer. Eu tinha voltado havia pouco da Europa, ir outra vez para o exílio, viver fora, sem saber por quanto tempo, era uma decisão muito penosa. Meu temor maior consistia em uma militarização total no Brasil dilacerado entre a repressão da ditadura e os grupos de luta armada. Se esse cenário se confirmasse, eu certamente sairia do país.

Decidimos ficar. Foi então que começamos a organizar o Cebrap. Era preciso criar um espaço com algum tipo de proteção que nos permitisse trabalhar com liberdade. Fundado em 1969, no auge da repressão, seu nome, mais técnico, Centro Brasileiro de Análise e Planejamento, foi para despistar um pouco. Não vislumbrávamos sequer os primeiros sinais da abertura política que viria mais tarde. Como gosto de dizer sempre, espaço de liberdade se constrói.

Eu havia tido contatos no Chile com duas das maiores fundações americanas, a Ford e a Rockefeller. Quando trabalhava na Cepal, passara um tempo na sede europeia da Rockefeller em Bellagio, na Itália, em um seminário que reunia alguns dos diretores de fundações que financiariam as pesquisas sobre marginalidade urbana. Essas fundações não tinham para mim a mesma conotação que tinham no Brasil, onde muita gente via, sobretudo nas americanas, braços da CIA ou do imperialismo. Na minha experiência na Cepal, percebi que as coisas eram bem mais complexas.

A primeira doação que recebemos no Cebrap foi da Fundação Ford, por decisão de Peter Bell, defensor ferrenho dos direitos humanos e assistente do diretor do escritório da fundação, Mr. Carmichael. Bell havia trabalhado no Chile, mas já estava no Brasil.

Procuramos também apoio dos holandeses e dos suecos. Na Holanda entramos em contato com a Novib, uma organização privada de ajuda ao desenvolvimento, financiada por doações da população. Na Suécia era o governo que dava recursos à Agência de Cooperação para o Desenvolvimento Internacional. Holanda e Suécia eram países bastante abertos, não ignoravam o que estava ocorrendo no Brasil e, por isso mesmo, apoiavam discretamente algumas instituições de oposição ao regime, sobretudo quando se tratava de manter grupos de pesquisa.

O apoio internacional foi um dos pilares do Cebrap. O outro foi a adesão de muitos professores da USP, tanto os aposentados compulsoriamente como aqueles que não haviam sofrido com essa medida. José Arthur Giannotti, Elza Berquó, Francisco Weffort, Paul Singer e outros integraram o Cebrap. Alguns tinham participado do grupo de estudos sobre *O capital*. Octavio Ianni, também aposentado, embora no começo resistisse a juntar-se ao grupo por causa do apoio das fundações internacionais, depois se integrou e participou ativamente dos trabalhos.

A solidariedade de professores que não haviam sido atingidos pelas cassações foi fundamental para nós, como Cândido Procópio Ferreira de Camargo, que viria a ser o presidente da entidade (repartia sala comigo, tão acanhadas eram as instalações), e Juarez Brandão Lopes.

Tratei ainda de absorver ex-alunos meus do Chile, como Vilmar Faria, Bolívar Lamounier, Carlos Estevam Martins, Luiz Werneck Vianna, entre os mais conhecidos, e mesmo pessoas com as quais tivera menos contato, provenientes de Minas e do Rio de Janeiro. Muitos deles tinham pós-graduação no exterior, e dentre aqueles que estudaram nos Estados Unidos eu conhecera alguns quando ia àquele país a alguma reunião acadêmica.

Antes de criar o Cebrap, falei com Paulo Egídio Martins, com quem Giannotti e eu tínhamos relações, para pedir seu apoio moral. Paulo Egídio, que fora ministro da Indústria e Comércio de Castelo Branco e em 1975 seria indicado por Geisel governador de São Paulo, trabalhava no Banco Comércio e Indústria, de que sua família era acionista. Outra pessoa fundamental foi Severo Gomes, que veio a ser ministro do governo Geisel. Severo era muito próximo de Cândido Procópio e, naquela época, em menor medida, também de mim. Mais tarde se tornou um de meus melhores amigos. Paulo Egídio e Mindlin foram nossos avalistas. Isso sem qualquer contato meu ou de quem quer que fosse com os "donos do poder" federal, militar ou civil.

Outro nome crucial foi José Mindlin, pai de Betty Mindlin, então casada com Celso Lafer. Além desses colegas e amigos no empresariado, havia alguns professores da FGV em São Paulo que se dispunham a nos apoiar, como Roberto Gusmão e Antonio Angarita. Todos nos ajudaram por pura solidariedade e idealismo, pois não queriam um Brasil anticultura e ditatorial.

Buscamos suporte, sim, em outras áreas. O Procópio era muito ligado à Igreja católica e, em especial, a dom Paulo Evaristo Arns, arcebispo de São Paulo, a quem procurei. Com sua fala mansa, ele assumia sempre uma posição de resistência ao arbítrio. Não era uma postura política, pois ele não era político e sim, como ele mesmo dizia, pastor.

Foi assim, graças à solidariedade dos professores, com a ajuda da comunidade científica internacional e com o apoio simbólico de um punhado de empresários e de setores da Igreja que foi possível pôr de pé e manter o Cebrap.

A estrutura do Cebrap era leve, um mínimo de pessoas, todos pesquisadores, uns dando aula, outros, como no meu caso, proibidos de dar aula. Vários de nós tínhamos vivido no exterior e sabíamos que no exílio não se podia fazer muita coisa a respeito do que acontecia no Brasil. Na época eu me servia da seguinte comparação: "Estar no Cebrap é como estar num convento medieval. Temos que imaginar que somos livres, embora lá fora a sociedade esteja sob uma tremenda repressão". Sobretudo no governo Médici.

O apoio da comunidade intelectual brasileira foi crescendo cada vez mais. Gente como Celso Furtado, Maria da Conceição Tavares, José Serra, Carlos Lessa, Antônio Barros de Castro e outros mais passaram a frequentar o Cebrap.

Fernando Gasparian, criador do jornal *Opinião*, abriu espaço em suas páginas para que escrevêssemos sobre temas como desigualdade social, sociedade civil e democracia. Dalva, sua mulher, era irmã de Dilson Funaro, que viria a ser secretário de Planejamento de Abreu Sodré. Assim iam se tecendo os laços de colaboração e solidariedade.

O Cebrap foi um centro de resistência intelectual. Os apoios que tínhamos, no entanto, não nos preservavam de um risco que era permanente. Claro que a polícia bateu à nossa porta, várias vezes, pegou gente, prendeu, torturou. Mas não houve censura. Maria Hermínia Tavares de Almeida nos ajudou a criar uma revista de cultura, *Argumento*, mantida por Fernando Gasparian, cujo slogan era "Contra fatos há argumentos". Antonio Candido e Paulo Emílio Sales Gomes estavam nessa iniciativa, e eu a ajudava. Ou seja, mesmo com o AI-5 havia alguma condição para continuar a trabalhar aqui, a despeito das ameaças. De noite, havia medo.

Certa ocasião d. Paulo me convidou para presidir a recém--criada Comissão de Justiça e Paz da Arquidiocese. Eu lhe disse, ao recusar a proposta, que não era propriamente católico, mas d. Paulo não olhava só para o lado religioso. Tinha compromisso acima de tudo com a defesa da democracia e dos direitos humanos. Claro que para ele a religião contava, e muito. Mas não perguntava aos perseguidos se eram ou não católicos.

Esses apoios nos fortificavam. Achávamos que, apesar de tudo, tínhamos espaço para continuar trabalhando no Cebrap. E continuamos.

Além do apoio de fundações internacionais, sobrevivíamos financeiramente com contratos de planejamento. Por exemplo: quando foi preciso tomar a decisão sobre onde construir um porto no Norte ou Nordeste para exportar minério de ferro, eu fui ao Piauí para averiguar as possibilidades e percorri todo o estado; para fazer tal viagem, contei com a ajuda de uma ex-aluna que trabalhava no Cebrap, Tetê Smith Vasconcellos, e também de outra ex-aluna, Renée Castelo Branco, cuja família era do Piauí. Havíamos sido contratados pela Hidrobrasileira.

Havia, enfim, espaço para um trabalho técnico, como ser subcontratado por outras empresas, e fazíamos esse tipo de trabalho. Para sobreviver, o Ceprab precisava fazer pesquisas orientadas para a ação pública. Havia algumas empresas que se especializavam em planejamento, para as quais trabalhávamos como se fôssemos técnicos e não cientistas sociais. Foi como quase planejadores que nos engajamos, por exemplo, numa pesquisa para definir a localização (no Pará ou no Maranhão) de um porto de minérios que hoje serve à Vale. Essa pesquisa, com a colaboração de Renée Castelo Branco, me permitiu conhecer o vale do rio Gurgueia e o interior do Piauí.

Se cientistas sociais foram metamorforseados em planejadores improvisados, foi porque esse tipo de atividade não só criou um mercado, como, dada a falta de perspectivas universitárias, possibilitou a muitos dos excluídos da vida acadêmica encontrar emprego em escritórios de planejamento. Sérgio Motta, que era engenheiro e não tinha pretensões acadêmicas nem ligações políticas, dirigia, com José Expedicto Prata, a Hidrobrasileira. Chico de Oliveira, que foi trabalhar lá, foi responsável pela aproximação de Sérgio tanto de mim como do Cebrap, para viabilizar concorrências para trabalhos de planejamento. Com a intermediação de Sérgio, não precisávamos mostrar a cara. Trabalhei com eles, por exemplo, em um projeto para a construção do metrô de São Paulo.

Em geral éramos contratados por alguma empresa, que por sua vez poderia prestar serviços tanto a governos estaduais como ao governo federal. Mas ao mesmo tempo escrevíamos nos jornais que estavam a nosso alcance, principalmente no *Opinião* e no *Movimento*. E começamos a publicar os resultados de nossas pesquisas. Surgiram os *Cadernos Cebrap*.

Severo Gomes também ajudou com uma pesquisa técnica em São José dos Campos para a qual fomos contratados. Quando da construção do metrô de São Paulo, trabalhamos no levantamento de dados e do planejamento. Esse verniz tecnocrático dava ao Cebrap uma possibilidade material de sobrevivência: as pesquisas, nesses casos, eram remuneradas e nos conferiam certa legitimidade, mostrando que éramos um centro não só de reflexão como de trabalhos técnicos.

Eu me encontrava muito com Celso Furtado, que tinha ficado

meu amigo no Chile. Ele vinha ao Cebrap e eu o via sempre que ia a Paris. Laços de afinidade e confiança se teciam e se fortaleciam, coisa que tinha importância na travessia dos tempos difíceis.

O Cebrap foi se tornando um centro de debates e elaboração de ideias, tendo a participação de pessoas de variadas tendências, vindas de todo o país, e mesmo do exterior. Foi sendo reconhecido como uma referência cultural, não só técnica. O escritor argentino Julio Cortázar participou de um Mesão, reunião que fazíamos ao redor de uma mesa grande (e depois o levei para conhecer São Paulo em meu carro). Mário Soares, pouco antes do 25 de Abril, esteve lá e anunciou a queda iminente da ditadura em Portugal. Céticos, achamos que ele sonhava. Os fatos lhe deram razão.

Foi nesse período do Cebrap que estreitei relações com Albert Hirschman, assim como com Michel Foucault, que esteve fazendo conferências no centro, sem falar de Alain Touraine e Albert Fishlow, que tiveram uma passagem muito significativa no Brasil e estiveram conosco no centro. Por lá passaram ou trabalharam vários outros intelectuais, como o argentino Guillermo O'Donnell, o francês Alain Rouquié e muitos brasileiros — sempre que vinham a São Paulo, Celso Furtado, Maria da Conceição Tavares, Carlos Lessa e Antônio Barros de Castro participavam das discussões.

Aos poucos fomos incorporando jovens cientistas sociais, não só de São Paulo. Além de Vilmar Faria, Bolívar Lamounier, formado na UFMG e doutorado pela Universidade da Califórnia, não só veio para o Cebrap como, com ele, publiquei em 1975 o livro *Os partidos e as eleições no Brasil* e aprendi o que havia de novo na ciência política. O mesmo se diga de Carlos Estevam Martins, vindo do Chile e do Iseb, com o qual publiquei em 1979 uma seleção de textos de ciências políticas (*Política & sociedade*). Assim fomos suavizando o provincianismo que caracterizara o

Departamento de Sociologia da USP, mantendo e ampliando as vinculações nacionais e internacionais do Cebrap.

A necessidade de prestar contas às agências internacionais que nos apoiavam foi muito útil porque nos habituamos às regras científicas que hoje são comuns: a avaliação dos projetos. Foi nessa condição que Hirschman esteve conosco no Cebrap. De tempos em tempos a Ford convidava personalidades acadêmicas, em geral norte-americanas, para avaliar nossos trabalhos. E foi por ele haver sido assessor científico da Fundação Ford, e por isso ter estado no Brasil, que me relacionei com Frank Bonilla, professor nos Estados Unidos, além do já referido Hirschman. Voltei a estar com Bonilla algumas vezes; quando fui para Stanford, onde ele era professor, fiquei em sua casa com minha família, até alugar a nossa.

À medida que a situação política foi se tornando mais autoritária, para coibir a ação político-policial foi-se intensificando a ação da Igreja católica, com d. Paulo Evaristo Arns à frente, contra a tortura nas prisões e a arbitrariedade delas. Mantivemos contato com ele e com muitos conventos e associações religiosas, nas quais fizemos seminários e conferências, sempre em defesa da democracia. Muitas denominações protestantes também foram importantes na luta contra a repressão.

Nossa estreita relação com d. Paulo e as Igrejas (não só a católica, repito) teve como resultado mais visível a publicação de um livro, *São Paulo 1975: crescimento e pobreza*, para o qual muitos dos pesquisadores do Cebrap colaboraram ou escreveram, Procópio e eu entre eles, e principalmente Lúcio Kowarick, outro cebrapiano que lá trabalhou praticamente desde o início. Em função desse livro, que chamava a atenção para o fato de o crescimento urbano-industrial não haver melhorado as condições de vida dos mais pobres, uma bomba foi lançada contra a sede do Cebrap, na rua Bahia. Lançaram de madrugada: não era para matar, mas assustou. Era este o objetivo: nos intimidar. Mesmo que a bomba não houvesse ferido qualquer um de nós, que tenha apenas incendiado uma cortina, partido vidraças e chamuscado alguns livros e documentos, o atentado serviu para mostrar o grau de intolerância na sociedade naquele momento e o risco que corríamos. E, consequentemente, aumentou a solidariedade dos que se opunham ao autoritarismo. Foi o caso do próprio d. Paulo, que nos visitou para expressar sua solidariedade.

Mais adiante, em tempos mais amenos, apoiamos também a elaboração do livro *Brasil: Tortura nunca mais*, para o qual a ação da socióloga e ex-aluna minha Vanya Sant'Anna (casada com o ator Gianfrancesco Guarnieri) foi fundamental. Violeta Arraes Gervaiseau, irmã de Miguel Arraes, tinha muita influência em organizações religiosas europeias, católicas e protestantes, e atuou na coleta de recursos (bem como eu) para custear as pesquisas e o livro.

## A ONDA OBSCURANTISTA ERA VIOLENTA E PODIA PEGAR QUALQUER UM

Houve um momento, por volta de 1974, 75, em que todos nós fomos chamados à Oban, Operação Bandeirantes, principal centro da repressão em São Paulo, subordinada ao Exército e financiada por empresários que apoiavam o governo. A convocação para depor teve tudo a ver com o Cebrap. Vários de nós recebemos cartas com uma intimação para nos apresentarmos, cada um numa data diferente. Não havia o que fazer. Era peremptório.

Mal cheguei à sede, na Vila Mariana, um bairro classe média, meteram-me um capuz. Pensei de imediato: fiz besteira em ter vindo, vão me torturar. Advogados em volta do depoente, nem pensar. Não fui torturado, mas outros colegas o foram, tanto na

Oban como em outras ocasiões, e sem qualquer razão, como aconteceu com Vinícius Caldeira Brandt, que, depois de ter estado preso algum tempo no Rio, havia sido acolhido no Cebrap e voltou a ser preso na Oban.

Vários de nós tivemos que depor, alguns ficaram presos. Vinicius já tinha sido torturado anteriormente. Chico de Oliveira foi preso no Dops mais tarde, inclusive foi levado, já detido, ao Cebrap. Chegou trêmulo, acompanhado de policiais que buscavam um livro que estava em uma estante de seu escritório. Tinha sido torturado. Frederico Mazzucchelli, mais tarde secretário de Fazenda do Fleury, um sujeito forte, também tinha sido preso por causa de um automóvel, creio que de um parente dele, que teria sido usado para levar o Marighella para um lugar qualquer.

Não devemos nos esquecer: a intolerância e sobretudo a tortura eram usadas para reforçar os impulsos ditatoriais. Reprimia-se pelo terror os que pensavam de modo divergente. Intimidar-nos era o que queriam os donos do aparato repressor. Tais práticas atingiam tanto os que eles consideravam subversivos como os que se opunham à ação ditatorial, mesmo que nada tivessem a ver com quaisquer grupos armados.

Quando começou o interrogatório, retiraram meu capuz. Quem me interrogava recebia as perguntas em um papel enviado por outra pessoa, que acredito deveria pertencer à Segunda Seção do Exército, encarregada do serviço secreto. Duas perguntas me surpreenderam. Um jornal publicara que eu havia almoçado na casa de Roberto Campos, o que era verdade. Conhecia Roberto Campos, mas pouco, não tinha maior relacionamento. Àquela altura, ele morava num apartamento na avenida São Luís, não lembro quem mais estava presente ao almoço. Era executivo de um banco que tinha entre seus acionistas meu tio Carlos, o Invest-Banco. Meu interrogador na Oban falava muito mal de Roberto Campos, empregava expressões chulas, mas a ideia era clara: ele era um "entreguista, vendilhão da pátria". Mesma atitude em relação a Paulo Egídio, governador de São Paulo, nomeado pelo presidente Geisel. "Vamos pendurar esse aí pelo saco..." Desconfiavam também que eu houvesse sido trotskista, coisa que me arrepiava. Tinham uma foto tirada no aeroporto do México na qual eu aparecia carregando, gentilmente, a mala de uma moça casada com um dos líderes da Quarta Internacional, que assistira a um seminário científico sobre a América Latina, realizado em Oaxaca, do qual eu participara...

O superior do sujeito que me interrogava parece que tinha trabalhado em algum momento com meu pai, o que aliviou um pouco as coisas. Não sei até que ponto. Fizeram muitas perguntas sobre o Cebrap. Afinal de contas, era uma organização de pesquisa ou uma frente por trás da qual estariam os subversivos? Claro que era uma organização de pesquisa. Anteriormente, alguns dos colaboradores do Cebrap, como pessoas físicas, não como membros do Cebrap, tinham participado de organizações clandestinas.

As perguntas pareciam desconexas, mas o foco principal era o Cebrap.

A certa altura me lembrei de uma conversa com meu pai. Jovem oficial, ele estava preso na fortaleza da Laje, no Rio em 1922, pois havia participado da revolta tenentista. Ele me contou que só lograra conversar com o irmão, também oficial do Exército, que estava na cela ao lado, graças ao bom relacionamento com o carcereiro, com quem desenvolvera uma relação de humanidade. Pedi então para ir ao banheiro. Não porque precisasse, mas porque os seres humanos vão ao banheiro... Foi uma péssima ideia, porque vi através de grades, enquanto caminhava nos corredores, gente torturada, no chão das celas. Não sei quem eram as pessoas.

Procurando rememorar, acho que não tive propriamente medo físico. Fiquei algum tempo na Oban. Cheguei por volta das duas da tarde e saí por volta de meia-noite. O tempo passado lá dentro parecia infinito. O capuz e a reputação sinistra da Oban, tudo configurava uma imensa violência e eu sentia temor, mesmo não havendo me acontecido fisicamente nada.

Do lado de fora, quando saí, encontrei Roberto Gusmão. Tinha ficado à minha espera sabe-se lá por quantas horas. São gestos de solidariedade que a gente não esquece.

Quis me encontrar com o Paulo Egídio para contar o que havia acontecido. A conversa foi na casa de um amigo comum, marchand de obras de arte. Paulo Egídio era muito amigo do Geisel, que o pessoal da Oban julgava fazer parte da conspiração internacional contra o Brasil. A pergunta-chave que eles faziam era: "Vocês, do Cebrap, são parte do quê?". Ou seja, viam conspiradores por todo lado.

Para os interrogadores, tínhamos relações suspeitas de vários matizes. Além de contatos internacionais, já de si suspeitos, fôramos contratados pela Arquidiocese de São Paulo para escrever o livro *São Paulo 1975: crescimento e pobreza*, um diagnóstico da situação social em São Paulo e dos movimentos de resistência ao regime autoritário. Os recursos, poucos, vieram de grupos católicos e protestantes da Europa. Havia gente que ajudava a trazer o dinheiro para o país, e eles queriam saber quem eram... Eu dizia desconhecê-los.

Tudo isso nos colocava na mira do aparelho repressivo. A convite de d. Paulo, entrei em contato com algumas comunidades eclesiais de base, muito ativas na periferia. Eu fazia uma "falação", não uma "revolução". E fiz o mesmo em alguns conventos ou reuniões de padres e freiras. Tinha a convicção de que o que me protegia não eram as relações familiares com militares, mas as relações internacionais provenientes dos contatos no meio acadêmico. Isso dava de certa maneira uma "presunção de confiança".

Chegou um momento em que o aparelho de repressão em

São Paulo entrou em choque direto com Geisel e perdeu a parada. Dois fatos foram marcantes: a morte sob tortura do jornalista Vladimir Herzog em outubro de 1975 e, alguns meses depois, a do operário Manuel Fiel Filho.

Quando Vladimir Herzog foi assassinado no DOI-codi, sua mulher, Clarice, que havia sido minha aluna, me procurou aos prantos. Conheci o Vlado em 1968, quando ele morava em Londres e eu em Paris. Fui à casa de d. Paulo Arns, no bairro do Sumaré, para contar-lhe o sucedido. Ele de imediato decidiu que iria organizar um culto ecumênico na catedral da Sé, no Centro de São Paulo. Ato contínuo fui à casa da mãe de Vlado, que morava perto do Cebrap, na mesma rua Bahia, para pedir que ela autorizasse a realização da homenagem ecumênica, pois a família era judia. Não me esquecerei jamais daquele encontro. Vlado nascera na Iugoslávia às vésperas da Segunda Guerra, sua família havia escapado por pouco da perseguição aos judeus. Dona Zora estava desesperada. Ela, que fugira do Holocausto, via o filho ser assassinado pela polícia política, que alegava que Vlado tinha se enforcado. Bastava olhar a foto para ver que a alegação de suicídio era uma farsa.

Não obstante a ameaça da polícia de reprimir qualquer manifestação, uma multidão encheu a igreja para a celebração ecumênica a ser rezada por sua alma. Eu fiquei no altar com d. Paulo ao lado de d. Hélder Câmara, que ele havia convidado para estar a seu lado naquele momento. Ao final, ouvi d. Paulo exclamar, com aquela sua voz que se tornava estridente e profunda quando queria enfatizar algo: "Maldito seja aquele que mancha as mãos com o sangue de seu irmão!".

Ao resistir à pressão para cancelar a homenagem ao jornalista Vladimir Herzog, d. Paulo disse uma frase que define a sua coragem: "O bom pastor não abandona o rebanho quando o lobo aparece". A missa foi um dos marcos da redemocratização no

Brasil: foi a primeira grande manifestação pública de denúncia da tortura.

Quando mataram o operário Manuel Fiel Filho, em janeiro de 1976, três meses depois, acompanhei seu enterro simbólico nas ruas do Centro de São Paulo. Repetiu-se o que ocorrera com a morte de Vlado. O enterro e a posição firme de d. Paulo foram alertas para dizer: estão ultrapassando o limite do autoritarismo, isso cheira mal, cheira a ditadura fascista.

O presidente Geisel entendeu que era hora de dar um basta aos abusos da "comunidade de informação". Demitiu o comandante do II Exército. O ministro do Exército Sílvio Frota se insubordinou e também foi demitido. Geisel nomeou um homem de sua confiança, general Dilermando Gomes Monteiro, para o comando do Exército em São Paulo. Ele agiu com espírito pacificador. Estive com ele, era um homem cordial. Perguntou-me muito sobre os acontecimentos, sobre prisões e torturas.

Aquela foi uma época de terror. Mesmo os que, como nós, não tínhamos relações com a luta armada, tínhamos medo.

Um dia o pai do Aloysio Nunes Ferreira me procurou. Era fazendeiro e tinha sido deputado estadual. "Você sabe que meu filho está nos cartazes de TERRORISTAS PROCURADOS?", ele me perguntou. Eu sabia. Marighella não sabia dirigir, e Aluízio tinha lhe servido de motorista em diversas ocasiões. Esse detalhe eu desconhecia. Tínhamos nos encontrado em Paris quando fiz uma conferência e na volta trouxera uma carta dele para a família. Tudo era perigoso. Ninguém sabia o que podia acontecer.

Na mesma época Rubens Paiva, empresário e ex-deputado, foi preso no Rio por ter trazido uma carta de uma refugiada em Santiago do Chile. Era um homem muito forte fisicamente, deve ter reagido à tortura, foi espancado, teve um infarto e morreu. Havíamos nos encontrado em Santiago. O Paiva não tinha nenhuma ligação com nada subversivo. Mais que um liberal, ele era ex-deputado nacionalista, engenheiro, dono de uma empreiteira, filho de um grande fazendeiro. Às vezes frequentávamos sua casa em Ipanema, Ruth, os filhos e eu, para ir à praia com ele, Eunice e os filhos do casal.

Leôncio Martins Rodrigues tinha sido em priscas eras militante trotskista. Era homem de muita coragem, mas não estava mais ligado politicamente a nada. Fomos juntos à casa da Maria Hermínia Tavares de Almeida, que fora minha aluna e trabalhava na revista *Argumento*. Íamos pegar documentos que não tinham nada a ver com política. Percebemos estranhos à porta. Voltamos rapidamente. Era assim, o acaso contava muito e qualquer pessoa podia ser atingida. Os repressores viam conspiração e inimigos por toda parte. Na verdade, se nutriam dessas pretensas ameaças. Não viviam sem elas.

São Paulo sofria de toda essa loucura conspiratória e era o coração do capitalismo brasileiro. Como também das comunidades eclesiais de base, dos movimentos de bairro, do novo sindicalismo, da movimentação nas universidades. E esse coração pouco a pouco foi pulsando mais forte contra tudo o que estava acontecendo no Brasil.

As razões pelas quais forças poderosas de São Paulo se viraram contra o regime foi que elas sentiram que ele havia passado do limite. Nada justificava a continuação do arbítrio. Um número crescente de pessoas ligadas ao regime também pensava assim. Como o senador Teotônio Vilela. Senador pelo partido do governo, Teotônio virou um ardoroso defensor dos direitos humanos. Nos meses que precederam à anistia, visitamos juntos a prisão do Barro Branco, em São Paulo, onde estava a maioria dos presos políticos. A palavra do Teotônio era para todos um alento.

Em determinado momento, encontrei o general Golbery do Couto e Silva, braço direito do general Geisel. A revista *Argumento* havia sido proibida pela censura e Antonio Candido e eu fomos ao Rio falar com o marechal Cordeiro de Farias, ligado a meu avô no passado, para contar-lhe o ocorrido. O marechal fora namorado de uma tia minha, e esta foi a única vez que recorri a relações de família. Com a ajuda de Cordeiro de Farias cheguei ao general Golbery e ao ministro da Justiça, Armando Falcão.

O encontro com Cordeiro de Farias foi na avenida Rio Branco, no escritório da empresa pernambucana de cimento João Santos, cujo representante no Rio era o marechal. Golbery indagou-me das pessoas torturadas e mostrou repúdio às ações. Armando Falcão mais parecia ter vontade de me prender... Golbery me perguntou sobre a repressão, respondi que estivera lá dentro. "É o Exército?", ele me perguntou. "É o Exército", respondi. Contei a ele relatos que ouvira de várias pessoas, como de Maria da Conceição Tavares, humilhada quando chegou ao Brasil vinda do Chile. Ele se mostrava surpreso. Às tantas, disse: "Isso não pode ser, eu vou falar com o Ernesto". Acho que falou mesmo. Havia um setor do poder que percebia que eles haviam passado dos limites.

Curiosamente, apesar das tensões e dos riscos de prisão e tortura, depois de haver estado na Oban cheguei um dia ao Quartel-General do II Exército por intermédio de um coronel amigo, e fui até à sala de quem, de longe, comandava a Oban, outro coronel. O rádio estava ligado a todo volume. Eu, que em geral sou calmo, irritei-me com uma insinuação do referido coronel a uma eventual falta de patriotismo de minha parte. Vi escuro e gritei: "Coronel, não admito esta insinuação. Eu poderia estar em uma boa universidade no exterior; fiquei aqui porque acredito no Brasil". Para minha surpresa, o coronel se encolheu. Mais de uma vez, depois disso, tive-o ao telefone para dizer que tal ou qual pessoa do Cebrap havia sido presa. Nem sempre, com isso, eram soltos; mas às vezes, sim, obtinha o resultado desejado. Era assim a vida nos anos de chumbo: imprevisível, porque as leis de pouco valiam e as influências eram relativas. E, digamos, alguns dos donos do poder muitas vezes titubeavam: no fundo sabiam que agiam mal.

A ressaltar que, sem que houvéssemos apelado a conhecidos nossos ligados aos governos da República (houve quem espontaneamente nos tenha ajudado, como um coronel que era sogro do industrial Paulo Cunha, o mesmo que intermediou minha ida ao Quartel-General de SP, e outros mais), mantivemos o Cebrap em funcionamento. Que até hoje é entidade que faz não só pesquisas como publica livros e revistas críticas. Nossa força era simbólica e, digamos, advinha também de uma prudente ousadia. Tínhamos uma rede internacional de apoios intelectuais, além dos nacionais.

## AS INSTITUIÇÕES E O JOGO POLÍTICO

A generalização do autoritarismo na América Latina nos anos 1970 alavancou em vários países a réplica do modelo de instituições de pesquisa como o Cebrap. O clima era sufocante e os espaços se fechavam nas universidades oficiais.

Participei do conselho consultivo de algumas dessas organizações e com isso ampliei meus contatos. Por exemplo, em Buenos Aires os argentinos criaram o Cedla; no Chile, o Cieplan; no Peru, o Centro Peruano de Altos Estudos; na Venezuela já havia o Cendes. No México, onde havia maior liberdade acadêmica, mantínhamos relações tanto com a Universidade Nacional Autônoma do México (Unam), por intermédio de Raúl Benítez, como com o Colegio de México, com Victor Urquidi. Além de se haver criado uma comunidade de cientistas políticos e sociólogos pertencentes a essas várias entidades, houve também uma nucleação de pesquisadores e instituições no Consejo Latinoamericano de Ciencias Sociales, Clacso, que se organizou a partir do Chile, e que foi muito importante para assegurar o intercâmbio de pesquisas e ideias no continente.

Sérgio Motta militara na organização Ação Popular (AP), composta principalmente por católicos. Serjão não só ajudou o Cebrap, contratando-nos vez por outra, como mais tarde foi essencial na organização de minhas campanhas eleitorais e, em meu governo, como ministro das Comunicações, quando foi pioneiro nas privatizações que então se justificavam para o desenvolvimento do país. Morreu prematuramente, enquanto exercia as funções ministeriais.

Com idêntica motivação, pesquisamos a ocupação da Amazônia e o início de seu desmatamento. Com a colaboração de Geraldo Müller, sociólogo gaúcho que trabalhava no Cebrap, escrevi em 1977 um livro sobre o tema (*Amazônia: expansão do capitalismo*), tarefa na qual colaborou Tetê Smith Vasconcellos.

Foi ao fazer essa pesquisa que me inteirei de que ocorria uma guerrilha no sul do Pará. Severo Gomes possuía uma fazenda em Santana do Araguaia, na qual nos hospedamos, Juarez Brandão Lopes e eu, pois pesquisávamos a ocupação agropastoril da região. Voltamos a São Paulo em um voo comercial; no avião, Severo chamou minha atenção para os cabelos raspados à la militar de um rapaz que tinha a cabeça enrolada em panos, aparentemente ferido. Juarez e eu não tínhamos a menor ideia da guerrilha do Araguaia. O soldado ferido havia lutado contra as guerrilhas e ia para Brasília, possivelmente para se tratar, pois o avião pousaria lá antes de seguir para São Paulo. Aliás, foi jantando com uma freira e um bispo na fazenda de Severo que soubemos da existência de guerrilhas, pois os religiosos falaram no assunto. Havíamos percorrido a área para indagar as condições de trabalho dos que lá viviam, sem saber de nada...

Do ponto de vista científico, creio que os trabalhos demográficos de Elza Berquó e seu grupo marcaram bastante as atividades do Cebrap. Ela fora professora de estatística na Faculdade de Saúde Pública da USP, era demógrafa reconhecida, com ligações internacionais. Seu grupo fez muito para o avanço dessa ciência em São Paulo. Da mesma maneira, a equipe que fazia pesquisas sobre os sindicatos e os movimentos sociais, com Francisco Weffort, José Álvaro Moisés e Régis Andrade, pôde flagrar as transformações que ocorriam no mundo sindical, inclusive com as greves de Osasco e do ABC, com São Bernardo e o sindicato dos metalúrgicos à frente. Weffort já era conhecido e reconhecido por seus trabalhos sobre o populismo. Em uma entrevista para o grupo que pesquisava essas questões no Cebrap, conheci Lula, então presidente do Sindicato dos Metalúrgicos de São Bernardo.

No Cebrap, o guardião das regras do método era Giannotti. Seu conhecimento de filosofia e de lógica em especial foi importante para que se mantivesse o nível nas discussões e nos trabalhos. E a crítica, entre nós, era franca e impiedosa. Com Chico de Oliveira aprendi a ter uma visão mais integrada dos problemas do Nordeste e do Brasil: a economia pode dar a espinha dorsal, mas o jogo federativo, as necessidades populares e a definição das políticas contam para as pessoas e para o próprio desenvolvimento da economia regional.

Juarez Lopes era quem tinha a formação sociológica mais clássica: fora aluno de Chicago, sofrera a influência de antigos professores como Louis Wirth (alguns se haviam deslocado para Berkeley), trabalhara na Escola Livre de Sociologia e Política, conhecia investigações de campo. Procópio liderava um grupo de estudo de religiões e entendia bastante da cultura religiosa, tanto católica quanto protestante. E Paul Singer, formado em economia, com sua experiência de movimentos socialistas nos ajudava a compreender melhor os textos de sua especialidade, além de conhecer bem demografia. Foi a essa base de experiências intelectuais e de vida que se juntaram os "novos", já referidos, vindos de Minas e do Rio, principalmente, sem me esquecer dos paulistas, como José Serra. Tudo isso contribuía para que o clima político--cultural do Cebrap fosse eclético, melhor dito, plural.

A partir desse período, meus trabalhos e publicações sofreram uma mudança, que já começara quando me apresentei para o concurso da cátedra de Ciência Política. Mas a aceitação da necessidade de considerar as instituições em minhas análises, bem como o jogo político e suas ideologias, cresceu com a experiência do Cebrap.

Nossos jovens colaboradores mais imediatos (com a exceção de Vilmar, mais sociólogo) vinham de outra formação: a ciência política feita pelos americanos, que era fundamentalmente institucional e olhava também para a cultura política. Isso, somado ao autoritarismo sufocante vigente no país, abriu meus olhos para ver algo mais do que era habitual a um sociólogo, como eu, cujas análises se baseavam no estudo das classes e de seu movimento. Aquilo que vivera em Paris em 1968 me capacitava a avaliar melhor as condições sociais e políticas do Brasil da década de 70 do século XX, e a necessidade de incorporar novas abordagens nas análises.

O contato com intelectuais com formação diferente da que eu tive ampliou minha curiosidade e redefiniu minhas preocupações. Completei minha formação acadêmica somando o que ocorria no Brasil à vívida discussão de temas que se deu no Cebrap. Portanto, continuei aprendendo depois de adulto, pois, quando lá trabalhei, já me encontrava aposentado forçosamente da USP pelo AI-5 aos 37 anos, como professor catedrático. A experiência no Cebrap, acrescida das transformações pelas quais o Brasil passava e a meus contatos internacionais, me renovaram na década de 1970. E isso se refletiu nos temas e abordagens de meus trabalhos.

# 8. As ideias e o seu lugar

O entrelaçamento progressivo da vida intelectual com a ação pública me levou a privilegiar duas vertentes. Por um lado, queria discutir mais a fundo as questões suscitadas pelo livro *Dependência e desenvolvimento...*, e sobretudo debater com quem centrava o foco de análise no protagonismo crescente das massas marginalizadas, transformando-as em agentes de mudança. Era como se elas fossem substitutas do que na Europa fora o proletariado, dele conservando os desígnios. Por outro lado, fazer análises conjunturais em que o jogo do poder, a política, complementava as antigas preocupações com as estruturas sociais e a economia. Mantive, contudo, a noção de que haveria um condicionamento estrutural diante do qual o processo político teria autonomia relativa.

A respeito do que eu pensava e escrevi sobre a primeira questão, basta ver os artigos que a revista do Cebrap publicou, muitos dos quais tiveram tradução para o espanhol, o inglês, o francês e o alemão. Dentre os principais, há um trabalho que fiz quando passei em 1976, 77 uma temporada (passei mais de uma, em anos distintos) no Instituto de Estudos Avançados de Princeton (IAS), o artigo "As desventuras da dialética da dependência", publicado em 1979, para o qual contei com a colaboração de José Serra, que trabalhara com Albert Hirschman no IAS por alguns anos. Nele criticamos principalmente as noções de Rui Mauro Marini sobre a situação econômica e política no Brasil, que nos pareciam equivocadas. Em 1974, eu já havia publicado o artigo "As contradições do desenvolvimento associado", republicado no livro *Autoritarismo e democratização*, de 1975, com o título de "As novas teses equivocadas".

O debate era, na verdade, com os colegas brasileiros que, no exílio, se reuniram ao redor do Ceso, Centro de Estudios Socioeconómicos, de Santiago, especialmente com Rui Mauro Marini. A crítica principal era a de que tais autores marxistas assumiam uma perspectiva a-histórica, que não teriam dado o peso necessário às variáveis conjunturais do fazer político e econômico. Por isso suas análises eram abstratas, apesar de os autores também serem críticos das teorias funcionalistas da modernização.

Por trás deles estavam os trabalhos de Andreas Gunder Frank, sobretudo sua noção sobre o desenvolvimento do subdesenvolvimento. Sustentavam que a única saída para os países da América Latina passaria por uma revolução socialista. Eu via se formar um tipo de "dependência associada" que, mantendo os liames com as economias centrais e mesmo a primazia tecnológica e de capital dos países do centro, permitiria a integração capitalista das economias subdesenvolvidas ao movimento global do capitalismo. Socialismo seria uma opção valorativa, mas não a consequência direta do movimento dos mercados e sociedades.

Critiquei, às vezes duramente, os que acreditavam na inviabilidade do crescimento do capitalismo na região latino-americana e viam, por todo lado, o aumento das populações marginais. Não que estas inexistissem, mas eu julgava que não seriam empecilhos para que alguns países da região se industrializassem,

Retrato de uma família de militares: os Cardoso no Rio, em 1911. Ao centro, o patriarca, marechal Joaquim Ignácio, com d. Linda, avós de Fernando Henrique. Leônidas, seu pai, é o segundo à esquerda.

Fernando Henrique posa com a avó, primos e irmãos diante do busto recém-inaugurado do avô, no Rio, em janeiro de 1938. À direita, Leônidas e Nayde Cardoso, pais do futuro presidente.

Fernando Henrique passeia com o pai (então major) numa rua do Rio, em meados dos anos 1930.

ACIMA:
De gravata, com os pais e os irmãos, no começo dos anos 1940. A família morou no bairro de Perdizes, a poucos metros do parque da Água Branca.

AO LADO:
Na formatura do Ginásio Perdizes, em 1945.

ACIMA:
Em 1961, Fernando Henrique obtém o doutorado em ciências sociais pela USP com um estudo sobre a escravidão no Brasil Meridional.

AO LADO:
Ruth Villaça Corrêa Leite foi a primeira colocada no vestibular de ciências sociais da USP em 1948. Fernando Henrique foi o segundo. Casaram-se no Rio de Janeiro em 4 de fevereiro de 1953. A união durou 55 anos, até a morte da antropóloga, em 2008.

AO LADO E ABAIXO:
Com Jean-Paul Sartre
e Simone de Beauvoir
em São Paulo, em 1960.
Fernando Henrique
acompanhou o casal de
filósofos, servindo-lhes
de intérprete, como no
debate no Teatro de
Cultura Artística,
transmitido ao vivo
pela TV Excelsior.

Com Darcy Ribeiro
e Maria da Conceição
Tavares, em 1961.

Ruth e Fernando Henrique numa parada técnica em viagem pela França, com Octavio e Elene Ianni, nos anos 1960.

O casal Ruth e FHC desembarca com as filhas Luciana e Beatriz em Santiago do Chile, onde FHC se exilou depois do golpe de 1964.

Com Raúl Prebisch, José Serra e Aníbal Pinto, antigos companheiros do Instituto Latino-Americano de Planejamento Econômico e Social, no Chile.

Nos anos 1970, à frente do Cebrap, Fernando Henrique e demais companheiros mergulharam nas articulações políticas que resultaram na redemocratização do país. Um artigo seu no jornal *Opinião* despertou o interesse de Ulysses Guimarães.

Em campanha nas ruas de São Paulo durante a corrida ao Senado, em 1978, com Audálio Dantas (então presidente do Sindicato de Jornalistas de São Paulo), Severo Gomes e Bruna Lombardi.

Com Lula durante a campanha ao Senado.

ACIMA:
Com Tancredo Neves (primeiro à esquerda), Franco Montoro (de terno claro), Miguel Arraes e Lula (fumando) na linha de frente do protesto pelas Diretas Já em São Paulo, em 16 de abril de 1984.

Com o governador de Minas Gerais, Tancredo Neves, durante a campanha das eleições indiretas à Presidência, no final de 1984.

Ao lado de Mário Covas, Fernando Henrique foi reeleito ao Senado em 1986. Dois anos depois, com outros peemedebistas dissidentes, participou da fundação do PSDB.

Com Ruth na campanha à Presidência, em 1994. Fernando Henrique venceu o pleito no primeiro turno e repetiu o feito em 1998. Entre 1995 e 2002, Ruth presidiu o programa Comunidade Solidária e participou intensamente das discussões palacianas.

Comemorando o primeiro aniversário do Plano Real, em Brasília, julho de 1995.

Ao lado de Ruth e do vice Marco Maciel, Fernando Henrique e Itamar Franco saúdam o povo na praça dos Três Poderes, em 1º de janeiro de 1995.

Com Sérgio Motta, ministro das Comunicações, responsável pela transformação do sistema de telecomunicações no Brasil. Morto em 1998, Motta também foi seu companheiro na luta contra a ditadura e na criação do PSDB.

Discreto e eficiente, Pedro Malan foi ministro da Fazenda nos dois mandatos de Fernando Henrique. Em julho de 2001, o ministro e o presidente comemoraram o sétimo aniversário do real.

Em 1º de janeiro de 2003, enquanto passava a faixa a seu sucessor, Fernando Henrique se atrapalhou e seus óculos caíram. Lula os segurou, observado pelo vice José Alencar. Foi a primeira transição de poder entre presidentes democraticamente eleitos desde 1961.

Amigo de Bill Clinton, presidente dos Estados Unidos entre 1993 e 2001, Fernando Henrique propôs uma "nova parceria" entre os dois países. Clinton veio ao Brasil em outubro de 1997.

Com Kofi Annan, secretário-geral da ONU, em Brasília, julho de 1998.

Também em julho de 1998, FHC recebeu Nelson Mandela, presidente sul-africano e líder histórico da luta contra o apartheid.

A família Cardoso reunida no Palácio da Alvorada em 2002: o presidente com Ruth, os filhos Luciana, Paulo Henrique e Beatriz e os netos Júlia, Pedro, Joana, Helena e Isabel.

Com Patrícia Kundrát, em 2012.

Em 2017, na sede da Fundação Fernando Henrique Cardoso, entidade responsável pela conservação de seu acervo pessoal de livros e documentos.
Dois anos antes, o presidente iniciara a publicação de seus *Diários da Presidência*.

mesmo que apenas seus mercados internos absorvessem a produção local. Poderia haver também a expansão econômica pela via complementar do mercado internacional. Outra questão seria a absorção pela sociedade das camadas sociais existentes às suas margens.

Criticava, o que era comumente aceito, as teorias estagnacionistas. Já havia feito o mesmo em livros anteriores ao falar sobre alguns autores que punham ênfase na inviabilidade do desenvolvimento do Brasil. Eles viam uma tendência à estagnação nas economias subdesenvolvidas; acreditavam que se a produção agropastoril prosperara no passado (o gado na Argentina ou o café no Brasil, por exemplo), teria sido mais por se basear na superexploração do trabalho intensivo (graças à extração da mais-valia absoluta) do que, como seria próprio das economias industriais avançadas, pelo aumento da mais-valia relativa. Ou seja, pelo "mais produto" obtido nas mesmas horas de trabalho, graças às evoluções tecnológicas. Conhecendo principalmente o Brasil, a Argentina e o México, e tendo feito análises sobre os empresários industriais, eu não poderia concordar com as teses estagnacionistas.

Esse foi o miolo das discussões travadas nos anos 1970. Escrevi artigos nesse período, quase todos enfeixados em meus livros *Autoritarismo e democratização*, de 1975, e *O modelo político brasileiro e outros ensaios*, de 1977. Além de retomar algumas considerações sobre o uso da dialética nas ciências sociais, juntei algo do que escrevi, criticamente, sobre os temas já referidos, sobretudo a respeito do que era moda, a assim chamada "teoria da dependência".

Não deixei de criticar os "dependentistas" americanos. Em 1976 escrevi um paper que apresentei num encontro da Lasa, Latin American Studies Association, em Atlanta, nos Estados Unidos. Com o título "O consumo da teoria da dependência nos Estados Unidos", ele criticava o modo de conceber as relações de dependência (as quais sempre julguei diversas e historicamente mutáveis) que tornavam dependência e independência polos de um contínuo, composto por variáveis mensuráveis, sem referências ao contexto histórico-estrutural.

Por trás das distintas situações de dependência havia, em minhas análises, o movimento de classes e grupos sociais dos países da região e dos centrais, tal como escrevi seja no livro com Faletto, seja no que publiquei mais tarde, *Política e desenvolvimento em sociedades dependentes*, centrado nas ideologias dos empresários argentinos e brasileiros. Portanto, se alguma contribuição houve, foi mostrar as lutas, ideologias e movimentações políticas que davam vida aos setores de classe e a elas próprias, com seus propósitos e movimentos sociais, em suma, com seu jogo político em cada tipo estrutural de dependência.

Em outros termos: a unidade do diverso, a busca de totalidades obriga a uma imersão histórica; os conceitos deveriam ser historicamente saturados e não se reduzirem a variáveis abstratas. Insisto no tema em outro artigo, "A dependência revisitada". No fundo, digo e redigo que as análises devem ser concretas, em contraposição às classificações e mesmo às análises de tipo estrutural-funcionalista, cujo inspirador maior foi Talcott Parsons, que marcou muito da sociologia da modernização.

Crítica que era de outra índole, mas, no fundo, voltava ao tema daquilo que está por trás das raízes do estagnacionismo: eu criticava o que considerava ser um mau uso da dialética marxista. Sobretudo, criticava os autores latino-americanos quando viam o fantasma do subimperialismo, sobretudo o brasileiro, a vagar na região como um fantasma ameaçador.

Além do artigo de crítica a Marini e seus companheiros, como Teotônio dos Santos, há nesses livros artigos sobre dependência que mostram minha visão: o ponto de vista a-histórico pode levar a equívocos e, por outro lado, é preciso tomar cuidado para não elevar à condição de teoria o que são análises conjunturais do desempenho de atores sociais. Além dos artigos já citados, há um em especial, "Teoria da dependência ou análises concretas de situações de dependência", que reforça essa visão.

## PEREGRINANDO PELOS MUNDOS DO SABER

Na verdade, não foram só as condições políticas do Brasil na década de 1970, nem mesmo a influência da ciência política americana, que embasaram minhas preocupações. Minha experiência internacional se ampliou muito e por uma razão simples: graças à aposentadoria compulsória da USP com vencimentos proporcionais ao tempo de trabalho. O Cebrap pagava muito pouco, eu precisava complementar meus ganhos dando aulas no exterior, já que o AI-5 me proibira de ensinar no Brasil.

As viagens, além de me proporcionarem uma situação financeira confortável, ajudaram-me a conhecer melhor as correntes intelectuais e a ter mais presente as condições da economia e da política nas quais funcionavam as sociedades ocidentais.

Quando fui para o Chile, em 1964, já estávamos construindo uma casa no Morumbi, em São Paulo, na qual passamos a morar quando retornei da França em 1969. Dez anos depois resolvemos nos mudar. Minha mulher achava o bairro muito distante do centro, as escolas ficavam longe, e, não bastasse, era "metido a burguês" (precisávamos de motorista e de empregadas, pois a casa era grande, até piscina tinha). Tudo isso tornava a vida dispendiosa. Resolvemos alugar a casa e fomos viver em um apartamento que distava uma quadra da avenida Paulista. O Cebrap se mudara da rua Bahia para um prédio na alameda Campinas, perto da Joaquim Eugênio de Lima, onde passamos a morar.

Embora tivéssemos juntado alguns recursos com os salários da Cepal e minha aposentadoria compulsória da USP, e a despeito de naquele momento nossos salários se somarem, o meu, no Cebrap, e o de Ruth como professora de antropologia na USP, sair de quando em vez de São Paulo e dar aulas no exterior foi uma acomodação necessária em termos financeiros. Foi quando, intercaladamente, e em geral por um semestre letivo de cada vez, fui mais uma vez professor na École des Hautes Études, em 1980 e 81. Antes disso, dei aula no Departamento de Ciência Política em Stanford (1972), na Califórnia. Passei os anos de 1976 e 1977 lecionando em Cambridge, na Inglaterra. Voltei aos Estados Unidos em 1981 para dar aula no Departamento de Sociologia da Universidade da Califórnia, dessa vez em Berkeley. E estive inúmeras vezes na Argentina, no Peru, na Venezuela e no México.

Sem falar que no começo da década de 1970 eu dei aula na Organização Internacional do Trabalho (OIT), em Genebra, e que, quando ensinava em Cambridge, em 1976, ia uma vez ao mês a Paris para seminários no Institut d'Études du Développement Économique et Social (Iedes). Também por duas vezes fui *fellow* do Instituto de Estudos Avançados de Princeton nos anos 1970 e começo dos 80, e participei de inumeráveis conferências internacionais, em diferentes países.

Da França eu já tinha experiência, mas das universidades inglesas, não muita. Por isso, foi com surpresa que recebi o convite para lecionar em Cambridge e até hoje não sei quem o propôs. Lá me tornei *fellow* do Clare College, um dos mais tradicionais, do qual ainda sou *honorary fellow*, assim como sou *honorary professor* da universidade, da qual também recebi, quando presidente, um *honorary* ph.D. em Leis, pois desde que lá ensinara já tinha o grau de mestre (BA) por Cambridge. Por ocasião do doutoramento honoris causa eu era hóspede oficial da rainha inglesa e o príncipe Philip era o reitor honorário de Cambridge.

Ouvi um bonito discurso de saudação do *chancellor*, lord Jenkins, autor de biografias de Roosevelt e de Churchill. Cambridge é uma universidade célebre e em sua vida cotidiana o que conta são os *colleges* e suas *high tables*, mesas elevadas sobre um estrado, onde eventualmente se almoça e mais frequentemente se janta, depois do que se passa ao salão onde se sente o odor "inebriante" do rapé... É nos *colleges* que a vida universitária se desenvolve em parte. Os professores, se solteiros, também moram lá, assim como os estudantes das mais variadas faculdades. Eu ensinava na de Economia, pois sociologia era uma ciência demasiado nova para merecer uma faculdade dedicada a ela...

Assisti a um seminário, não no Clare, mas no King's, no qual o mais do que renomado professor de economia Nicholas Kaldor se dirigiu à não menos famosa Joan Robinson e lhe disse: "*My dear Joan, when you will become a good economist? It seems to me that you do not understand basic questions*" (Minha cara, quando você vai se tornar uma boa economista? Tenho a impressão de que você não entende as questões básicas). Este era o modo de falar dos ingleses, não significava que ele não a respeitasse.

Nos departamentos de ciências sociais havia David Lehmann, sociólogo que escreveu sobre o Brasil, e também, como visitante, Miguel Jorge Kuczynski, irmão de Pedro Pablo Kuczynski, futuro presidente do Peru. E sobretudo um professor que me influenciou muito na Presidência, quando participei do grupo *progressive governance*, Anthony (Tony) Giddens.

Foi em Cambridge, em 1976, que escrevi o ensaio "The Originality of the Copy", sobre as teorias latino-americanas de desenvolvimento econômico, publicado em português no livro *As ideias e seu lugar* em 1980. Nele eu valorizava as contribuições de Raúl Prebisch e da Cepal para a compreensão do desenvolvimento econômico. Mostrava que, ainda que as ideias proviessem de autores europeus ou norte-americanos, elas eram originais, pois contextualizadas de outra maneira, olhando para o Sul.

Nas décadas de 1970 e de 1980, embora acadêmico, fui me interessando cada vez mais pelos rumos políticos do país, para compreendê-los e eventualmente mudá-los. Para tanto, repito, contribuiu tanto a situação política em que nos encontrávamos quanto as influências intelectuais que sofri. E sempre, vendo e acompanhando, tanto no Brasil como no exterior, o movimento da vida.

Fui influenciado, é natural, pelos alunos e pelos professores dos departamentos universitários em que trabalhei, bem como por intelectuais diversos. No caso do meio ambiente, por exemplo, antes mesmo da conferência no Rio, em 1992 (à qual não pude comparecer porque estava com uma crise na coluna), mantive estreitas relações com o grupo que estava por trás de Maurice Strong, grande estrela do encontro pioneiro sobre o meio ambiente em Estocolmo, em 1972.

Tive contatos com os que, mais tarde, organizaram em Nyon, na Suíça, um centro de estudos a respeito do tema, do qual fiz parte: International Foundation for Development Alternatives (Ifad). O centro tinha à frente Marc Nerfin, que havia secretariado a conferência de Estocolmo sobre o clima, e seu inspirador era Ignacy Sachs, meu amigo e antigo companheiro na École des Hautes Études, na França. Em 1978, nos anais desse centro publiquei "Towards Another Development", reproduzido em muitas línguas.

CONTATOS E INFLUÊNCIAS

Na verdade, seria muito difícil mencionar todas as influências que sofri, mesmo porque não me lembro de todas. Mas agora me vem à mente um trabalho conjunto com Gino Germani, de quem Vilmar Faria fora aluno em Harvard; fizemos uma proposta para levar a cabo um estudo sobre o desenvolvimento econômico-social de alguns países da América Latina. A proposta foi encaminhada ao Social Science Research Council, dos Estados Unidos, instituição que julgava e financiava projetos de pesquisa e da qual mais tarde fui membro. Germani era reconhecido sociólogo e grosso modo adepto das análises funcionalistas. Eu queria demonstrar com a proposta que não me importavam os "istas" e "ismos", mas sim a qualidade dos autores.

Um sociólogo americano da Universidade Cornell, Joseph Kahl, escreveu que considerava o argentino Gino Germani, o mexicano Pablo González Casanova e eu as novas estrelas da sociologia latino-americana; em livro publicado em 1976, ele fez um resumo de nossos principais trabalhos até então, situando-nos. Já, portanto, àquela altura, depois de aposentado da USP, começava a haver certo reconhecimento internacional de meus trabalhos.

A partir do momento que saí da USP, intensifiquei meus contatos com sociólogos e cientistas políticos que nada tinham a ver com análises dialéticas, sobretudo quando estive na Califórnia, onde, diga-se de passagem, também existe um núcleo de estudos e ação político-intelectual de inspiração mais marxista, o Nacla, North American Congress on Latin America.

Refiro-me a cientistas sociais americanos, mas também mantive, é claro, contatos com brasileiros: Hélio Jaguaribe, por quem sempre tive respeito intelectual, e seu amigo Candido Mendes, fundador do Iuperj, foram *fellows* de instituições de reflexão ou deram conferências na Califórnia, quando eu ensinava em Stanford ou em Berkeley. Com ambos discuti e me informei sobre o que acontecia no Brasil, tanto política como socialmente. Fui de Stanford a Berkeley para visitar Pedro Malan, que lá fazia doutoramento com Albert Fishlow. Fomos de carro, eu e Wanderley Guilherme dos Santos, que estava em Stanford para finalizar sua tese. A cada, digamos, 25 quilômetros, parávamos o carro, dada a veemência das discussões. Também com Wanderley, apesar e por causa das discussões, aprendi bastante.

Mantive relações intelectuais com Michael Burawoy e o famoso sociólogo Neil Smelson, que por lá vivia e ensinava (creio mesmo que dirigia o Departamento de Sociologia), e sobretudo com um dos mais influentes sociólogos da época, Robert Bellah, professor em Berkeley interessado em estudos das religiões. Minhas passagens pelo IAS, a influência de Albert Hirschman, sua capacidade de apreender o que parece ser menor, mas é o mais significativo, foram marcantes. Bem como foi em Princeton que estreitei relações com Abraham Lowenthal, que veio a ser o incentivador de um importante centro de relações internacionais na Califórnia, o Pacific Council on International Policy.

Foi a partir do IAS que mantive relações com o Wilson Center e o Inter-American Dialogue, *think thank* do qual até hoje sou presidente de honra. Consolidei não só minha compreensão das ciências sociais, como desenvolvi atividades em várias instituições norte-americanas (já conhecia algumas, como o Social Science Research Council, pois participara de um de seus comitês).

Mais do que ampliar meu universo de relações no mundo acadêmico, a experiência de viver em Princeton foi intelectualmente decisiva. A instituição foi criada para abrigar Albert Einstein, e a casa onde ele viveu era muito visitada. A maioria dos membros do IAS se compunha de matemáticos e de físicos teóricos; era pequeno o grupo que vinha das ciências humanas, como Hirschman e meu vizinho de escritório, o antropólogo Clifford Geertz (cuja mulher deu aulas de inglês para Ruth).

Vez por outra eu tentava acompanhar conferências de matemáticos e físicos, mas não entendia nada. Chamou minha atenção a palestra de um professor de Harvard, de ciência política, Michael Walzer, que fazia uma distinção entre guerras justas e injustas. A obrigação de um *fellow* consistia em dar uma palestra por semestre — o resto do tempo, que ele escrevesse o que lhe aprouvesse. Por que, então, o clima intelectual me marcou? Porque vi de perto onde começou o mundo moderno, as equações que resultaram não só na bomba atômica, mas em uma revolução produtiva, com consequências, várias positivas, na microbiologia, na medicina etc. Eu já vira antes, em Stanford, como funcionaria um mundo cheio de máquinas inteligentes. No campus, havia um local reservado, ao qual tive acesso porque tinha um amigo chileno ligado àquelas atividades, onde pude ver os cientistas da computação em pleno trabalho: cabelos compridos, retratos de Guevara nas paredes. Era assim que, nos anos 70 do século passado, preparavam a grandeza do mundo contemporâneo que substituiu o mundo moderno.

Fui alguma vezes ao Vale do Silício com meus filhos. San José era uma cidade pacata, nada indicava que seria o berço de um mundo diferente. Em Stanford, em área reservada a estudos de inteligência artificial, um computador fora preparado para dar respostas atrevidas. Se alguém que falasse bem inglês (não era meu caso) insistisse com muitas perguntas, ele responderia: "Não me amole". Era assim, brincando, que os cientistas criavam as bases para o mundo em que hoje vivemos. Havia também umas máquinas com umas braçadeiras, capazes de obedecer a ordens verbais: "Empilhe os dados azuis de um jeito e os vermelhos de outro"...

A variedade dessas experiências, a aparente desconexão entre o mundo da ciência e o do poder, as tremendas consequências culturais na vida das pessoas, causadas, mesmo que não intencionalmente, pelos avanços da ciência, me levaram a entender um pouco melhor no que consistiam as sociedades modernas e mais ainda as contemporâneas. Como elas dão saltos e de que modo elas se transformam, nem sempre pensadamente ou com base nos interesses fundamentais das classes, ou mesmo dos donos do poder.

Continuei peregrinando pelo mundo do saber. Em 1981, dei um curso no Collège de France substituindo Michel Foucault, afastado por um período. Em um jantar com Ruth e Foucault, fiquei surpreso quando ele me pediu permissão para lançar minha candidatura a uma posição permanente naquela instituição, já que um professor estava em vias de se aposentar. Preferi nem cogitar da possibilidade: teria que me naturalizar francês, o que nunca passou por minha cabeça, não queria deixar de ser brasileiro. Ademais, a honra era tamanha que o melhor seria nem pensar em tal possibilidade.

Minha preocupação com a vida política e social brasileira sempre foi central. Em 1978, por exemplo, o presidente Jimmy Carter decidiu vir ao Brasil. Um de seus assessores na Casa Branca, Robert Pastor, meu conhecido e casado com uma filha de Robert McNamara, pediu-me que fosse de Princeton (eu trabalhava no IAS) a Washington para ajudá-lo a preparar um briefing para o presidente (anos depois, viemos a ser colegas no grupo criado por Nelson Mandela, The Elders, voltado para a discussão de temas globais). O briefing foi basicamente sobre o que acontecia no Brasil no plano político e no dos direitos humanos. Em sua visita ao país, em 1978, Carter encontrou a mim e ao cardeal d. Eugênio Sales, no Rio, o que provocou forte irritação em círculos militares.

Eu não só mantinha meu interesse pelo Brasil, como procurava entender os países nos quais vivia. Quando em Princeton, recebi a visita de um ex-aluno de Stanford, de família originária de Porto Rico e que servira ao Exército na Guerra da Coreia. Contou-me uma série de casos e me convidou para visitar sua avó, que morava em Nova York, em um subúrbio depois do Bronx. Marquei de me encontrar com ele em um escritório da New York

University, na Quinta Avenida. De lá partimos em meu carro, com o qual viera de Princeton. Ao nos aproximarmos da casa de destino, via-se a devastação: prédios semi-incendiados, ainda habitados por algumas famílias. Os antigos proprietários, ou as empresas que os haviam comprado, incendiavam de propósito os edifícios para afugentar os inquilinos que teimavam em não sair. Os proprietários poderiam, com os imóveis vazios, vendê-los ou alugá-los por melhor preço. Jantamos os três na casa da avó de meu ex-aluno. Acima de um aparador, uma *étagère*, havia a reprodução de uma foto de Kennedy. A senhora, porto-riquenha, só falava espanhol. A porta da casa era encimada por uma cancela interna, de madeira grossa. Por quê? Porque havia medo. Os assaltos eram comuns e se a dona de casa tivesse que sair para comprar algo, ela chamava a gangue de porto-riquenhos para acompanhá-la e evitar que outras gangues batessem nela. Ainda era assim, em seus rincões mais pobres, a América que eu vi nos anos 1970 e mesmo 80.

Perto de Princeton, em Trenton, capital de Nova Jersey, nas áreas mais despossuídas, tijolos bloqueavam as janelas dos andares térreos, protegendo-os. Havia medo. Vi isso quando, acompanhado de Ruth, fui até Trenton tomar um trem que nos levaria a Washington, pois se o pegássemos em Princeton Junction (nossa estação habitual) o percurso demoraria mais. Paramos o carro em uma rua lateral, antes da estação. Um guarda, ele próprio assustado, perguntou-nos o que fazíamos ali, advertiu-nos que poderíamos ser vítimas de gangues. Ocorre que, onde habitávamos, a poucos quilômetros de Trenton, no IAS, nem muro havia entre as casas. Era assim a discriminação: nos bairros afluentes, tranquilidade; nos pobres, violência e medo.

Ou seja, aproveitava minhas viagens ao exterior não só para dar aulas e ampliar meus contatos, mas para ler e também para ver. Quando disse que no início da carreira eu era sociólogo de campo, deveria ter escrito: "Não se aprende só com os livros, nem só com pesquisas, mas com a vida".

Minha impressão inicial dos Estados Unidos só se aprofundou, meu entusiasmo aumentava quanto mais eu conhecia a sociedade americana. Entretanto, por mais desenvolvido que seja um país, há que se olhar sempre para o modo como as pessoas vivem e a que aspiram. Anos mais tarde, tive uma conversa com Clinton e ele me disse algo simples e essencial: "Quando vou a um país, sempre pergunto de que esse país tem medo e, por outro lado, qual é seu sonho". Era o que eu tentava fazer, nos Estados Unidos ou onde quer que estivesse, ainda que não tivesse consciência disso.

Não dá, contudo, para deixar de ler a respeito do país. Dentre as leituras que mais me impressionaram sobre os Estados Unidos está o notável *A democracia na América*, de Alexis de Tocqueville. Apesar de seus quase duzentos anos, esse livro mostra bem o quanto o espírito americano, com certo senso de igualdade, nasceu nas comunidades locais. Tocqueville ressalta a formação de uma opinião pública no seio da sociedade civil, com a imprensa livre. Tudo tão diferente do que ocorrera na Europa hierárquica, feudal, e depois nobre. Há, portanto, que sentir o povo e sua cultura.

Certa feita, em agosto de 1980, fui a Varsóvia como membro da Associação Internacional de Sociologia (ISA), da qual, depois de ser vice-presidente, fui presidente entre 1982 e 1986. Antes de viajar de Paris para Varsóvia, pedi a Ignacy Sachs, que nascera e vivera na Polônia, que me apresentasse a alguns amigos dele. Munido de uma carta sua, fui uma noite à casa do cineasta Andrzej Wajda, que morava em um bairro elegante e arborizado, mas pouco iluminado. Fui de táxi e resolvi voltar de ônibus, mas receoso de que poderia ocorrer o que seria possível nos Estados Unidos ou no Brasil. Estava enganado. Na Polônia havia problemas, mas não havia insegurança pessoal com relação a assaltos. Se medo havia, era da polícia política.

Nessa mesma viagem, certa noite ouvi o cardeal de Varsóvia, Wyszynski, se dirigir ao povo pela TV. Os trabalhadores de um estaleiro em Gdánsk estavam em greve, temia-se uma invasão soviética. Eu participava de uma reunião da ISA no palácio Poniatowski e decidi, junto com um colega franco-canadense e Izabela Berlinska, que secretariava a ISA, alugar um carro e ir a Gdánsk. Encontramos a cidade cheia de velas acesas e retratos do papa. Estavam em rebelião contra o comunismo, Lech Walesa à frente (de quem na ocasião só pude ouvir a voz por meio dos alto-falantes que ecoavam em uma das praças, e a quem conheci mais tarde no Brasil quando éramos presidentes, ela da Polônia, e eu do Brasil). Assim ia notando que nem só as análises estruturais explicam os movimentos da sociedade. Há momentos que lideranças políticas surgem e há o sentimento dos povos, o modo de viver e de sentir das pessoas comuns. São forças que podem mudar o que parece estar dado para sempre. Há ainda as mais variadas culturas políticas. Sem a história e a observação da vida, o saber do sociólogo acaba por se assemelhar mais ao trabalho de geólogos do que ao de um cientista social. Por isso disse que aprendi com os livros, mas também com a vida, com o contato direto com as pessoas. Viver e observar sempre foram, para mim, modos de aprender.

Talvez por essa mesma razão nunca tenha tido o entusiasmo de Ruth por Claude Lévi-Strauss, de quem ela fora aluna em Paris. Eu apenas o visitei na França, com meu cunhado Roberto Cardoso de Oliveira, e o vi quando ele veio a São Paulo, à época do governo Montoro. É claro que respeitava seus trabalhos, como até hoje, embora conhecesse pouco deles. De Lévi-Strauss, o que mais me impressionou foi um livro escrito não como antropólogo, mas como um intelectual em visita a um país estrangeiro: os *Tristes trópicos*. Sem deixar, naturalmente, de ter admiração por seus livros mais famosos, *As estruturas elementares do parentesco* e *O pensamento selvagem*.

Minhas diferenças com certo formalismo (sem negar suas vantagens na análise das estruturas dos mitos, como fez, por exemplo, o mesmo Lévi-Strauss) se expressaram em minha crítica a Nicos Poulantzas, a quem conheci em um seminário em Yucatán, no México. Mantivemos relações cordiais, tanto lá como, mais tarde, em Paris. O que não me inibiu de escrever uma crítica a respeito de sua análise, que me parecia formal, das classes sociais. Aliás, no seminário no qual estivemos, em Yucatán, eu já havia expressado meu ponto de vista divergente diretamente a ele. Esses comentários estão no artigo "Althussérisme ou marxisme? À propos du concept de classe chez Poulantzas" (Althusserianismo ou marxismo? A propósito do conceito de classes em Poulantzas), que foi publicado em diversos idiomas e está reproduzido em meu livro *O modelo político brasileiro e outros ensaios*, de 1972.

OS RUMOS DO ESTADO E DA POLÍTICA

O que ocorria no Brasil, o que eu observara mundo afora e o que li nos livros de sociólogos e cientistas políticos levaram-me a dedicar boa parte dos anos 1970 e o início dos 80 a tentar entender os rumos que o Estado e a política tomavam entre nós. Para isso, a influência de alguns autores que li e mesmo conheci foi decisiva (a maioria dos textos que escrevi então se encontra nos livros *Autoritarismo e democratização*, de 1975; e no já citado *O modelo político brasileiro e outros ensaios*).

Vivíamos dias difíceis: o país crescia em termos econômicos e a democracia era mais aparente do que real; na verdade estávamos sob os humores do autoritarismo. Havia a lei, mas havia também a discricionariedade. O povo, que pouco acompanhava a vida política, queria resultados; os políticos, a maioria deles, queriam alguma benesse. Poucos resistiam: uns caminhavam pela via armada; outros usavam, no que podiam, a palavra, e tentavam manter a esperança.

Juan Linz e Alfred Stepan, os dois de Yale, dedicavam-se à análise de sistemas políticos na Espanha e também na América Latina. Estive com ambos em várias ocasiões, em Yale, no Chile, na Argentina ou no Brasil. Em 1971 Stepan escreveu importante livro sobre os militares brasileiros, *The Military in Politics: Changing Patterns in Brazil*. Em uma das ocasiões em que nos vimos, já na década de 1980, ele se serviu de meus escritórios de senador como base para suas entrevistas com políticos brasileiros, pois estava interessado em analisar o parlamentarismo em contraposição ao sistema presidencialista. Mais tarde, quando trabalhei na Universidade Brown, depois da Presidência, ele me emprestou sua casa de praia no litoral frio, perto de Boston, ao norte da Costa Leste.

Com ambos aprendi tanto as similitudes como as profundas diferenças entre os regimes não democráticos que prevaleciam na América Latina e os regimes totalitários europeus, nos quais a mobilização das massas, que em geral se dava por intermédio de um partido (nazista, fascista ou quejandos), era fundamental. O Estado que se fundia com o partido suprimia não só mais amplamente as liberdades políticas como as civis.

Já nos regimes autoritários da América Latina (e Linz, sobretudo, se fixava na comparação com a Espanha), a mobilização, embora existisse, sobretudo na Espanha, com as falanges, não tinha tanto peso. Havia uma acomodação dos donos do poder, em geral militares, com as classes dominantes, e buscava-se anestesiar o povo, não enfurecê-lo com hinos e saudações em favor dos poderosos. Em certas situações seria possível, até formalmente, continuar a existir certo jogo entre os partidos: havia contendas eleitorais para validar ("autenticar" se dizia) os que estavam no poder. Sem excitações, contudo.

A situação do Brasil e de alguns países da região era mais próxima do autoritarismo do que do fascismo, embora na linguagem política a esquerda continuasse a usar o termo fascismo para qualificar os regimes imperantes na região. Compreende-se: a carga emocional negativa do termo fazia sentido na briga política, mas na academia era melhor não confundir alhos com bugalhos.

Foi nesse contexto que li os estudos sobre o autoritarismo burocrático de Guillermo O'Donnell, tanto em *Modernización y autoritarismo* (de 1972) como sobretudo em *El Estado burocrático--autoritario* (de 1982). Ele trabalhou por um tempo no Cebrap e também participou do Programa Latino-Americano do Woodrow Wilson International Center for Scholars, em Washington. A leitura de seus textos me ajudou muito a entender essas questões. Convém mencionar que nós dois, O'Donnell e eu, participamos de um esforço de análise política comparativa coordenado por Philippe Schmitter e Laurence Whitehead para o Wilson Center.

Schmitter, a quem eu conhecera em Stanford, havia estudado o salazarismo e trabalhara conceitualmente a noção de corporativismo em seus muitos textos sobre ciência política comparada. Sua visão aguda também me influenciou nos estudos sobre o autoritarismo brasileiro, como se vê no ensaio sobre os "anéis burocráticos" no Brasil (publicado no livro *O modelo político brasileiro*).

# 9. Brechas e caminhos para a democracia

Na intersecção constante entre trabalho intelectual e ação pública, retomo a narrativa sobre a tessitura dos fios da resistência ao arbítrio nos anos 1970. O trabalho do Cebrap e a publicação de artigos nos jornais e revistas abriram caminho para minha aproximação com o meio político, em particular com os líderes do partido de oposição ao regime, o MDB.

Foi a partir da mobilização de recursos intelectuais e de minhas experiências pessoais que passei a abordar mais diretamente o regime político em vigor no Brasil. Boa parte do que pensava se encontra nas colaborações com a imprensa, mas também em livros. Escrevi, quase sistematicamente, para duas publicações alternativas: o jornal *Opinião*, que começou a circular em 1972 e cuja redação absorveu alguns "comunistas", tendo Fernando Gasparian entre seus mentores, e o jornal *Movimento*, fundado em 1975, no qual era grande a influência do jornalista Raimundo Pereira, seu diretor editorial.

Usando o linguajar da época, o *Movimento* teria sido uma dissidência do *Opinião*, o qual dava voz a todos os que se opunham à ditadura. O *Movimento* era mais marcadamente de esquerda, tanto que os que não gostavam do jornal diziam que ele era ligado ao PCdoB. Eu, para mostrar que não era nada disso e que chegara a hora de reunir todos os democratas que nos opúnhamos ao autoritarismo, colaborei com os dois. Publiquei sobretudo artigos críticos em *Opinião*. Em novembro de 1972, por exemplo, no auge da repressão, escrevi o artigo "Uma 'austera, apagada e vil tristeza'", no qual digo: "Em certos momentos é proibido gritar. Que se fale, ao menos. Que se sussurre". Em julho de 1974, quando ninguém imaginava a votação que o MDB iria ter nas eleições de outubro, escrevi na revista *Debate e Crítica*: "É preciso ir tecendo os fios da sociedade civil de tal forma que ela possa expressar-se na ordem política e possa contrabalançar o Estado, tornando-se parte da realidade política da nação".

Foi em função de um dos artigos do *Opinião* que Ulysses Guimarães, acompanhado do deputado Pacheco Chaves, veio ao Cebrap pedir que colaborássemos na feitura de um programa do MDB para a campanha (vitoriosa) de 1974. O Cebrap era um centro de pesquisas, e como instituição não poderia ajudar, argumentei; já eu, como pessoa, poderia, e passei a ver quem mais se dispunha a abraçar a causa. Foi assim que Chico de Oliveira, Maria Hermínia Tavares de Almeida, Bolívar Lamounier, Octavio Ianni e outros escrevemos o programa de campanha do MDB para as eleições de 1974.

O programa acabou servindo de molde para várias plataformas do futuro PMDB com as quais colaborei. Tratava-se de incluir, ao lado dos temas políticos e econômicos, já presentes em programas anteriores, os temas sociais: a questão das mulheres, dos negros, dos índios, e sobretudo dos assalariados. Com as primeiras medidas de liberalização da censura pelo general. Geisel, era preciso fortalecer a sociedade civil de modo que ela pudesse ocupar um espaço na ordem política contrabalançando o poder do Estado autoritário.

Fui a Brasília a convite do Ulysses para discutir o programa que fizéramos. Esperava encontrar velhos caquéticos e me vi diante de gente com visão democrática. Ulysses morava no mesmo apartamento que o senador Nelson Carneiro, que também estava presente, além, obviamente, do deputado Pacheco Chaves. Para nossa surpresa eles toparam tudo.

Orestes Quércia concorria ao Senado pelo MDB de São Paulo. Uma telefonista do Cebrap fez o contato com o candidato e Bolívar Lamounier e eu fomos conversar com ele. Quércia tinha muito instinto e quase nenhuma informação. Nós o ajudamos a preparar seus programas no horário eleitoral. Ele foi eleito com uma votação espantosa, assim como a grande maioria dos candidatos ao Senado pelo MDB. Aquela eleição, com todas as suas limitações, foi um passo importante no processo de abertura política.

Nessa aproximação com os políticos, marcou-me muito o discurso do deputado Alencar Furtado de denúncia da tortura ("Para que não haja esposas que enviúvem com maridos vivos, talvez; ou mortos, quem sabe? Viúvas do quem sabe e do talvez"), que lhe valeu a cassação do mandato. Fui testemunha dele, pois Ulysses Guimarães me convidara para um encontro na Câmara dos Deputados em Brasília, e foi naquele dia que Alencar Furtado fez seu conhecido discurso.

E assim fui me entrosando com o MDB de Ulysses, Franco Montoro, Mário Covas, Pedro Simon, Fernando Lira e outros, e passei a andar muito pelo interior de São Paulo junto com Gilda Portugal Gouvêa e Ailton Nery, ajudando a "fazer o MDB".

## O MERGULHO NA POLÍTICA

Minha intenção não era me envolver diretamente na vida política. Era contra o regime autoritário, porém, e as coisas foram avançando. Em dado momento, em 1978, me tornei candidato ao Senado por uma das sublegendas do MDB. Pela legislação, cada partido poderia apresentar até três candidatos cujos votos se somavam. Se a legenda fosse a mais votada, o primeiro colocado seria eleito e o segundo ficava como suplente.

Não foi uma decisão fácil. Ulysses queria que eu fosse candidato, Franco Montoro, candidato à reeleição, nem tanto. Houve uma reunião na casa de José Gregori. Muita gente, amigos, intelectuais, artistas, sindicalistas. Todos unânimes em achar que eu devia me candidatar. Eu resistia. Primeiro porque a Ruth não queria, e eu tampouco me sentia disposto. Mas a pressão, em especial do pessoal ligado à cultura, era grande. Minha campanha, aliás, veio a ser financiada em grande parte por artistas e por dois ou três amigos, entre eles Severo Gomes, que me emprestou o carro de um filho que morrera num acidente para eu percorrer o estado. Alguns artistas fizeram uma exposição com quadros e gravuras cujo resultado reverteu para a campanha.

Como se esperava, o MDB teve uma votação espetacular em São Paulo e, sem surpresas, Franco Montoro, que já era senador, foi o mais votado. Tive mais de 1 milhão de votos. Como o segundo mais votado, fiquei como senador suplente. O segundo suplente era Magalhães Teixeira, que veio a ser prefeito de Campinas. Minha participação fora para ajudar o partido de oposição a obter mais votos, principalmente entre estudantes, intelectuais e alguns setores "mais à esquerda". Vencemos.

Não fui candidato para ganhar e sim para ajudar o MDB e, sobretudo, ampliar o diálogo do partido com os setores que se opunham à ditadura. Estava claro que Montoro iria ganhar, como ganhou, por larga margem. A campanha não foi fácil. Houve oposição na convenção do partido de uma parte do pessoal que apoiava o Montoro. Eu, para ser candidato, precisava de um quórum mínimo de votos na eleição prévia de escolha dos candidatos, que consegui alcançar.

Foi nesse momento que procurei o Lula, então presidente do Sindicato dos Metalúrgicos de São Bernardo. Ele fora levado ao Cebrap pelo Chico de Oliveira, pois o Francisco Weffort, o Régis Andrade e o José Álvaro Moisés faziam uma pesquisa sobre a nova liderança sindical. Fui vê-lo em São Bernardo para pedir que me apoiasse, pois Almir Pazzianotto, seu advogado no sindicato, era um dos convencionais. Fiquei espantado com a estrutura do sindicato. De fato, os militares haviam esvaziado seu poder político, mas deram-lhes um poder prático de negociação e de assistência aos trabalhadores.

O Lula não era propriamente politizado, diferente de seu irmão, frei Chico. Mas tinha liderança e estava cercado por sindicalistas como o Alemão (Edmilson Simões), ligado a grupos mais radicais. O foco do Lula eram os trabalhadores, a classe operária, não uma ideologia.

No encontro de São Bernardo estavam Lula e Djalma Bom, seu braço direito, entre outros sindicalistas, em uma salinha pequena em que todos fumavam muito e bebiam. Eu, que não sou nem de bebida nem de cigarro, não estava à vontade. Lula me perguntou: por que você quer ser candidato? Eles não gostavam do slogan de Franco Montoro: "Senador dos trabalhadores". Para o Lula, trabalhador era com ele. Eu não tinha essa aspiração. O Lula me usou, digamos assim, para diluir a força do Montoro, mas ele me ajudou de verdade.

Houve um grande comício de encerramento da campanha do MDB em Osasco. Ulysses estava presente quando Lula puxou uma vaia ao Montoro, o que estava evidentemente fora do programa e me deixava mal. Lula ficou encantado com a presença dos artistas me apoiando na campanha para o Senado, Regina Duarte, Bruna Lombardi etc. Ele ia aos comícios e falava. Sempre falou bem. Cativava.

Quando houve as greves famosas de São Bernardo, eu estava lá, apoiando-as, junto com Tito Costa, prefeito de São Bernardo, Teotônio Vilela e outros mais. Conheci bem não só o Lula, mas as lideranças sindicais mais expressivas.

Num certo momento, mais tarde, eu estava em Ibiúna e voltei para São Paulo às pressas. Chovia, mas eu tinha marcado um encontro de Lula com Ulysses Guimarães na minha casa, na alameda Joaquim Eugênio de Lima. Minha intenção era fazer Ulysses entender a importância de um departamento trabalhista no MDB. Ulysses não tinha esse tipo de sensibilidade. Para ele trabalhador era uma coisa, político outra.

Lula nasceu dotado de intuição, era esperto, não se deixava agarrar facilmente. Fiz a aproximação dele com Ulysses, a intenção era trazê-lo para o MDB. Mais tarde, os líderes sindicais foram caminhando, pouco a pouco, em outra direção, a criação do Partido dos Trabalhadores. Fui a um congresso dos petroleiros na Bahia e lá eu conheci alguns dos que ficaram mais tarde famosos. Para eles era importante a defesa de interesses políticos, os da democracia, mas havia sobretudo a defesa dos salários e dos sindicatos.

Eu tive muitas dúvidas sobre que direção tomar. Se apoiar o novo partido que estava se desenhando sob a batuta do Lula, o Partido dos Trabalhadores, que não tinha passagem no MDB, se permanecer no MDB ou se criar algo mais homogêneo. No MDB, alguns dirigentes e mesmo militantes aceitavam um partido que fosse popular, mas não um de tipo sindicalista.

Em determinado momento houve um encontro em São Bernardo, organizado por mim, Almino Afonso e José Serra. Convidamos Lula e alguns líderes do MDB. No encontro se tornou clara a existência de uma pequena, mas básica, diferença entre uns e outros, os que queriam um partido de trabalhadores e os que queriam um partido político mais amplo.

Já em plena efervescência democrática no Brasil, quando se buscava ampliar o sistema de garantias individuais e partidárias, via-se que o antigo partido que defendera tudo isso, o MDB, era composto por tantas tendências que seria melhor buscar maior clareza de propósitos. Foi quando se realizou o Encontro de São Bernardo, creio que em junho de 1979. No início discutíamos, com Almino Afonso e José Serra sobretudo, a formação de um partido de assalariados e que fosse popular.

Prevaleceu entre os sindicalistas e alguns grupos de esquerda outra posição: o novo partido deveria ser dos trabalhadores. Deveria ter vinculações sindicais, nele caberiam grupos políticos de esquerda, não necessariamente predominantes, e poderia abranger também outros setores da sociedade. Lula, que liderara com sucesso as greves de São Bernardo, percebeu que deveria apoiar essa tendência. Hesitei mas preferi manter-me na posição originária, mesmo porque no Congresso o número de emedebistas dispostos a engrossar as fileiras de um partido popular era grande, mas os emedebistas eram mais resistentes à criação de um partido de tipo sindical-operário, mesmo que mais amplo.

A decisão de criar o Partido dos Trabalhadores foi tomada numa reunião no Colégio Sion, em Higienópolis, em 1980, à qual não compareci. O Weffort foi e acabou secretário-geral do PT. Muitos outros intelectuais estavam lá. O próprio Sérgio Buarque tinha uma inclinação por esse lado, bem como Antonio Candido e Florestan Fernandes.

O PT nasceu, portanto, como um movimento de sindicatos, de alguns intelectuais e da Igreja, que abriu espaço para o novo partido nas comunidades eclesiais de base, que àquela altura pareciam muito fortes. Fiquei no PMDB até a transição final para a democracia. Vivemos juntos a aventura das Diretas Já e da vitória de Tancredo Neves, na eleição indireta, em 1985. O PSDB foi fundado mais tarde, em 1988, quando um grupo expressivo, ao qual eu pertencia, tomou a decisão de se afastar definitivamente do PMDB.

O governador de São Paulo, Franco Montoro, sentia calafrios quando se discutia o nome do novo partido, da Social Democracia Brasileira. Na Europa, a social-democracia era a adversária histórica da democracia cristã. Nosso problema era que os sindicatos mais combativos estavam com o PT. Eu não votei, na reunião de fundação, no nome Partido da Social Democracia Brasileira, mas no nome proposto por Montoro (a quem sempre admirei), Partido Popular Democrático.

Até a criação do PT, eu ainda acreditava na possibilidade de uma frente mais ampla. Depois ficou difícil, o PT era intransigente: crê ou morre. Quando o senador Teotônio morreu, em 1983, houve um grande comício no Pacaembu, em São Paulo, nas preliminares pelas eleições diretas. Fui, mas achei que ia levar vaia. O PT era agressivo. Vaiava mesmo. Abri meu discurso falando sobre Teotônio Vilela, justamente para não levar vaia. A coisa foi ficando tensa, no fundo era uma briga por espaço político. Eu queria a fusão de tudo, das várias correntes democráticas, incluindo os que vieram a formar o PT, o que era utópico. Os diversos líderes queriam demarcar espaço por razões de poder e também havia divergências ideológicas.

As divisões eram inevitáveis. Muitos dos meus amigos, a maioria, foi para o PT, como o já referido Weffort. No Cebrap havia uma confluência entre o pessoal mais à esquerda do MDB e os do PT. Não fui para o PT porque como senador tinha contato com a liderança política e sentia que no Congresso o apoio a um partido do tipo do PT era pequeno. O PT foi um partido que nasceu mais na Igreja e no sindicato, não no meio político. E eu estava mais ligado ao meio político.

Quando Franco Montoro se elegeu governador em 1982 (fui chefe da campanha dele), assumi sua vaga no Senado, ainda no governo Figueiredo. Lembro que um dia, em Berkeley, o professor Robert Bellah me convidou para um café e disse que queria que eu ficasse em Berkeley com *tenure*, com estabilidade. Respondi brincando: "Eu fico, mas quero uma cadeira no Capitólio, porque se eu voltar ao Brasil eu terei uma cadeira no Senado...".

Foi assim que fui me integrando cada vez mais na vida política e me afastando do Cebrap, sem nunca me desligar propriamente. A Ruth assumiu meu lugar na diretoria. Mantive residência em São Paulo, apesar de ter um apartamento funcional em Brasília, e procurava não me desconectar dos meios intelectuais e mesmo dos políticos do estado. Pouco a pouco fui sendo tragado pela vida partidária e política.

Além de colaborar com a imprensa alternativa, dita "nanica", no final dos anos 1970 eu também começara a escrever na grande imprensa. Certa vez, em Ibiúna, conversava com meu vizinho de chácara e amigo, o arquiteto Carlos Lemos, quando ele me disse: "Você tem que conhecer o Frias", de quem ele era próximo. Tratava-se de Otavio Frias de Oliveira, dono da *Folha de S.Paulo*. E assim foi feito. Assim que o conheci, percebi seu talento fora do comum: Frias era brincalhão, astuto, conhecia as coisas da vida. Passei a escrever na segunda página da *Folha*, onde também escrevia Samuel Wainer, que eu conhecera no Chile e com quem passara a dar-me bem, apesar das muitas críticas que a intelectualidade lhe fazia.

Escrevi na *Folha* anos a fio. Já senador, continuava a escrever, às vezes enquanto ouvia discursos no Senado. No começo um experiente jornalista corrigia meus textos, não deixava passar nenhuma erudição profissional. Foi assim que aprimorei o texto, pois eu era mais inclinado à erudição pedante, inaceitável em um meio de comunicação de massas. O diretor de redação era Cláudio Abramo, velho conhecido meu, casado com Radha Abramo, minha colega desde os tempos de ginásio, jornalista e crítica de arte.

Mais tarde passei a colaborar com *O Estado de S. Paulo*, no qual até hoje escrevo mensalmente. Tenho relações cordiais com a família Mesquita e sempre as mantive. Esses artigos são publicados também pelo *O Globo*, da família Marinho, da qual sou amigo há décadas, desde quando Roberto Marinho era atuante no jornal. Por intermédio do Sistema Globo, os artigos que escrevo são distribuídos a vários jornais.

O JOGO REAL DO PODER

Como dizer o essencial sobre o autoritarismo, em plena vigência deste? Essa era a questão. Meu treinamento começara, como disse, na imprensa alternativa. Por mais de uma vez falei ao telefone com a pessoa encarregada de censurar o *Opinião*. Cismavam com palavras, adjetivos etc. Era preciso se manifestar contra e ao mesmo tempo ter cautela. Coisa muito diferente era escrever papers: na linguagem mais científica é relativamente fácil dizer sem ofender; caracterizar sem adjetivar e menos ainda insultar. Foi, portanto, na mídia que me preparei para logo depois exercer a política, não apenas como conhecedor e crítico, mas como ator.

Além dos artigos acadêmicos enfeixados nos livros, boa parte do que eu pensava também estava e está exposta nos jornais, seja nas colunas pelas quais fui ou sou responsável, seja em centenas de entrevistas dadas. Algumas coletâneas publicadas mais tarde foram resultado desse material. Para ser sucinto: insistia em que o regime vigente era autoritário, mas não totalitário.

Havia escrito em *Opinião* que era mais do que tempo de os intelectuais e a classe média deixarem de sonhar com a "revolução" e se lançarem ao que havia à mão: à política, tal como ela é, como comprovam os artigos "Os mitos da oposição" ou "O papel dos novos governadores". Não imaginava uma transformação súbita que nos levasse do autoritarismo à democracia.

Quando o general Geisel veio com seu programa de uma mudança gradual no sentido de maior abertura para a democracia, embora "segura" (o que para os donos do poder significava não apenas livres dos "esquerdistas", mas enfeixada nas mãos dos que sempre mandaram no regime autoritário), eu queria mais. Escrevi que se tratava de cercar a "fortaleza" governamental, mas não tomá-la de assalto. Se abríssemos fogo, o poder dos que mandavam seria maior e acabaríamos esmagados. Seria preciso uma tática de "infiltração" nas hostes do adversário e ganhar alguns deles para o nosso lado, processo que implicava um cerco de longa duração.

Sempre tive em mente que na política o adversário não é necessariamente inimigo: ele pode ser vencido, ou, se for o caso, nos derrotar. Na democracia, o que faz toda diferença para melhor, pode-se perder, mas nas urnas. E vale a pena tentar ganhar... Mormente porque, em nosso caso, insisto, havia autoritarismo e não totalitarismo: o regime dos militares que começou para garantir a democracia diante do "perigo vermelho" suspendeu as garantias constitucionais, censurou a mídia, prendeu e esfolou os que considerava subversivos, mas manteve as eleições parlamentares, ainda que controladas. E manteve a retórica democrática. Ora, achava eu, na política as palavras, o verbo, contam.

Assim, pois, o que aprendera nos livros sobre os regimes autoritários me ajudou na prática a tentar entender o jogo real de poder e, portanto, as brechas e caminhos para a redemocratização. Em colaboração com Bolívar Lamounier organizei o livro que analisava os resultados das eleições de 1974 (*Os parti-*

*dos e as eleições no Brasil*), no qual escrevi um capítulo sobre os resultados das eleições em São Paulo, falando sobre os partidos e a representação política como alguém que tinha interesse na política prática.

Também publiquei com Bolívar, na revista *Dados*, em 1978, um artigo sobre a bibliografia de ciência política sobre o Brasil (1949-74). Escrevi vários artigos de jornal sobre o autoritarismo, nem sempre usando o conceito. Escrevi também artigos mais elaborados ("A questão do Estado no Brasil", "Estado e sociedade" ou "A questão da democracia", por exemplo, republicados no livro *Autoritarismo e democratização*, de 1975). Ou ainda um livro em formato de entrevista que fiz em 1978 com José Augusto Guilhon de Albuquerque, *Democracia para mudar*.

Isso além dos artigos críticos sobre os vários períodos presidenciais durante o regime autoritário. Alguns ultrapassavam a fronteira entre ciência política e militância. "A fronda conservadora" ou "Os anos Figueiredo" foram alguns, recolhidos em outro livro, publicado em 1993, com o título *A construção da democracia*. Não é o caso, contudo, de referir-me ao que publiquei, e sim como minha formação e as situações que vivi explicam a razão de fazê-lo: tanto motivado pela vida como pelos conhecimentos que conseguia obter ou vislumbrar.

Os acontecimentos políticos me deram razão. Os dias do autoritarismo foram, lentamente, se esvaindo. Sem guerra, a despeito das muitas vítimas, algumas da própria ilusão, outras, como eu mesmo, do arbítrio. Outras de armas na mão, algumas na tortura. Mas me parecia importante não perder o sentido da história.

Assim se explica que Ulysses Guimarães e Pacheco Chaves, ambos liberal-conservadores mas em aberta discordância com o autoritarismo, tivessem ido ao Cebrap para me motivar a assumir posições na política concreta, a começar pela colaboração em um programa para a campanha eleitoral.

Naquela ocasião, não foi fácil convencer os militantes e os mais jovens de que havia caminhos alternativos à luta armada. Também foi persistente a batalha para ganhar apoios na população. Mesmo que os riscos de quem se engajasse na ação permitida fossem menores do que os incorridos pelos defensores da via militarizada, eles existiam. Tive papel de coadjuvante. Certa vez, num encontro partidário na Assembleia Legislativa de São Paulo, Tancredo Neves, diante de mim, perguntou a Ulysses: "Já não está na hora deste aí deixar de ser coroinha e começar a rezar missa?".

Para combater o autoritarismo era preciso continuar a crer ser possível redemocratizar e, sem abrir mão dos objetivos fundamentais, atuar conforme as circunstâncias, embora sempre resistindo ao poder arbitrário. Para isso foi importante, no meu caso, conhecer algo da literatura de ciência política. O resto veio de minha familiaridade com a vida política nacional.

Procurei sempre seguir a defesa feita por Albert Hirschman do viés pela esperança. Nos momentos mais duros mantive a expectativa de dias melhores e a convicção de que a esperança se constrói.

No final dos anos 1970 as coisas começavam a desanuviar, mas ainda pairava o medo. Eu, pessoalmente, pensava que não fosse acontecer nada comigo, mas aconteceu: fui intimado a ir à Oban e jogaram uma bomba no Cebrap. Era preciso ter um espírito de resistência. Nosso comportamento como intelectuais era em si um ato de resistência que se estendia, naturalmente, a outros atores da resistência — Igreja, sindicatos, OAB, grupos de defesa dos direitos humanos, estudantes, empresários. Assim foram se tecendo os fios de uma nova sociedade civil.

Todo esse processo foi algo muito novo no Brasil. Historicamente tudo girava em torno do poder do Estado — políticos, militares, empresários. Agora a sociedade, os movimentos sociais entravam em cena. As Diretas Já foram a coagulação, a explosão de toda essa fermentação na sociedade. Foi um grito de "basta!".

Montoro eleito governador em 1982, eu assumo a suplência no Senado. A luta pela democracia continuava, vinha havia muito. Pouco a pouco aumentava o cerco à fortaleza autoritária. A resistência não se fez só com palavras nem mesmo só com atos democráticos. Houve greves importantes, entre as quais a de Osasco, em 1968, mesmo antes das mais famosas, as que se realizaram no ABC de São Paulo em 1978-80. O papel da sociedade civil foi crescendo, com as igrejas à frente.

Também no Parlamento houve quem resistisse, e fortemente, como é do conhecimento de todos. Ou seja, para mudar um governo autoritário, para transformá-lo, é preciso muita ação convergente, nem sempre combinada, dos que lhe são contrários. Se é mais difícil quando se está diante de ditaduras totalitárias, é porque nas situações autoritárias há mais brechas para o cerco à fortaleza do poder. Não só há mais brechas e caminhos, como também, pouco a pouco, mais membros dos setores dominantes podem voltar a crer na democracia, por convicção ou oportunismo, ao perceberem que a situação política favorece quem quer restabelecer a democracia. Em qualquer caso, a reação requer não apenas pensamento, mas ação, participação. Foi assim, por exemplo, quando se deu o desmantelamento dos aparelhos repressivos, ainda no governo do general Geisel. A reação democrática da sociedade era grande, mas também as forças internas ao regime deixaram de apoiar os instrumentos organizados de violência então existentes.

Política é sempre um jogo em aberto: não se sabe, de antemão, quem vencerá; não se conhecem os resultados por antecipação. Há diferenças, contudo, em como é fazer política em regimes distintos, como o democrático, o autoritário ou o totalitário. No totalitarismo, os donos do poder também fazem alianças; entretanto, nos regimes autoritários, como a sociedade não está diretamente condicionada por um partido, os que estão fora do círculo dominante veem mais claramente o que ocorre e talvez possam, por isso, corrigir o rumo de suas ações e atrair os que estão do outro. Nas ditaduras, quando há partidos que controlam a sociedade civil, tudo isso é mais difícil.

Há ganhadores e perdedores, em quaisquer circunstâncias. E não me refiro apenas aos que fazem parte diretamente dos círculos de poder, mas às classes que tiram maior ou menor vantagem das respectivas situações de autoritarismo, totalitarismo ou democracia. Por definição, as camadas dominadas são as que mais perdem.

Perderão na mesma proporção em cada uma dessas situações? Eis a questão. Em geral, regimes de tipo não democrático, ainda que com diferentes formas e graus de violência, pesam negativamente de modo mais direto sobre militantes e políticos de oposição. Também é mais fácil para os donos do poder exercer maior controle sobre salários do que sobre rendas nos regimes autoritários e nos totalitários do que nos democráticos.

Bem-feitas as contas, o custo do povo é sempre alto. As camadas dominantes se acomodam mais facilmente aos governos, pois precisam de concessões governamentais, como ocorre com setores empresariais. O que não quer dizer que o povo fique sempre contra: na maioria das vezes depende da folga financeira dos governos fortes para conceder vantagens, mesmo que ocasionais, aos menos possuidores.

RAÍZES DO AUTORITARISMO BRASILEIRO

Foi para caracterizar como se dava o entrelaçamento entre nossos governos autoritários e os mais diversos interesses sociais, sobretudo, os das classes dominantes, que escrevi um texto mostrando que, na mesma medida em que o jogo dos partidos parecia perder importância, criavam-se "anéis burocráticos" que permitiam o jogo de influências entre os titulares do poder e as distintas camadas sociais. (Ver *O modelo político brasileiro e outros ensaios* ou "A questão do Estado no Brasil".) Não se tratava de uma luta aberta de partidos que representavam classes, mas dos vínculos que os setores economicamente dominantes mantinham com as burocracias reinantes e, por intermédio delas, quando não diretamente, com os que mandavam no poder político.

Havia que entender, portanto, o moderno autoritarismo e os laços burocráticos que o entrelaçavam com as classes sociais ou seus setores. Muito mais tarde outros autores falaram de "capitalismo de laços", mas no sentido de mostrar o entrelaçamento de culturas patrimonialistas com o poder econômico vigente nos países em desenvolvimento.

Em qualquer hipótese, para mudar a situação e criar um regime democrático é preciso haver lideranças, provenientes de vários setores sociais, que sejam capazes de criar uma narrativa política que mire o inimigo: o regime ou quem o simbolize. E que obtenha apoios. Trata-se, portanto, de um processo político a se construir.

Nessa construção é preciso não esquecer que, em última instância, o poder é de quem possui maior capacidade de convencimento ou de fogo. Nos regimes totalitários em geral, os que mandam recorrem às massas e os partidos são instrumentos de sua mobilização, podendo chegar-se a situações de partido único. Nesses regimes e, mais ainda, nos totalitários, os fundamentos do poder aparecem mais claramente: as classes dominantes vestem fardas, ou se utilizam dos que as usam, policiais ou militares. Nos democráticos, povo e Estado, em última instância, têm os militares como garantes da ordem e da Constituição.

Nas transições, portanto, os militares não devem ser desconsiderados, pois fazem parte do jogo do poder, mesmo em situações normais. Em qualquer delas, porém, tanto as forças armadas como a opinião pública e os agrupamentos nas quais repercutem — sem falar das bases de sustentação econômica da sociedade — são partícipes do jogo de poder. No mundo moderno, portanto, não basta fazer uma análise estrutural: é necessário entender o movimento dos atores, inclusive e principalmente os sociais.

Foi a essa construção de uma oposição realista que me dediquei a partir do momento que fui para o Senado. Lá chegando, tive sensação semelhante à que senti ao entrar para o Conselho Universitário da USP. As expectativas eram, especialmente no caso dos senadores da Aliança Renovadora Nacional (Arena), partido governista, de que eu seria um ferrabrás. Não é meu estilo. Logo estabeleci boas relações com os senadores, inclusive os do governo: Jarbas Passarinho, que foi líder do PDS, sucessor da Arena quando eu era líder do PMDB; o influente senador do Ceará, Virgílio Távora; e, para dar um exemplo simbólico, Roberto Campos — talvez os mais significativos discursos na época, salvo os diretamente políticos, tenham sido os de Campos e os meus, terçando armas, mas com respeito recíproco. A Lei de Patentes ou as leis que regem as concessões de serviços públicos, por exemplo, foram fruto de esforços em comum de alguns senadores da oposição com alguns da situação.

A convocação de uma Assembleia Nacional Constituinte era um compromisso solene do candidato Tancredo Neves. Em junho de 1985, o presidente José Sarney propôs uma emenda constitucional concedendo poderes constituintes ao Congresso a ser eleito em novembro de 1986. A Assembleia Nacional Constituinte foi instalada em 1º de fevereiro de 1987, e a nova Constituição foi promulgada em 5 de outubro de 1988. Fui relator adjunto e membro da Comissão de Sistematização, responsável pelo anteprojeto aprovado depois de muita negociação entre os constituintes. Os debates da Constituinte exprimiram, ao mesmo tempo, os limites do jogo real da política e a concretização da transição plena para a democracia.

Não chegou a haver um debate nacional sobre os temas a serem tratados pela Constituinte. Havia, isso sim, a ansiedade para colocar um ponto-final nos arbítrios e um sentimento vago, mas favorável, a uma maior participação popular nas decisões da democracia; embora não se falasse sobre no que ela seria constituída e as camadas que seriam, eventualmente, beneficiadas pelas mudanças. Falava-se imprecisamente no "povo".

Na Constituinte, fizemos acordos para chegar à definição da "função social da propriedade" rural, para os casos de reforma agrária, com as bênçãos de Ulysses, Mário Covas, Passarinho e minhas. E, diga-se, por trás havia a tolerância do presidente Sarney e de seu líder na Constituinte, deputado Carlos Santana. Coube a Sarney fazer a convocação de uma Constituinte, prometida por Tancredo Neves. O processo foi difícil, não estava claro quais seriam os balizamentos da Constituinte e no começo Sarney optou por deixar o Congresso à vontade, sem lhe dar diretrizes. Até que houve um movimento, que englobou congressistas e teve laços com o governo, para tentar levar a algumas decisões, principalmente quanto à duração do mandato do então ocupante do cargo de presidente. Nada ficou exatamente como cada um dos lados queria. Enfim, sem acordos seria difícil chegar a algum resultado.

As discussões durante o processo de elaboração da nova Constituição, a atual, permitiram-me ver mais de perto como funcionam os interesses e os jogos de poder numa sociedade de classes que se quer democrática. Ao longo de meses intermináveis vi desfilarem grupos e setores de todo tipo. A noção de que no Brasil os segmentos burocráticos e o corporativismo se mantêm ativos na cultura política, mesmo que o regime seja democrático, era visível durante a Constituinte. A ponto de, certa feita, uma senhora ter me procurado no gabinete do Senado para se queixar: "As bibliotecárias, como eu, não estão contempladas na Constituição". Respondi: "E haveriam de estar?".

Pois ela tinha razão: todos estavam na Constituição, de guardas-florestais a militares e juízes (cuja carreira era definida no texto constitucional, para o qual colaborei). Por que isso? Porque se acreditava que as leis eram fracas. Prova disso é a criação de medidas provisórias — decretos do Executivo, sob a forma de lei provisória que vale desde o momento que o presidente a assina, mas que precisa de sanção do Congresso, que raramente a veta ou modifica. Leis, o Executivo pode mudá-las com relativa facilidade, já a Constituição...

Explica-se, portanto, que as diferentes categorias sociais, sobretudo os profissionais do Estado, quisessem ver suas demandas inscritas na Constituição, pois a crença nas leis nunca foi forte no país. Também as centrais sindicais atuaram fortemente durante a Constituinte para resguardar os interesses dos trabalhadores. E este é um dos problemas: não basta existir um regime democrático, é preciso construir uma cultura democrática que torne os cidadãos mais confiantes no valor das regras e faça com que elas sejam reivindicadas e cumpridas nos comportamentos e falas desses cidadãos.

No que diz respeito aos sindicatos e associações de classe, sobretudo as empresariais, a ação conjugada dos interessados esteve presente na Constituinte. O mesmo se diga de bancadas que se organizaram à margem dos partidos para defender as regras de mercado e a propriedade privada, sobretudo a agrária. Nelas havia pessoas de todos os partidos e um amor principalmente à economia capitalista e ao interesse das empresas, embora, às vezes também, à democracia.

Por trás de tudo estavam as antigas políticas varguistas do

corporativismo, agora revestidas de práticas mais democráticas. O Estado continuava a ser o desaguadouro dos queixumes nacionais e o cartório que carimbaria os sindicatos e os partidos, cujo funcionamento tem custos. Os partidos haviam que ser sufragados não só pelo Executivo diretamente, embora dele proviessem os recursos financeiros, mas também pelo Parlamento, já que deve haver determinação do Congresso, que é quem emenda e aprova os orçamentos. No meio do caminho havia a Justiça Eleitoral e, no caso dos sindicatos, o Ministério do Trabalho. E, por fora, a pressão da sociedade civil.

Eu vi o Congresso se transformar de uma casa às moscas, quando lá cheguei, em um quase mercado persa: centenas, senão milhares de pessoas que acorriam a ele com suas reivindicações, durante a Assembleia Nacional Constituinte. Em geral, quem mais tinha força eram as categorias profissionais do serviço público: juízes, militares e outros funcionários. Os grandes empresários também se organizaram e pressionavam.

O Regimento Interno da Constituinte, que escrevi com a colaboração do então deputado Nelson Jobim, previa emendas populares, ou seja, os cidadãos poderiam apresentar suas propostas e defendê-las no plenário dos constituintes, o que contribuiu para a mobilização popular e de interesses, e deu à Constituinte um aspecto mais aberto, democrático. Diga-se que essa reivindicação era principalmente de setores ligados às igrejas, naquele tempo sobretudo a católica.

Fui um dos dois vice-presidentes da Comissão de Sistematização da Assembleia Constituinte, à qual competia reunir as propostas apresentadas pelos parlamentares, torná-las mais homogêneas e levar os resultados ao plenário para votação final, num processo que emulava o que ocorrera em Portugal na elaboração da nova Constituição. O presidente da comissão era o senador Afonso Arinos, com quem aprendi muito. Certo dia, quando eu presidia a comissão, fui obrigado a suspender a sessão. O motivo? Havia tantos "não parlamentares" no plenário pressionando por seus interesses (delegados, juízes, militares, sobretudo das polícias estaduais etc.) que era impossível prosseguir com as discussões. Cada grupo se esforçava para ver seus interesses devidamente acolhidos, até mesmo profissionais liberais.

Não conto isso para minimizar a força da Constituição ou dos líderes que a conduziram, incluindo o chefe executivo, mas para ressaltar que, além das regras escritas, há, tanto na vida política como na sociedade civil, regras não escritas, hábitos inseridos na cultura dos povos. A mentalidade corporativa, às vezes autoritária, vem de longe. Talvez de Portugal: basta ler *Os donos do poder*, de Raymundo Faoro, para se dar conta disso. As reivindicações de diversos grupos foram incorporadas à Constituição, mas não cabia a ela mudar as mentalidades: é um longo processo que se dá pela ação reiterada das pessoas, orientada por valores não necessariamente escritos nas leis.

Nem sempre, em Portugal como aqui, predomina essa inclinação corporativista ou autoritária. Como fenômeno cultural, ela não se apoia apenas no que se escreve ou fala, mas no sentir e no comportamento das pessoas. Em nosso caso, tudo foi agravado pela duração e abrangência da escravidão como sistema de dominação e base da produção econômica. Os hábitos senhoriais se transformaram em fenômenos distintos no decorrer dos séculos. Talvez nossa tendência a aceitar o corporativismo seja irmã do que muitos de nossos ancestrais cultivaram com a existência da escravidão. Já que não temos mais escravos (graças ao esforço de alguns, inclusive em grande parte de ex-escravos ou seus descendentes), que pelo menos o Estado nos sirva, como sempre serviu, de encosto. Daí a passagem para o burocratismo, o corporativismo e quejandos. Sem nos esquecer do papel central das "famílias" e de seu entrelaçamento com a burocracia e o Estado.

Essa tendência está inscrita em nossa cultura política, sobrevive aos populismos, ditaduras e democracias. Espero que se enfraqueça e seja substituída por regras comportamentais mais democráticas. Mas, reitero, não se trata só de atos jurídicos (a obrigatoriedade de concurso público para entrar no funcionalismo e regras formais de ascensão, por exemplo), mas de mentalidades: o dar e receber favores está há séculos embrenhado em nossa cultura, e não só na política como no mandonismo cotidiano, como sempre lembra Roberto DaMatta ao ressaltar o uso habitual do "Você sabe com quem está falando?".

A tendência, expressa sucintamente no provérbio "Mateus, primeiro os teus", serve de síntese para o "familismo", tão comum no país. Pelo menos ainda era assim no tempo da Constituinte. Tendência que se torna irracional do ponto de vista de uma sociedade com capitalismo mais modernizado, maior mobilidade social, no qual o esforço de cada um, das pessoas, sem anular os poderes econômicos já constituídos e garantidos pelas heranças, conta para a dinâmica não só econômica, mas social e política.

Como não há mal que sempre dure nem bem que não se acabe, o Brasil mudou muito econômica e socialmente, e isso afetou a cultura, entendida no sentido antropológico. Se nos anos da Segunda Guerra Mundial a industrialização se expandiu (os mercados externos fechados ou limitados levaram a isso), foi nos anos de Juscelino Kubitschek, com a ampliação da presença de capitais estrangeiros no setor industrial e de serviços, que o país cresceria "Cinquenta anos em cinco", como a propaganda dizia.

É inegável que nos anos de chumbo, dos regimes autoritários, também tenha havido crescimento da economia. Não só se consolidou a urbanização que lhe foi consequente, como aumentou a integração do Brasil aos mercados globais. A economia brasileira desde os tempos coloniais esteve ligada aos mercados externos. A partir de certa altura, porém, não era somente isso que ocorria: o investimento estrangeiro cresceu, houve investimentos na indústria e, sem que percebêssemos, a economia mundial entrava em processo de globalização. Não foi fácil entender o que se passava.

Na época do regime autoritário, em muitos círculos políticos e intelectuais predominava a visão de que sem a "revolução", de esquerda naturalmente, haveria o estancamento da economia. Como dizer que estava havendo crescimento econômico e, ao mesmo tempo, autoritarismo de direita? Pois foi o que tentei fazer nos muitos artigos que escrevi e livros que publiquei. Embora no período de meu governo (1995-2002) tenha sido criticado, verdade que não só por isso, creio ter mantido minhas convicções básicas. Fui criticado mesmo antes de me tornar presidente: atribuíam a mim ter deixado de lado o que antes escrevera, a defesa do estatismo e do nacionalismo, por exemplo, sem se darem conta de que o mundo muda e que quem não acompanha suas mudanças e se mantém fiel a ideias que foram corretas no passado cria teia de aranhas na cabeça e não ilumina os possíveis caminhos futuros.

De alguma forma, o que eu lera nos livros de Albert Hirschman, e mesmo ouvira dele, estava por trás desse modo de ver as coisas, que fui progressivamente incorporando.

## O CLAMOR PELA DEMOCRACIA

Como se passou do autoritarismo à democratização? A resposta corrente seria que no Brasil tudo se deu pacificamente. Até certo ponto. Nenhuma ruptura verdadeira se dá, entretanto, sem luta: a mobilização em favor das eleições diretas é um exemplo disso. Há que se reconhecer, também, mesmo que discordando de sua prática, que muitos se entregaram à luta armada e sofreram por seus ideais. Alguns deles eram democratas. A seu modo, contribuíram para minar o regime opressivo, apesar de em alguns casos terem também dado pretextos à linha dura, que defendia a ditadura.

Mas o risco de retrocesso persistia. Houve ainda uma última tentativa da linha dura militar de frear o curso da História. Falo do atentado do Riocentro em 1981. Aquilo foi uma barbaridade e um momento de muita tensão. A operação fracassou quando a bomba explodiu no colo de dois militares; se tivesse explodido na sala superlotada do Riocentro, o número de vítimas seria altíssimo e a comoção que se seguiria a esse plano insensato seria o pretexto para o fechamento do regime.

Uma etapa determinante nesse longo caminho para a democracia foi o movimento das Diretas Já, que, se não começou em São Paulo, teve maior vigor nesse estado, por iniciativa do governador Franco Motoro. Se não fosse sua teimosia, dificilmente teríamos feito a campanha por eleições diretas com a força que teve.

Em 1984, no dia 25 de janeiro, dia em que se comemora o aniversário da cidade, também se comemora o da Universidade de São Paulo. Eu estava na USP, em uma solenidade, quando recebi uma chamada ao telefone. Era o deputado José Gregori, que da praça da Sé, no grande comício pelas Diretas Já (antecedido do outro que houve no Pacaembu, mas de menores proporções), pedia que eu e o governador, presente à solenidade na USP, nos deslocássemos para lá, pois o local se enchera de gente. Dias antes, numa reunião na casa da deputada Ruth Escobar, eu tentara convencer o PMDB (partido cuja presidência em São Paulo eu assumira quando Montoro nomeou Mário Covas prefeito) de que era hora para fazer um comício, como Montoro, de modo quase solitário, desejava...

Não foi fácil convencer o PMDB. Alguns achavam que o povo não ia apoiar; outros, que o movimento poderia reforçar a linha dura. Montoro insistiu e Ulysses o apoiou. O comício surpreendeu por seu porte e o movimento foi encorpando. Em 16 de abril, pouco antes da votação das diretas, realizou-se um grande comício em São Paulo, no Anhangabaú, com multidão estimada em mais de 500 mil pessoas. Antes, no Rio, também houve uma manifestação gigantesca em frente à igreja da Candelária, assim como houve outras por todo o Brasil. Pela primeira vez se viam juntos líderes políticos, sindicais e da sociedade civil. A participação do mundo artístico foi também fundamental. Acho que se pode dizer sem medo de errar que as Diretas Já foi o maior movimento popular da história do Brasil. A mídia também teve um grande papel, com a *Folha* à frente de todos.

    A emenda constitucional pelas eleições diretas não passou na Câmara, mas o caminho estava aberto para a eleição de Tancredo Neves no Colégio Eleitoral. Se a eleição fosse direta, nosso candidato natural seria Ulysses Guimarães. Mas a emenda não passou, a eleição continuava a ser no Colégio Eleitoral. A sede do PMDB paulista funcionava num casarão perto da avenida Brigadeiro Luís Antônio e da Paulista. Certa vez Ulysses foi lá e conversamos em pé, junto à janela de meu escritório. Ele me perguntou: "O que você acha dessa história do Tancredo?". Eu disse: "Doutor Ulysses, se é para ganhar no Congresso, é ele. O senhor sabe que, pelo meu coração, seria o senhor. Mas, se nós quisermos ganhar, é o Tancredo quem deve ser candidato". E ele: "E eu o que faço?". Era uma pergunta pro forma, pois o dr. Ulysses sabia muito bem o que fazer. Eu disse: "O senhor tem que apoiar o Tancredo".

    Ele foi a Belo Horizonte, não pelo que eu disse, pois Ulysses era autônomo. Foi lá e encampou a candidatura de Tancredo Neves. Virou patrono dela. Franco Montoro também teve um gesto de grandeza. Era governador do estado mais importante, mas sabia que quem podia ganhar no Colégio Eleitoral era Tancredo Neves, que era mais jeitoso. Houve um momento de compreensão: ou nos juntamos todos ou afundamos todos.

Foi quando, aos poucos, veio o pessoal do PDS, ex-Arena. Aureliano Chaves, ex-governador de Minas e vice do presidente Figueiredo, foi o primeiro. Sabíamos que sem eles, os egressos da Arena, não se ganhava. Precisávamos deles. Eu conversava com José Sarney e Marco Maciel, que também eram senadores. Não fui eu quem articulou, nem era preciso. Eles, como bons políticos, perceberam. Também estavam cansados do regime, sentiam que era melhor apoiar a força emergente. Juntaram-se a nós, o que nos deu condições para ganhar.

Política é assim: requer decisão e coragem em momentos cruciais, requer lideranças. Como diz a canção de Geraldo Vandré, "quem sabe faz a hora, não espera acontecer". Ninguém tinha mais sentimento da hora do que Ulysses Guimarães, chefe do MDB, depois do PMDB e, na verdade, das oposições. Foi assim quando ele se lançou como anticandidato à Presidência da República em 1974, do mesmo modo que antes, em 1969, chamara de "três patetas" os integrantes da junta militar que governou o país entre o afastamento por doença de Costa e Silva e a eleição do general Médici por um colégio de generais. Foi assim também quando Montoro bateu o pé e graças a isso fizemos o comício da praça da Sé, pedindo eleições diretas para presidente.

Mas não foram só os políticos que tomaram partido e se jogaram nas campanhas eleitorais ou trabalharam para que elas ocorressem. Os sindicatos e a liderança dos movimentos operários também foram cruciais. Lutavam contra o arrocho salarial, mas acabaram por entender que sem a redemocratização não haveria avanços significativos.

Do mesmo modo, resistiram o quanto puderam aos arbítrios do autoritarismo os jornalistas e os professores universitários, estes especialmente nas reuniões da SPBC. E as igrejas, a partir de determinado momento, levaram seus fiéis a entender que chegara o momento de dizer "basta". Os movimentos de defesa dos direitos humanos e, mais tarde, em favor da anistia, também ajudaram na criação de um clima que não permitia mais tanto grito parado na garganta. Portanto, não houve apenas uma transição branda de um tipo de regime a outro, mas um longo período de movimentos na sociedade.

A reação da mídia foi crucial. Sem poder publicar o que queriam, alguns jornais sinalizavam isso do jeito que podiam. *O Estado de S. Paulo*, por exemplo, substituía as matérias censuradas por receitas culinárias, trechos dos *Lusíadas*. Daí a entender que não existe democracia sem liberdade de imprensa foi um passo.

Democracia e liberdade de imprensa são irmãs gêmeas. Quem exerce o poder nas democracias precisa entender o significado da mídia livre, ainda que ela critique ou mesmo deforme o ocorrido. Não é fácil, sei por experiência própria. Contudo, jamais tentei cercear uma informação ou uma análise usando o poder presidencial. Nem sempre concordei com o que escreveram ou disseram, mas entendi, intelectualmente e na prática, que é sempre melhor que escrevam e digam, e os contrariados que tentem desfazer o que lhes parece errado, escrevendo e dizendo. Nunca pressionando com a caneta do poder.

Por detrás das insatisfações havia questões estruturais que se refletiam nos zigue-zagues da economia do país, que variava segundo as oscilações de um mercado internacional cíclico e, naturalmente, segundo nossos erros de condução econômica. Nossa capacidade era pequena para contrabalançar o mal-estar ocasionado pelas oscilações econômicas. Dado o pequeno porte do Brasil no jogo mundial, o dos países menos desenvolvidos em geral, a repressão política não chegava a repercutir nos governos dos países afluentes e influentes. Pelo menos não de modo a levá-los a se importar com o que ocorria internamente no Brasil ou nos demais países com situações semelhantes.

As mudanças na ordem econômica e política global, entretanto, deram ensejo a que ocorressem ações e gestos favoráveis à redemocratização, sobretudo quando os autoritarismos deixaram de ser considerados pressupostos para permitir investimentos e paralisar as esquerdas. Não fossem a interligação dos mercados, a globalização e o novo ímpeto dado às democracias depois da queda do Muro de Berlim, as repercussões das questões econômicas estruturais internas poderiam encontrar outras saídas, sem necessariamente desembocar na redemocratização.

O fato é que chegamos à Constituinte, tivemos eleições diretas para presidente em 1989, ampliou-se a participação eleitoral da população e as representações parlamentares incluíram novas camadas sociais, a despeito da permanência de certos valores não democráticos em nossa cultura. Referi-me até agora ao corporativismo. Importante acrescentar algo sobre o sistema de partidos e o mundo sindical.

Logo depois da convocação, mas antes ainda de a Constituinte funcionar, também na proposição do instrumental democrático houve o desfazimento dos dois partidos até então existentes, MDB e Arena. Ainda no fim do governo Figueiredo decidira-se quebrar o sistema bipartidário. Foi quando se juntou um P ao partido anterior de oposição, o MDB. A Constituinte referendou um sistema plural de partidos. Nosso pensamento político, entretanto, ficou aquém do que se poderia ter feito na Constituinte diante das práticas tradicionais.

Como se deu isso? Todos queríamos deixar de ser restritivos. Deu-se plena liberdade para a organização de partidos, que tiveram acesso a fundos provindos das finanças públicas. Em poucos anos foram criadas dezenas de partidos políticos, alguns deles com "donos". Semeamos a desordem partidária: formaram-se partidos com uma ideologia no papel, acrescentada ad hoc para justificar requisitos legais. Com o tempo, instalou-se um presidencialismo de coalizão, pois os governos precisam obter maiorias para governar. É o que existe hoje, com tendências recentes à formação de um "presidencialismo de confrontação", como se este evitasse os males do sistema anterior...

Na prática, tanto partidos como sindicatos foram assegurados pela Constituição, pois também havia uma tendência à multiplicação de associações de trabalhadores e de empresários. Ao mesmo tempo foram sendo criados ou aumentados os fundos sociais, alguns dos quais beneficiam os sindicatos pela contribuição compulsória da empresa e dos trabalhadores, ou os eleitorais, que saem diretamente do Tesouro, via orçamentos. Acomodamo-nos à antiga tendência que favorece as corporações, subsidiando tanto os órgãos de classe como os partidos com a bendição de dinheiros públicos. Dava-se autonomia não apenas aos membros dos sindicatos e dos partidos, mas aos líderes que os controlam, alguns deles pelegos. Não estivemos longe, portanto, de nossas tradições culturais, mas nos distanciamos bastante da vibração de uma sociedade civil moderna e autônoma que começava a existir.

Na Constituinte, líderes empresariais e de trabalhadores se juntaram na busca de liberdade organizacional, cartas patentes dadas pelo Estado, acesso a dinheiros públicos: as diferenças de classe desapareciam na busca de recursos e de autonomia, ainda que relativa. O provedor da obrigatoriedade da contribuição seria o de sempre: o Estado. Poucos parlamentares, como Florestan Fernandes, viam no que isso poderia desaguar e votavam contra, mas eram voto vencido.

O descaso das pessoas, da sociedade civil, pelo que ocorre no Congresso, e mesmo nos governos, e a distância entre as pessoas em suas vidas cotidianas e os que podem (ainda que como representantes dos eleitores) apartaram a população da política. A sensação de que podem tudo se manteve entre os que mandam. Ou seja: em vez de aproveitar o momento constitucional para expandir a noção de representação e de poder da cidadania, quebrando tradições malfazejas, prolongou-se o atraso, com as marcas inabaláveis do corporativismo e seus desdobramentos na vida política. Ele mudou de trajes, mas não desapareceu da cena.

Há tempos se fazia a crítica de nosso sistema político e dos partidos. Na Constituinte voltamos ao debate, marcado pela controvérsia sobre a duração do mandato em curso (de importância menor para o país e grande para os eventuais candidatos a suceder o presidente e a seus partidos) e sobre o sistema: presidencialista ou parlamentarista?

A questão central é a do ovo e da galinha: sem partidos, como criar um sistema de partidos, como é o parlamentarismo? Por outro lado, como criar partidos que representem os diversos setores da sociedade, seus pensamentos e interesses, quando "autenticamos" o sistema tradicional com ênfase no Poder Executivo? No limite, os partidos dependem ou mantêm conexões com a burocracia e com a situação, com governos locais, estaduais ou com o nacional. Não só criamos uma dependência financeira entre partidos e Tesouro (verdade que na proporção dos votos obtidos), como criamos um sistema esdrúxulo: parte da Constituição supõe um regime de gabinete e, no final, se aprovou o presidencialismo.

Apesar da mudança final, o texto reflete certa ambiguidade. A prática político-social, contudo, reforçou não só o presidencialismo como a mentalidade que vê no Estado o foco do poder, não na soberania popular, e permite a continuidade de tradições de tipo clientelista ou corporativa.

Como determinado pela Carta, cinco anos depois de sua promulgação foi feita uma consulta aos eleitores, que se definiram pelo presidencialismo. Não obstante, a Constituição havia sido escrita em momento no qual parecia haver tendência ao parlamentarismo, a começar pela influência de Afonso Arinos. O resultado foi o de uma Constituição com resquícios de um futuro poder parlamentar e a manutenção da tradição cultural e de decisão da regra votada, finalmente, em favor do presidencialismo (sistema de preferência de Ulysses Guimarães, entre outros).

Com o tempo, houve crescente fragmentação dos partidos, mais em nome de interesses eleitorais dos candidatos ou dos donos das siglas do que da sociedade, como hoje se vê mais claramente. Os incentivos para essa fragmentação passaram a ser o financiamento público dos partidos e a permanência de controles pessoais ou familiares nas organizações políticas.

Se MDB e Arena eram um funil estreito demais para nele caberem os interesses econômicos e sociais de uma população tão grande e desigual como a nossa, as dezenas de agrupamentos eleitorais hoje existentes dificultam o que mais conta em uma democracia: a relação mais próxima, baseada em valores e/ou interesses, entre eleitores e partidos. Para que estes se tornassem verdadeiramente filtros ideológicos ou de interesses, seria necessário estipular as divergências entre eles, pelo menos quanto a assuntos básicos.

O resultado foi o que temos hoje: a argamassa do apoio à situação se faz graças a um sistema de trocas entre o governo e seus vários adeptos, antigos ou novos. As nomeações e vantagens são a moeda de troca para a formação do sistema de coalizões, cuja degenerescência leva à corrupção mais aberta, como vimos em casos recentes.

O Estado dispõe de recursos extraordinários: além da burocracia e das concessões, o número de empresas estatais só fez crescer. Critica-se, mas todo governo cai na mesma armadilha: seja qual for seu programa, sua execução depende de apoio, de maioria no Congresso. Seu instrumento principal para aprovar seus projetos requer a formação de um sistema de coligações. A partilha do poder é compreensível nas democracias, mas sua legitimidade depende de que as alianças sejam feitas explicitamente para implementar um programa que deveria ter sido votado.

Em nosso caso, governo (com vantagens no jogo) e oposição, sendo ambos heterogêneos, mal discutem o que farão se ganharem as eleições, aumentando assim a desilusão do eleitorado. O povo vota mais nos líderes do que nas siglas. E não é preciso recuar muito para ver que tal desfecho não é inevitável: bem ou mal os partidos criados com a Constituição de 1946 não eram tão numerosos assim e duraram até ao movimento militar e político que ensejou o autoritarismo. Isso se deu sem que houvesse fragmentação equivalente à atual ou a camisa de força do bipartidarismo imposto.

Tratou-se, portanto, implicitamente, de uma decisão política, embora os que a tomaram não tenham pensado em seus resultados nem os eleitores tenham percebido que caíam em uma armadilha. Não foi só isso que gerou o sentimento de que a Constituição, apesar de ter promovido avanços consideráveis, não chegou a atender a alguns dos pressupostos políticos de uma democracia moderna e nem a um modo de ser mais condizente com o que a população vivia e sentia.

Não se pode esquecer que a Constituição foi proclamada um ano antes da queda do Muro de Berlim. Em vários de seus capítulos esteve presente a luta entre uma economia de mercado e uma economia estatalmente regulada. O nacional-estatismo parecia expressar o progressismo, as aspirações de um futuro de maior independência da economia nacional e bem-estar popular. Não se percebiam todos os efeitos da globalização. Nem URSS ou China eram consideradas economias de mercado. Foram travadas batalhas verbais contra as alternativas de organização socioeconômica simbolizadas pelos regimes desses países, sobretudo quanto ao papel econômico do Estado, e em várias passagens o texto constitucional parecia ser, sem que o fosse, uma acomodação entre elas. Não foi: houve, isso sim, uma oscilação entre o corporativismo dominante nas mentalidades, transformado em defesa da presença do Estado em muitos setores da vida, e certo sentimento liberal, que valoriza o mercado.

Na verdade, o grande trabalho de Ulysses Guimarães, dos líderes da Constituinte e dos partidos, foi estabelecer pontes, acomodar, portanto, as distintas propostas. Qual seria a duração da jornada de trabalho, por exemplo? Uns a propunham mais longa, outros, menos, as duas facções esperando negociar na média, digamos, uma jornada de oito horas diárias. E a reforma agrária, em que circunstâncias seria aceitável? E assim por diante. Só não se abria mão de que a Constituição assegurasse o estado de direito, a liberdade partidária e a das pessoas. Mesmo o capital estrangeiro foi aceito, porém com uma ressalva: se nos Estados Unidos se falava em prioridade para os da casa, por que aqui seria diferente? No final, com algumas exclusões (nos casos em que, por exemplo, há monopólio estatal ou quando há propriedades rurais de certa extensão nas áreas de fronteira), a Constituição passou a aceitar o investimento estrangeiro. A Constituição, antes de ser emendada, tinha um texto nesse sentido.

Em suma, nas palavras de Ulysses, aprovamos uma "Constituição cidadã", democrática e valorizadora do estado de direito. Teria que ser reformada, como foi, em vários pontos. Não em seus objetivos fundamentais de democracia política e respeito aos direitos, inclusive os de propriedade.

É como dizia Felipe González, o líder espanhol: "Uma boa Constituição deve ser como a Bíblia: aberta a interpretações". A nossa é assim. Talvez em demasia. Ficou à margem, contudo, outro valor que vem dos tempos da Revolução Francesa, o da igualdade. Ou, para não ser injusto, transformamos tal valor em um conjunto de regras assistenciais sobre algumas necessidades sociais. O exemplo maior desse tipo de resolução foi a criação de um Sistema Único de Saúde (SUS), que generalizou o acesso aos serviços médicos e de saúde. E não foi só no campo médico que houve avanços, mas no educacional e no assistencial também.

## PERDEMOS, MAS GANHAMOS

Quero voltar a minhas experiências para ilustrar como foram se formando minhas convicções políticas. Como já disse, os militares têm um papel relevante no jogo de poder. Pois bem, na passagem em direção a um sistema político mais democrático, o partido de oposição foi levado a votar para escolher o presidente da República, indiretamente, pelo Congresso. Era, parecia-nos, o caminho mais rápido para a transição democrática nos idos de 1984, apesar de não ser o que almejávamos.

Antes da indicação de um nome, houve um jantar em Brasília, ao qual estiveram presentes, entre outros, Ulysses Guimarães, Pacheco Chaves, Severo Gomes e Pedro Simon, além de quem escreve. Ulysses levantou a questão: "Vamos ou não ao Colégio Eleitoral?". Recordo-me de haver dito: "Entre os presentes, quem mais sofreu as consequências negativas do autoritarismo fui eu, que estive no exílio, perdi a cátedra e até fui parar na Oban. Pois acho que sim, é melhor termos um candidato".

Ulysses Guimarães, que nas eleições diretas seria o candidato das oposições e não tinha chances de ganhar no Congresso, já havia conduzido com grandeza a participação do partido oposicionista no Colégio Eleitoral em 1978, ainda em plena vigência do AI-5. Quem seria nosso candidato na eleição indireta do presidente, na qual o partido do governo era largamente majoritário? Certa vez, estando eu no Rio em casa de minha mãe, Severo Gomes, hospedado no Copacabana Palace, me telefonou para acompanhá-lo a uma visita ao general Euler Bentes Monteiro, em seu apartamento em Copacabana.

Talvez haja sido nessa conversa que o general Euler, por primeira vez, tenha dito de modo claro que aceitava ser candidato. Severo Gomes me pediu que voltasse logo a São Paulo para transmitir a conversa a Ulysses, o qual, depois de me ouvir, disse: "São Paulo, você sabe, sempre foi civilista, por que aceitaria agora um militar?". Respondi-lhe que não chegaríamos à democracia se não ganhássemos apoios no Exército. Era a primeira vez que um general de quatro estrelas aceitava ser candidato da oposição.

Não pelo que lhe disse, mas porque Ulysses tinha grandeza e conhecia a cultura política brasileira como poucos, passadas algumas semanas ele tomou a decisão, não sem antes, no dia em que lhe contei a história do general, me haver dito: "Uma decisão dessa importância, eu tomo sozinho". Meditou com seus botões, deve ter conversado não sei com quem e decidiu: "Vamos, sim, de Euler para o Colégio Eleitoral". Fomos e perdemos, em 1978. Elegeu-se o general Figueiredo. Mas, ao perder, ganhamos. Os militares se dividiram. Estavam abertas as portas para a eleição direta. O AI-5 foi revogado, os presos políticos foram soltos, os exilados voltaram, as eleições para governador em 1982 foram diretas, candidatos da oposição ganharam nos principais estados e foram empossados.

Antes, contudo, houve a campanha pela anistia, que culminou em 1979 com a aprovação pelo Congresso de uma lei. A campanha era pela "anistia ampla, geral e irrestrita". O senador Teotônio Vilela foi um gigante. Lembro de sua presença em São Paulo, quando substituiu na presidência do partido Ulysses Guimarães, enfermo na ocasião. Antes disso, eu estava em uma comissão no Senado quando Ulysses me telefonou pedindo que acorresse a sua casa (ou à casa de Pedro Simon, não estou certo). Lá estava Teotônio que, ao saber que Ulysses teria de se afastar (iria se tratar nos Estados Unidos), disse de pronto: "Vá, Ulysses, que eu me ocupo de tudo". Ora, Ulysses me pedira pelo telefone outra coisa: que eu conseguisse de Teotônio, primeiro vice-presidente do partido e de quem temia a condução que imprimiria ao PMDB, que passasse o comando ao segundo vice-presidente, Pedro Simon. Não houve jeito.

Teotônio, com a coragem que o caracterizava, depois de haver feito declarações duras sobre uma ação do governador de São Paulo, que ele não havia entendido, procurou e encontrou um líder sindical dos trabalhadores têxteis, o Joaquinzão, que estava escondido da polícia. Foi buscá-lo e apareceu em público com ele.

Um dia Teotônio me chamou ao telefone para que fôssemos ao presídio do Barro Branco, em São Paulo, onde se encontravam vários prisioneiros políticos. Ele chegou com a cara e a coragem: "Sou senador da República e vou entrar". Entramos. Pela primeira vez líderes políticos conversaram com aqueles prisioneiros. Em outra ocasião almoçamos em casa de minha mãe, parente longínqua de Teotônio, à qual antes pedi que não desse muita corda a ele. Erro meu: juntaram-se os dois a me incitar a ser mais audacioso na crítica ao regime e aos maus-tratos aos trabalhadores e políticos que se opunham aos desígnios do governo.

Foi, portanto, graças a gestos como esses que, pouco a pouco, a oposição ao regime engrossou, inclusive no Congresso. A chapa vencedora nas eleições indiretas era formada por Tancredo Neves do PMDB e José Sarney, do Partido da Frente Liberal (o PFL), que contava com muitos dissidentes do partido do governo, a Arena.

Eleito senador por São Paulo em 1986, já exercendo a função desde 1983 como suplente de Montoro, na prática fui deixando o Cebrap de lado e me envolvendo cada dia mais nas lutas pela redemocratização e, por fim, nos embates partidários. Não deixei de lado, contudo, as muitas leituras, dentre as quais alguns pensadores democráticos americanos, como Robert Dahl, e principalmente o francês Maurice Duverger.

Dahl, em seus livros *Poliarquia* e *Quem governa?*, defende a igualdade política, e faz o mesmo nos debates com Wright Mills, de orientação mais socialista, a quem também li e me influenciou. Dahl mostra que a igualdade é um valor básico e deveria sê-lo mesmo para os que defendem maior liberdade econômica. Na dinâmica e diferenciação que faz sobre os vários sistemas, mostra que o liberalismo pode coincidir com a noção de que é fundamental assegurar direitos políticos a todos. O liberalismo pode, contudo, sobreviver em regimes mais distantes dos politicamente igualitários.

Já Maurice Duverger, muito lido em São Paulo e no mundo, para explicar a República gaullista francesa lançou a importante noção de regimes semipresidencialistas. Lembro de seus livros *Os regimes políticos* e *As modernas tecnodemocracias*, bem como de suas conhecidas análises sobre os sistemas bipartidários. Em suma, fui me interessando prática e intelectualmente pelas democracias contemporâneas.

Minha experiência na Constituinte mostrou que nas grandes questões econômico-sociais (reforma agrária, capital estrangeiro, sindicalismo etc.) o MDB vivia se dividindo. A discussão girava em torno da tendência da nova organização: seria operário-sindical ou defenderia os interesses dos assalariados em geral e o interesse nacional? Entre os que passaram a crer que seria melhor um partido novo, estavam os governadores de São Paulo e do Paraná, Franco Montoro e José Richa, o do Pará, Almir Gabriel, e parlamentares de destaque, como Euclides Scalco, Almino Afonso, José Serra, Pimenta da Veiga. A nós se juntou Franco Montoro, que governara São Paulo. Fiquei ao lado deles.

A decisão de dar o nome de Partido da Social Democracia Brasileira foi tomada por maioria de votos em uma assembleia dos emedebistas e de outras correntes que queriam fundar um novo partido. A fundação se realizou no plenário da Câmara, em 1988, com a presença de líderes políticos, intelectuais e operários, embora estes fossem menos numerosos.

Eu não via apoio da base sindical sobre a qual assentaríamos um partido social-democrata. A maioria dos líderes sindicais que contavam havia apoiado o PT. Na Europa os sindicatos estavam por trás dos partidos do tipo que queríamos. A política que desejávamos poderia ser semelhante, mas as circunstâncias brasileiras eram outras. Foi assim que minha visão intelectual repercutiu, para o bem ou para o mal, em minhas convicções e em minha ação política, em um misto de análises e participações práticas. Como escrevia nos jornais e me sentia intelectualmente responsável pelo que dizia, na imprensa e nos livros, era insustentável manter-me em um partido tipo mata-borrão, inespecífico, como o PMDB acabou sendo, depois da democratização.

Em vários dos discursos que fiz no Senado ou nos debates da Constituinte, muitos deles publicados na própria grande imprensa, o sociólogo acabava aflorando. Não houve ruptura, mas fusão. O mesmo ocorreu com colegas como Afonso Arinos e Roberto Campos, os quais, porém, tendiam ao conservadorismo, sobretudo este último. Na Câmara havia mais parlamentares que pensavam a realidade social e política do país, como Almino Afonso, José Serra, Nelson Jobim ou Delfim Netto, entre outros, apesar de suas diferentes ideologias. Mais tarde, e atualmente, há vários outros nomes, pois são muitos os parlamentares que têm boa formação cultural e exercem a política prática.

Quando eu era senador e emprestava meu escritório a Alfred Stepan, que conduzia uma pesquisa sobre a vida política no Brasil, ele um dia comentou estar surpreso com o nível intelectual dos nossos parlamentares, aparentemente maior do que nos Estados Unidos. Bem, me parece que isso significava que aqui as camadas populares estavam sub-representadas, e não que houvesse maior intelectualização da vida político-partidária. Quando cheguei ao Congresso, em 1983, eram pouco numerosos os parlamentares que representavam sindicatos ou eram a eles ligados (para não falar da representação de trabalhadores do campo, minorias raciais ou amplos setores da base das classes médias). Com as transformações da economia e da sociedade, aos poucos isso começou a mudar.

Ora, as discussões apaixonantes sobre o sistema de governo e mesmo sobre as regras para a formação de partidos passavam longe de algumas das questões sociais, como, por exemplo, as relativas aos preconceitos de cor (supunha-se fôssemos uma democracia racial), ou ao desemprego. Mesmo nas econômicas, primava o interesse nacional, camuflando as questões da desigualdade de rendas. Era como se, havendo crescimento da economia e manutenção da democracia, a sociedade e também a política mudariam sem haver necessidade de que essas questões se colocassem. Não era bem assim. Talvez tenha sido essa a percepção que deu ensejo à criação de partidos novos.

Por trás de tal possibilidade havia as grandes transformações que ocorriam no sistema econômico global e local. Começava outra fase da história do desenvolvimento capitalista e do desenvolvimento social. Terminava o período no qual os partidos vindos do passado podiam predominar. O PDS e seus desdobramentos, incluindo o PFL, e as metamorfoses do PMDB — que logo se dividiu em tendências, a dos autênticos e os demais — até então comandavam o jogo. Os antigos partidos de esquerda, sobretudo o Partido Comunista (mesmo na ilegalidade) e o próprio Partido Trabalhista Brasileiro, de origem varguista (que dera nascimento em seus desdobramentos a vários outros partidos), só chegavam ao poder quando se tornavam úteis aos partidos dominantes tradicionais para, em aliança, formar uma maioria. Só de forma canhestra, portanto, se tornavam partícipes do poder.

Havia novos ares no mundo, era de se esperar reviravoltas políticas, como aconteceram.

# 10. O sentimento do dever cumprido

O movimento das Diretas Já sacudiu o Brasil. O país se tornou incompatível com o regime, que ainda foi suficientemente forte para impedir, por pouco, a aprovação da emenda restabelecendo a eleição direta. Mas não para evitar, oito meses depois, a eleição de Tancredo Neves pelo Colégio Eleitoral. Começava a Nova República.

A posse de Tancredo estava marcada para 15 de março de 1985. Mas o destino teve a última palavra. Vale rememorar a longa noite de 14 para 15 de março.

Na véspera da posse eu estava almoçando no restaurante Piantella, em Brasília, quando o deputado Fernando Lira, nomeado ministro da Justiça, recebeu um telefonema informando que o presidente Tancredo Neves estava indo ao hospital de Base para fazer exames. Já se sabia que ele não estava bem, mas ele negava, dizia tratar-se de gripe. Queria a todo custo aguentar até tomar posse. Só então ele se internaria.

De noite fui a uma recepção na embaixada de Portugal em homenagem a Mário Soares, primeiro-ministro do país. Ulysses também foi, e vários outros líderes estavam lá. Chegou a notícia de que Tancredo teria que ser operado. Saímos correndo para o hospital. Como eu tinha ligações mais próximas com a família do presidente eleito, fui para onde ela estava. Não o vi. Ele estava em um quarto, eu fiquei em outro, uma antessala, conversando com o Francisco Dornelles, seu sobrinho, com o Aécio Neves, seu neto, e outros amigos mais.

De repente passa Tancredo em uma maca. Estava indo para o centro cirúrgico. Desci, falei com o dr. Ulysses e fomos juntos à casa do professor Leitão de Abreu, chefe da Casa Civil do governo Figueiredo, no carro do general Leônidas Pires Gonçalves, que também foi. Havia muita preocupação sobre o que iria acontecer no dia seguinte. Na impossibilidade de Tancredo Neves, quem tomaria posse? O senador José Sarney, que fora eleito vice na mesma chapa de Tancredo, ou Ulysses, como presidente da Câmara?

Quando chegamos, tarde da noite, nos informaram que Leitão de Abreu já estava recolhido. Ulysses insistiu, precisávamos falar com ele. Ulysses teve grandeza. Os presentes acreditavam que o presidente da Câmara deveria assumir no impedimento de quem fora eleito, mas Ulysses imediatamente disse: "Não, não sou eu quem deve assumir. Vamos ver na Constituição". Leitão de Abreu já tinha empacotado seus livros, mas ainda tinha em casa um exemplar da Constituição. Lemos juntos o texto e o dr. Ulysses demonstrou que quem deveria ser empossado era o vice-presidente eleito.

Àquela altura corria o rumor de que Figueiredo se recusaria a passar a faixa a José Sarney. O general Leônidas disse que era amigo de Figueiredo e falaria com ele. (O general comandava o III Exército, sediado em Porto Alegre, e o governador José Richa, muito influente, insistiu para Tancredo Neves nomeá-lo ministro do Exército.) O problema foi solucionado da seguinte forma: presidente só passa faixa para presidente. Se o presidente eleito não pode receber o cargo de quem o exerce, toma posse no Congresso e pronto. Crise resolvida.

Ao sair da casa de Leitão de Abreu, dr. Ulysses e eu fomos para a Câmara, onde estava todo o PMDB reunido. Eles queriam, claro, que o presidente a ser empossado fosse Ulysses Guimarães. Foi uma decepção quando ele mesmo disse: "É o Sarney quem vai assumir no lugar do Tancredo". Imaginávamos, naquele momento, que José Sarney seria presidente interino, por pouco tempo, até o restabelecimento de quem fora eleito.

Não foi assim. Tancredo Neves não resistiu. Morreu no dia 21 de abril, depois de uma interminável agonia. Foi uma comoção nacional. Acompanhei o funeral de Brasília a São João del-Rei, terra natal do presidente falecido. Em São João a cerimônia na igreja foi muito comovente, com música barroca executada por músicos da cidade. Entrei no cemitério dando a mão a dona Antônia, que por muitos anos fora secretária de Tancredo. Sabia da proximidade entre eles e lhe disse: "Venha comigo".

O ministério com que o presidente Sarney assumiu tinha sido todo nomeado por Tancredo Neves. Depois da cerimônia de posse, em reunião do ministério a que compareci como líder do governo no Congresso, o presidente substituto leu o discurso que o presidente eleito escrevera, e manteve todo o ministério indicado por ele.

José Sarney pode ter mil defeitos, menos um: ele é politicamente competente. Entende bem o jogo do poder, é democrata e tem muita paciência. Foi um presidente hábil. Num discurso que fiz no Senado, quando terminou o seu governo, eu chamei a atenção para um fato importante: Sarney foi o primeiro presidente de meu tempo a perceber o significado da América Latina para nós. Em especial promoveu uma política de aproximação e confiança recíproca em relação à Argentina, inclusive no campo delicado da energia nuclear. José Sarney tinha noção do mundo.

Naquele momento de crise, a velha elite política brasileira funcionou. De certa maneira, a conclusão da transição democrática foi a última grande obra dos políticos tradicionais. Ulysses, Tancredo e Sarney pertencem a essa geração. Eu era jovem, não de idade, mas na política. Convivi com eles. Em especial com Ulysses Guimarães, que tinha a visão tradicional da elite brasileira, mas era democrata. Foi dos primeiros a entender a importância do novo sindicalismo. Ele nunca foi um líder de massa, era um líder parlamentar, institucional. Gostava da vida parlamentar, da infinita conversa política. Vem e volta, toma café, continua a conversa. Era homem moderado, não bebia vinho ou álcool algum, salvo o *poire*, aguardente de pera.

Ulysses teve uma formação clássica, sabia latim, tocava piano (tomara aulas com Mário de Andrade), tinha formas literárias boas, era muito bom orador... mas nunca teve muito voto. Depois que, no Cebrap, me aproximei do MDB, eu praticamente ia à casa dele toda semana. Conversávamos muito. Ulysses tinha muita desconfiança da esquerda, não gostava de Leonel Brizola. Não foi fácil quando os anistiados foram chegando ao Brasil. Ele achava que alguns eram comunistas, e não tinha a menor ideia realmente sobre quem havia sido ou nunca fora comunista, falava em bloco.

OS POLÍTICOS NÃO SE FORMAM SÓ COM VITÓRIAS

Antes de seguir adiante em minha trajetória política, quero recapitular minha fracassada candidatura a prefeito de São Paulo em 1985.

Para as eleições diretas para prefeito das capitais, em 1985, colocou-se a questão de quem seria o candidato do PMDB em São Paulo. Como Mário Covas, prefeito em exercício, não podia legalmente se candidatar, o MDB ficou sem candidato natural, que teria o apoio de Montoro e o meu. O governador então se voltou para o meu nome, mas confesso que eu não tinha grande motivação para essa candidatura.

Mário Covas, que dava grande importância ao calçamento das ruas, me convidou a visitar obras em curso na cidade. Propôs que ajudássemos a população, os vizinhos de rua, no esforço de refazer as calçadas... Eu lhe disse: "Mário, eu nunca segurei uma picareta". Ele gostava de pegar na picareta e trabalhar junto com os operários e o povo. Não era meu estilo. Nunca fui síndico de prédio. O prefeito é um pouco um síndico da cidade. Não obstante, era necessário dar sinais de que estivesse, como de fato estava, preocupado com a vida das pessoas.

Mas a coisa foi indo e eu achei que fosse ganhar. Meu adversário principal era Jânio Quadros, ex-presidente da República. Houve um debate na TV, no qual me perguntaram se eu fumava maconha. Por ocasião de um almoço na *Folha*, eu havia sido alertado sobre a possibilidade de essa questão ser posta. Parecia-me um absurdo tamanho fazer tal pergunta a quem, como eu, tinha horror até mesmo a cigarro, que nem dei ouvidos a isso. Durante o debate, diante da questão, feita justamente por um jornalista da *Folha*, respondi ingenuamente: "Mas vocês disseram que não fariam tal pergunta...". Para quê? No dia seguinte de outra coisa não se falava, falava-se só sobre o "maconheiro". Paguei mais uma vez o preço da ingenuidade: desprezei os efeitos de um boato maledicente e sem fundamento. Montoro também achava que ganharíamos. Eu era uma aposta dele: minha derrota seria também a derrota dele. Tudo ia bem até que os votos começaram a ser contados. Em um grande número de urnas em que eu achava que ia ganhar só dava Jânio, Jânio... Perdemos.

As pesquisas de boca de urna davam minha vitória como provável, por isso havíamos preparado uma festa no bufê Baiuca, na rua Maranhão, ao lado do prédio em que eu vivia em São Paulo. Comemoramos meu enterro... E, pior, de noite o pessoal do Jânio foi à porta da minha casa para debochar, tocando as buzinas dos carros. Jânio dispunha de uma militância agressiva e, sobretudo, de muito voto das camadas mais populares.

Fui para minha chácara em Ibiúna com a Ruth, abatido. Fiquei um tempo lá, lambendo as feridas. Mas nunca fui pessoa de ter mágoa e era senador. A derrota foi inesperada. Se tivesse sido prefeito, talvez tivesse ficado entalado ali. Quem sabe?

Como corolário, ao tomar posse, Jânio Quadros anunciou que iria desinfetar a cadeira em que eu havia sentado indevidamente. De fato, um fotógrafo, antecipando a vitória, pois as pesquisas assim previam, insistiu em tirar uma foto minha, sentado na cadeira do prefeito, e prometeu não publicar antes da hora. A *Folha* publicou. Sentei antes da hora. Um político calejado não cairia nessa.

Uma última lembrança. Brizola veio me visitar em São Paulo para "hipotecar solidariedade". E me disse: "Não sabes como é bom perder eleição, eu perdi em Porto Alegre, quem ganha sempre não sabe o que é a política, tem que aprender a perder também". Tinha razão...

DE COLLOR A ITAMAR

O primeiro presidente eleito pelo voto direto foi Fernando Collor de Mello, eleição em que o novo partido que ajudei a formar, o PSDB, disputou tendo Mário Covas como seu candidato. Ele era um bom candidato: experiente — havia sido líder no Congresso, além de prefeito de São Paulo — e bom orador. Também Ulysses Guimarães, Brizola, Lula e outros mais empunharam bandeiras de partidos diversos. Resultado: o Congresso começou a dividir-se com a consolidação das várias siglas. Até hoje os presidentes eleitos têm de fazer composições para governar, o dito presidencialismo de coalizão.

A decisão do PSDB foi apoiar Lula no segundo turno, mas foi difícil. Covas e eu éramos a favor. Fui encarregado, junto com o deputado Euclides Scalco, a iniciar as negociações sobre um programa comum. Dificílimas: a arrogância dos líderes do PT era enorme. Diante dessas dificuldades, o PSDB decidiu apoiar Lula sem se comprometer a ir para o governo, em caso de vitória.

As divergências giravam em torno de temas muito delicados. O PT, por exemplo, queria a reforma agrária, mas sua condução deveria excluir donos de fazenda e demais setores sociais que não os trabalhadores do campo. O impasse era tal que um dia, conversando com um dos líderes do PT, ex-comunista, lhe disse: "Você sabe como na vida política é necessário levar em conta a correlação de forças, pois tem experiência; nós não estamos fazendo uma revolução, mas uma eleição. Se não entendermos isso, nunca chegaremos a ganhá-la". Inútil.

No comício que o PT organizou antes do segundo turno em frente ao estádio do Pacaembu, no qual Covas e eu representamos o PSDB, as vaias a nós eram inevitáveis. Nosso apoio ao Lula no segundo turno era necessário, mas não amado...

De tempos em tempos um candidato se apresenta como "contra tudo que está aí" e leva. Mas, cedo ou tarde, esbarra em imensas dificuldades. Entra em choque com o sistema político, ignorando que os partidos podem ser fracos, mas o Congresso é forte. Presidente que ignora o Congresso, se perder o apoio dos que o elegeram, encoraja a união dos opositores. Essa crise é recorrente em democracias como a nossa, em que o sistema político é frágil e imensas as demandas sociais.

Collor foi mais um ponto fora da curva na história brasileira. Como foi Jânio Quadros e como é Jair Bolsonaro. O apoio de Itamar Franco a Fernando Collor no primeiro turno nos surpreendeu. Nós estávamos em outra posição. Collor tinha feito uma marcha solo. Viajei no mesmo avião que levava Itamar para Belo Horizonte e ele não me disse nada sobre seu apoio a Fernando Collor. Logo em seguida aceitou ser vice de sua chapa.

Eleito, Collor não demorou a sofrer um impeachment. Quando começaram as ondas de denúncias contra ele, reagi com cautela. Nunca fui partidário ardoroso de impeachments. Tampouco Ulysses o era. Tivemos uma conversa em que dizíamos: "É complicado, a marca fica". Até que o irmão mais moço de Collor, Pedro, fez declarações que deixaram o presidente muito mal. Fui então à tribuna do Senado: "Não há jeito". Numa entrevista à *Folha*, cheguei a dizer: "[Collor] é como um cristal que partiu, quebrou a credibilidade".

Pouco antes do impeachment, Itamar Franco me chamou ao palácio de despachos do vice-presidente:

"O que vai acontecer?"

"Ora, você sabe o que acontecerá. Você vai ser presidente da República. É questão de tempo."

"O que o pessoal em São Paulo acha?"

"Em São Paulo acham que você é um quebra-louças e um atrabiliário. Têm desconfiança de você. Eu acho que o mais importante é você ter um comportamento presidencial."

"Você acha que eu sou assim?"

"Eu não acho; eu te conheço, sei como você é."

Escrevi um artigo contando o que pensava de Itamar. O que ajudou um pouco a moderar a visão que se tinha dele em São Paulo. Certa noite ele me chamou, a mim e a seu amigo Maurício Correia, ministro do Supremo, para uma conversa na casa de Maurício. Itamar estava compondo o ministério. Em outra ocasião, para se encontrar comigo ele entrou por uma porta lateral de meu gabinete no Senado, que se abria para uma espécie de jardim, pulando o muro.

Mais tarde, em meu apartamento (que era no prédio dos senadores), ele veio me ver: "Você quer ser o quê?". "Eu? Nada." Ele queria que eu fosse ministro da Educação. "Não entendo de educação, sou professor, o que é outra coisa. Ministro da Educação precisa ter outro tipo de formação, que eu não tenho. Não quero." Ele então me disse: "Nesse caso, você vai para o Itamaraty". Respondi: "Eu não preciso ser ministro, mas se você quiser que eu vá para o Itamaraty, lá eu saberei me virar. Está bem".

Minha ideia não era ir para o governo. Mas, vai indo, vai indo, passei a ter prestígio junto ao Itamar, que me ouvia muito, especialmente sobre a situação de São Paulo. Ele tinha receio de vir a São Paulo. Era mineiro, gostava do Rio. Quando falava comigo, achava que estava falando com São Paulo. Não era bem assim. Mas, enfim, alguma voz eu tinha em São Paulo.

Collor foi afastado provisoriamente da Presidência em 2 de outubro de 1992, data da abertura do processo de impeachment no Senado. No dia da posse de Itamar no Congresso como presidente interino, Ruth Hargreaves, sua secretária particular e futura secretária da Presidência, me telefonou: "Vem para cá porque o Itamar não vai ao Congresso". Eu fui à casa que ele ocupava no lago de Brasília (e que, depois, deixou para mim como ministro das Relações Exteriores, mas não a usei).

Cheguei lá e havia um bando de gente. Henrique Hargreaves, futuro chefe da Casa Civil, irmão de Ruth, estava na máquina de escrever, compondo o primeiro decreto do futuro presidente, a nomeação do novo gabinete. "Cadê o Itamar?", perguntei à Ruth Hargreaves. "O Itamar não vai ao Congresso", ela me disse. "Vamos falar com ele." Ele estava no quarto, deitado, sem paletó. "Ah, eu não vou ao Congresso", ele disse. "Como não vai?", retruquei. "Não há vazio de poder, se você não for, o presidente da Câmara assume. É isso que vai acontecer. Não é outra coisa. O lugar é seu, mas se você não ocupa…" Foi quando ele me respondeu: "A vaga ainda está quente". Itamar, na verdade, não queria passar a sensação de que estava obcecado em ocupar a posição política de presidente da República. Foi, é claro, e assumiu.

Depois da posse, o presidente interino tem que nomear os ministros. A certa altura ele me perguntou: "Vocês não têm curiosidade de saber quem vai ser o ministro da Fazenda?". Contestei dizendo que não queria saber, e me despedi. No dia seguinte, fui almoçar, se não me engano com o Tasso Jereissati. Estávamos numa churrascaria de Brasília quando Itamar me telefona. "Venha aqui, logo." Fui a seu gabinete. Ele tinha convidado Gustavo Krauze para ser ministro da Fazenda. Inventou um ministro, pessoa competente, mas que ele mal conhecia, para mostrar que a escolha era dele.

O presidente Itamar era difícil, mas nós nos dávamos bem. Isso certamente influiu na minha nomeação, posterior à do Itamaraty, para o Ministério da Fazenda, que ocorreu depois que três ministros não tinham conseguido, apesar dos esforços, controlar a inflação: Krause, Paulo Haddad e Eliseu Resende. Como se passaram as coisas? Krause ficou dois meses no cargo; Paulo Haddad e Eliseu, dois meses e meio cada um. Eu conhecia Eliseu Resende e gostava dele, assim como dos outros dois.

Voltando do Japão, como ministro das Relações Exteriores, passei por Nova York e me hospedei na casa do Ronaldo Sardenberg, nosso embaixador na ONU. Em Tóquio, alguns jornalistas brasileiros já haviam ventilado que o futuro ministro da Fazenda seria eu.

Eu estava jantando com os embaixadores quando o presidente Itamar me telefonou. Fui atender em uma salinha ao lado e ele me perguntou: "Você está em pé ou sentado?". "Por quê?" "Porque eu queria que você fosse ministro da Fazenda. Eu vou chamar aqui o Eliseu..." "Não faça isso. O Eliseu é bom. Se você trocar será a quarta nomeação de um ministro da Fazenda em sete meses. Não faça isso." Eu tinha liberdade para falar assim com ele. "Estou bem onde estou, como ministro do Exterior." E voltei para a mesa do jantar com a cara meio preocupada.

Na manhã seguinte, a Ruth me liga, zangada. "Você agora é ministro da Fazenda!" "Não é verdade, eu não concordei." "Mas está nomeado." "Não é possível." O Itamar me nomeou na mesma noite em que nos falamos pelo telefone.

O embaixador Luís Felipe Lampreia, que era secretário-geral do Itamaraty, também me telefonou: "Ministro, o senhor agora é ministro da Fazenda". O embaixador Synesio Sampaio Goes, meu chefe de gabinete no Ministério das Relações Exteriores, estava comigo e voltou no mesmo avião, os dois pensando sobre o que eu iria falar no dia seguinte.

Cheguei de manhã a Brasília, Ruth já me esperava e fui ao Palácio tomar posse. De tarde, fiz um discurso no Ministério da Fazenda em que disse que o Brasil tinha três problemas: o primeiro, a inflação; o segundo, a inflação; o terceiro, a inflação. Era o óbvio, a inflação estava corroendo tudo.

Não havia planejamento da minha parte em galgar posições, as coisas acontecem um pouco ao acaso. Claro que para que aconteçam é preciso que os beneficiados tenham algumas qualidades para lidar com as pessoas. A principal vantagem que eu tinha naquele momento era que eu sabia lidar com o presidente Itamar. Eu gostava dele. Talvez por isso, mesmo quando ainda era ministro do Exterior, era chamado com frequência para opinar sobre decisões na área econômica. Tinha certa vivência dos temas desde os tempos em que trabalhei na Faculdade de Economia da USP, mas sobretudo depois que convivi com muitos economistas na Cepal, Raúl Prebisch à frente.

Itamar era imprevisível, afetivo, genioso, mas com personalidade forte. Certa feita, fomos para o Rio, ele presidente e eu ministro. Hotel Glória. Itamar gostava do Rio. Mineiro de Juiz de Fora é atraído pelo Rio, não é por São Paulo nem por Brasília. À noite, eu estava pondo o pijama quando bate à porta o ajudante de ordens: "O presidente quer falar com o senhor". "Como assim?", respondi, "ele foi dormir." "Ele está esperando o senhor na portaria." Fui até lá, encontrei o presidente, que me disse: "Vamos sair...". "Sair para onde?". "Vamos tomar um café. Você conhece o Rio mais que eu." "Vamos para o Copacabana Palace, então", disse eu. Fomos de táxi. Chegamos lá e o restaurante estava fechado. Fomos parar num hotel na avenida Niemeyer, o Sheraton. Entramos eu e o presidente da República. E não tínhamos dinheiro para pagar nada! Claro que depois a segurança nos encontrou.

Numa viagem presidencial a Buenos Aires, fomos a pé para um almoço formal na embaixada do Brasil com o presidente da Argentina. Do Hotel Alvear até a embaixada, na mesma rua, quadras adiante, era uma distância curta. Ao final do almoço tomamos o carro oficial para voltar para o hotel onde estávamos. De repente, Itamar ordena ao motorista: "Pare o carro!". Saltamos, entramos numa galeria comercial e lá ficamos, olhando as vitrines...

Assim era o presidente, melhor, a pessoa Itamar Franco. Ele gostava de travessuras. Mas não tinha nada de bobo, tinha noção das coisas e, sobretudo, era honesto. Tinha também matreirice, e sabia manter a opinião.

Lembro de um episódio que mostra bem a determinação de Itamar. De novo, ele presidente, eu, ministro da Fazenda. Intervenção no Banco do Estado da Bahia. Antônio Carlos Magalhães, que era senador, resolveu fazer uma bravata. Foi ao Palácio do Planalto com um monte de parlamentares para manifestar contrariedade ao ato do presidente. Itamar o recebeu e não teve dúvida: mandou gravar toda a reunião e foi duro. Não se deixou intimidar pela audácia do Antônio Carlos. Dentre suas qualidades estava a capacidade de enfrentar situações difíceis.

Itamar apostou no Plano Real. Ele queria, claro, acabar com a inflação. Vários ministros da Fazenda haviam tentado e fracassado. Consegui reunir o que havia de melhor no pensamento econômico brasileiro naquele momento. Na verdade, a fórmula básica do Plano Real foi inventada, por assim dizer, por duas pessoas: Pérsio Arida e André Lara Resende. Os dois eram jovens, pessoas de muita imaginação, tinham visão e não eram inflexíveis.

O Clóvis Carvalho, com sua cabeça de engenheiro, tomava a lição de todos. "Está errado, repete, vai para o quadro-negro", ele dizia. Eu fingia que entendia as equações. Às vezes interrompia: "Vocês estão me enrolando, me expliquem com palavras para que eu entenda". Nós falávamos com muita liberdade dentro da equipe.

Algumas outras pessoas também tiveram um papel importante. Como por exemplo Eduardo Jorge, meu assessor, que, com a ajuda de Gustavo Franco, cujas minudências e erudição foram de grande valia, cuidava de todos os aspectos jurídicos para que as medidas necessárias à implementação do plano não viessem a ser questionadas; e Eduardo Graeff, que fazia a interlocução com os políticos no Congresso, junto com o experiente Edmar Bacha.

Outra pessoa-chave foi o Pedro Malan, negociador da dívida externa e que tinha ido para o Banco Central — homem competente, sóbrio, de grande firmeza. Gustavo Franco e Winston Fritsch também integravam a equipe, basicamente composta pelo pessoal do Departamento de Economia da PUC do Rio, com a coordenação do Clóvis Carvalho, formado pela Politécnica de São Paulo.

Numa das primeiras reuniões da equipe, em São Paulo, tomamos uma decisão fundamental. Vamos contar tudo às pessoas.

Vamos explicar a situação ao país e contar o que vamos fazer. Passo a passo. Quem não tem a seu lado a opinião pública não consegue gerar a confiança indispensável para o sucesso de um plano econômico.

A classe política não tinha consciência da relação entre gasto público e consequências inflacionárias. Predominava a visão de que os especuladores e os agentes econômicos eram os culpados pela espiral inflacionária. Não eram, nem se tratava de buscar culpados. Nosso problema era o gasto público e o desequilíbrio nas contas do Tesouro.

O ponto de partida, portanto, consistia em pôr em ordem as contas públicas, mas essa noção não entrava na cabeça dos políticos, os ministros gastadores queriam recursos para realizar coisas. Nossa prioridade foi ganhar apoio para uma política de restrição orçamentária. As primeiras medidas de mudança foram, portanto, no orçamento.

O segundo pilar do plano foi a negociação da dívida externa, já que o pagamento de juros tinha um peso enorme sobre o orçamento. No plano externo, contou muito a relação de confiança que estabeleci com o FMI, em especial com seu diretor-gerente, o francês Michel Camdessus.

Havia um déficit de confiança a ser superado. O FMI achava que todos os presidentes do Brasil, todos os ministros da Fazenda queriam enganar, queriam mais tempo para rolar a dívida. Fui a Washington, tive uma conversa com o Camdessus no gabinete dele. E em determinado momento ele disse que confiava em nós. A conversa foi em francês, o que já criava um clima mais favorável... Esses detalhes contam.

Estive também com Larry Summers, secretário do Tesouro do presidente Clinton, homem de grande influência no governo e nos meios financeiros americanos. Larry só queria saber uma coisa: "Quem vai ser o candidato a presidente do Brasil?". Ou seja, estava preocupado com a continuidade do plano. Sabia que havia uma correlação entre política e gasto público. Disse-lhe que o candidato seria eu. Naquele momento não era, mas percebi que, naquela altura, era importante dizer que o candidato seria eu. Ou seja, era preciso ganhar confiança junto aos credores internacionais, aos consumidores brasileiros e, ao mesmo tempo, segurar o governo. Sem o compromisso do governo de controlar o gasto público não haveria possibilidade de controlar a inflação.

Meu maior trunfo provavelmente terá sido a confiança que o presidente Itamar tinha em mim. Como todo político, ele cobrava resultados. Queria a estabilidade da economia e tinha pressa. Na própria equipe econômica havia quem quisesse ir mais devagar, consolidar mais as coisas. Eu dizia: "Não dá para ser assim, tenho um compromisso com o presidente da República de finalizar a mudança da moeda durante o seu mandato". Havia um tempo político a ser levado em conta.

Teve um peso importante meu histórico de senador. Para quem vem de fora, o Congresso pode ser atemorizante, mas eu conhecia suas manhas. Meu papel, portanto, foi basicamente falar com o governo, com os políticos e com o país, explicando de forma clara o que os economistas diziam numa linguagem mais difícil. Como havia trabalhado na Cepal, no Chile, tinha um conhecimento básico de economia que me permitia fazer esse trabalho de tradução e comunicação.

Na verdade, todo esse processo de reorganização da vida econômica e de conquista de confiança num país da complexidade do Brasil é um processo político-social. Existe, claro, uma dimensão técnica, mas não é suficiente. É preciso que as pessoas se convençam de que vai dar certo. Logo depois que assumi a Fazenda, entrei num restaurante em Brasília com Alberico de Souza Cruz, gerente da Globo, e me aplaudiram. Por quê? Ainda não havíamos feito nada, mas despertávamos confiança. Havia a expectativa de que ia dar certo. Ou seja, havia credibilidade. Foi também muito significativa a decisão de imprimir a nova moeda. Num só dia mudamos todas as moedas. Nos meses que precederam o lançamento do real, eu falei à população inúmeras vezes, pela televisão, mas sobretudo pelas rádios. Ana Tavares, minha assessora de comunicação, e Antônio Martins, que já haviam trabalhado com José Sarney, no Senado e na Presidência, me orientavam na preparação de um programa semanal de rádio, que eu gravava antes do expediente e ia ao ar bem cedo, voltado para as rádios do interior do Brasil. Fazíamos o máximo para que a informação chegasse às pessoas da maneira mais acessível possível.

Aprendi a lição: além de liderança, a chave do êxito está, entre outros fatores, no modo de comunicar o que se pretende fazer. Com esse crédito de confiança, lançado o real, a inflação caiu, o que transformou em realidade a expectativa de que o plano ia dar certo.

Fiquei no ministério menos de um ano. Não pensava em me candidatar à Presidência, meu objetivo era consolidar o Plano Real. Tanto eu como Itamar gostávamos do Antônio Britto, ministro da Previdência, e o queríamos como candidato à Presidência, mas ele quis ser governador do Rio Grande do Sul. Àquela altura, Lula estava crescendo e alguém tinha que enfrentá-lo. O PT criticava duramente o Plano Real, a eleição de Lula parecia ser um risco de retrocesso. Foi por isso que aceitei ser candidato. Não era uma aspiração minha, pelo menos consciente. Pode ser que no fundo eu quisesse, não sei.

A sensação era de que o presidente estava sem cartas para jogar e o real precisava de continuidade para se afirmar. Amigos mais próximos de Itamar Franco, como Ruth Hargreaves e José de Castro, nos quais ele confiava muito, apoiavam minha candidatura.

Percebi a força da nova moeda, o real, quando, já candidato, fui fazer um comício na Bahia, junto com Antônio Carlos Magalhães, e vi as pessoas acenando para mim com uma nota de um real na mão. O povo acreditava. A parada estava ganha.

Fui eleito no primeiro turno. Eu sabia que ia ganhar. Todas as pesquisas eram favoráveis e a gente sente isso na rua. Tinha acumulado experiência política como senador e experiência de governo como chanceler e ministro da Fazenda, numa época dificílima. Havia o problema enorme da dívida externa e a inflação ainda não estava definitivamente controlada. Minha sensação, ao ser eleito, foi um misto de alegria e de aflição.

Minha experiência na Presidência está contada no livro *A arte da política: a história que vivi* e nos quatro volumes dos *Diários da Presidência*. Não falarei, portanto, neste livro sobre o que foi feito em meu governo, com uma exceção: o modo como, no início, tal esforço foi percebido pela oposição. Vejamos.

Desde que fora ministro da Fazenda, sabia que nas sociedades contemporâneas não se consegue nada duradouro sem explicar ao povo, ao país, como está a situação, o que se pretende fazer e a que resultados eventuais se espera chegar. Não me esquecerei da experiência que tive ao participar de um programa de TV com grande audiência, comandado por Silvio Santos. Antes de entrar em cena, no camarim, conversei com o animador, procurava resumir no que consistia o Plano Real. Ele me dizia: "Repita, que não entendi". Ele não está entendendo nada, pensava. Quase desisti. Para minha surpresa, a caminho do auditório, Silvio Santos me disse: "Vamos falar para um público menor de idade". Ao falar, Silvio expôs o projeto melhor do que eu seria capaz. Falou de modo direto e simples, o auditório ouviu e aplaudiu.

Uma vez mais, as lições aprendidas na vida e minha formação como professor me ajudavam na política. Mais difícil foi convencer alguns partidos (inclusive alguns membros do PSDB), sobretudo os da oposição, de que o Plano Real melhoraria a vida das pessoas. Esfalfei-me desde o lançamento do plano e continuei a martelar, quando já presidente. Chamei a meu gabinete de ministro da Fazenda as lideranças políticas e sindicais, fossem a favor ou contra o governo. Expus com paciência e nos pormenores as vantagens que teriam.

Os partidos de oposição e os sindicatos pressionavam para obter aumentos de salários pelo menos anualmente, quando não semestral ou trimestralmente, para compensar a perda de valor causada pela inflação. Expliquei-lhes que graças ao instrumento criado, a URV (unidade real de valor, que antecedeu à mudança de nome da moeda, o real), os ajustes poderiam ser feitos até mensalmente. Inútil, para alguns. O PT pintou nos muros a sentença: "Real é pesadelo, não sonho".

Para justificar tal reação política, que se esboroaria diante dos fatos, veio junto uma interpretação: eu estaria, sobretudo quando já na Presidência, propugnando a nova moda ideológica, o neoliberalismo.

Eu contra-atacava dizendo que a globalização era um processo real e que ou nossa economia se ajustava aos padrões globais ou não teríamos o que nem a quem exportar. E afirmava: sim, é possível competir e prosperar. Já tínhamos capitais, pensava, experiência empresarial mais do que centenária, um mercado interno amplo que poderia ser reforçado pelo aumento da renda das pessoas (e, pois, de seu consumo) e sobretudo alguma capacidade de pesquisa tecnológica e bons profissionais. Começávamos a ter também estabilidade política. A oposição irredutível entre Estado e mercado estava "fora de lugar". No mundo contemporâneo, em geral os dois atuam. Inútil menosprezar a importância de um ou outro.

Entretanto, a briga era política e eleitoral. Depois de eu haver sido reeleito em 1998 e ter obtido mandato até ao final de 2002,

José Serra, candidato à minha sucessão, e apoiado por mim, foi derrotado pelo candidato do PT no segundo turno das eleições.

A PALAVRA, FORA DO PODER

Se senti um misto de alegria e aflição na noite em que fui eleito para a Presidência, foi outro o sentimento que experimentei em outra ocasião determinante, a da transferência da faixa presidencial para Lula. Quando ganhei, senti apreensão. Quando passei a faixa para Lula, senti satisfação. Eu me empenhei muito para que a transição para o novo governo fosse a melhor possível. Enviei o ministro Pedro Parente aos Estados Unidos para ver como as coisas eram feitas por lá. Na verdade, ao criar regras nós inventamos uma nova maneira, um novo padrão de fazer a transição dos mandatos presidenciais.

Minha grande preocupação, claro, era consolidar a democracia. O histórico de ex-operário de Lula tinha um peso simbólico: pela primeira vez no Brasil alguém oriundo das classes populares ia ser presidente da República. Ao passar a faixa para ele, na área externa do palácio, em frente à massa, os meus óculos caíram no chão. Estávamos os dois bastante emocionados.

Terminada a cerimônia, fomos para dentro do palácio e Lula me acompanhou até o elevador. Ele encostou a face dele na minha e disse: "Você deixa aqui um amigo". Não foi o que aconteceu. Mas o que veio depois não apaga a emoção do momento vivido.

Voei para a base aérea em São Paulo, nem passei pela nossa casa na capital. Mudei de roupa na base mesmo e de lá pegamos o avião de carreira para Paris, Ruth e eu, mais ninguém. Estava aliviado e ao mesmo tempo preocupado com o que faria depois. A decisão que tomei naquele momento foi cumprida. Não mais faria política eleitoral.

Quando cheguei a Paris, nosso embaixador Marcos Azambuja me esperava e havia um carro enviado pelo governo francês. Com batedores e tudo mais. Chirac me enviara uma mensagem muito simpática: "*Fernando, que peut la France faire pour vous?*". Fomos para um hotel perto de Chartres. Ao chegar, agradeci ao chefe da escolta: "Muito obrigado, a partir daqui é por minha conta".

O dia seguinte foi de grande alegria. Fomos ver a catedral de Chartres, que é um dos lugares de que eu mais gosto no mundo. Ninguém nos seguia, ninguém nos protegia. É outra coisa. Na Presidência você está sempre cercado. Em Chartres ninguém sabia quem era aquele casal que estava andando por lá. Descansamos alguns dias e voltamos de carro para Paris. Ficamos num apartamento que nos foi emprestado por dona Maria de Abreu Sodré, mãe da Carmo, mulher do Jovelino Mineiro, amigos constantes.

Em Paris resolvemos, Ruth e eu, andar de metrô para perder a banca de presidente. E assim fizemos. Às vezes encontrávamos brasileiros que ficavam espantados, sem saber se éramos nós mesmos. Isso não foi por acaso. Foi pensado. Não sou mais presidente, logo, é melhor desencarnar.

Faz dezoito anos que deixei a Presidência da República. Não parei de ler, pensar, ver, tentar entender. Além de uma insaciável curiosidade, olhando em retrospectiva, acho que a disciplina militar que herdei de meu pai me faz ter o sentimento de obrigação pelas tarefas que me atribuem ou as quais eu mesmo me atribuo: uma vez começado um trabalho, é preciso terminá-lo. Daí a satisfação, o sentimento do dever cumprido.

Como escrevi em outro lugar, minha geração passou, de dezembro de 1968 em diante — período de maior autoritarismo —, da paixão dominante pelo desenvolvimento econômico, a uma nova paixão: a democracia. Nunca abandonamos, contudo, a primeira paixão. Foram motivações intelectuais ao redor desses temas que me levaram à vida política. Aprendi algo com ela e nela cheguei ao ponto mais alto, a Presidência. Não deixei, entretanto, de ser um intelectual na política.

A paixão por institucionalizar a democracia fez parte fundamental de minhas preocupações e de minha ação no governo. Dediquei-me a transformar as antigas práticas, enraizadas em nossas instituições e mantidas por nossa cultura política tradicional: corporativismo, clientelismo, personalismo. Passei os anos da Presidência tentando introduzir reformas e fazer com que o Congresso as apoiasse. Ao mesmo tempo, falei incessantemente ao país, ao povo: nunca deixei de crer na importância da didática para a democracia. Era a fusão de minha formação como professor com a condição de líder e chefe de Estado.

A vida me ensinou que muitas vezes não dá para bater de frente contra interesses arraigados: é preciso contorná-los e até ceder a alguns deles para poder avançar. Respeito à diversidade de interesses e visões, respeito próprio da democracia.

Recebi políticos, empresários e líderes sindicais ou religiosos — ora eles me procuravam, ora os procurava eu — e guardei na lembrança o que ouvi de um antigo professor de matemática da Politécnica da USP que fora meu colega no Conselho Universitário: "Ninguém é malandro o tempo todo; mais graves são os opacos, que nada entendem e pensam saber tudo". Ouvia sem pré-julgamento, mesmo os que eram considerados malandros ou não rezavam pela minha cartilha. Isso foi confundido inúmeras vezes como se eu aderisse a eles e aceitasse o que desejavam. Não: apenas ouvia, ponderava e buscava ver se em algum ponto poderíamos nos enlaçar para fazer o país progredir.

Essa é a dura verdade da política tal como ela é: sua tessitura se faz em uma mescla de interesses (variáveis) e desejos (ou ideais) diversos. Os autoritários assumem que sua verdade é o Bem. Os demais estão errados, são do Mal. Os democratas, embora acreditem em seus ideais, têm dúvidas. E não procuram impor o que creem, nem afastar da vida pública os que deles discordam. Preferem convencê-los a vencê-los pela autoridade. Convencer significa vencer juntos: há que dar ao adversário a chance de imaginar que também ganha algo com a vitória dos que mandam.

É esse o penoso trabalho da liderança democrática: ganhar pelo voto, pela adesão. O que implica não recusar, de partida, o outro. Para isso, contudo, é preciso crer. Sempre acreditei no desenvolvimento econômico e na democracia. Aprendi também que não dá para fazer tudo de uma vez. Acho que forcei demais para mudar a Previdência e isso me custou muito caro. Talvez não devesse ter ousado tanto. Assustamos muita gente, quando o que queríamos era salvar o sistema previdenciário.

A fusão entre homem de universidade e político me fazia ler muito, tentando entender o que ocorria no país e no mundo. Estávamos no início da globalização. O interesse nacional teria que se colocar diante das novas circunstâncias econômico-financeiras do mundo. Sofremos várias crises financeiras vindas de fora. Isso sem termos, em algumas ocasiões, terminado de organizar as estacas domésticas da economia, principalmente as finanças públicas.

Nessas condições, dada a má fortuna, a *virtù* se torna mais desafiadora e necessária. Os últimos anos do governo foram tempos bicudos: 2001, crise financeira; 2002, eleições, que perdemos. A partir do momento em que as pesquisas de opinião mostravam a possibilidade da vitória do PT, considerando o que o partido dizia até então, os mercados temiam pelo que pudesse vir a acontecer.

Ressalto, por isso mesmo, a importância de haver organizado a transição de um governo a outro (fosse do mesmo partido no poder ou de seu adversário) para reforçar o que sempre desejei: manter as regras do jogo, institucionalizar a democracia. Essa atitude implica aceitar, sendo o caso, derrotas.

Ao terminar meu segundo mandato, tomara a decisão de não mais me candidatar. Se mantenho vínculos históricos com o partido que me elegeu, não participo de sua vida diária. Preferi tentar exercer uma influência pública, discutindo, escrevendo e fazendo palestras, dentro do possível sem viés partidário.

Criei uma fundação para discutir temas da democracia no Brasil e no mundo, sem jamais esquecer as questões econômicas.

Apostei na força da palavra, do argumento, da mensagem, mesmo fora do poder.

Fui convidado por Kofi Annan, secretário-geral da ONU, para presidir um Painel de Personalidades Eminentes com o mandato de propor um novo marco legal para as relações entre as Nações Unidas e as organizações da sociedade civil. Era difícil para a ONU, organização criada por Estados, relacionar-se de modo construtivo com atores não estatais, como os defensores dos direitos humanos, da igualdade de gênero e do meio ambiente, sem os quais esses temas não teriam entrado na agenda internacional.

Mais tarde passei a integrar os Elders, grupo organizado por Nelson Mandela, composto por personalidades dispostas a pôr sua autoridade moral a serviço da busca de soluções para problemas globais como mudança climática e situações de conflito como no Oriente Médio. Em 2007, junto com Kofi Annan e Jimmy Carter, liderei uma missão dos Elders em que falamos com israelenses e palestinos em busca de um terreno comum que tornasse a paz um sonho possível.

Presidi o Clube de Madri, integrado por chefes de Estado e de governo, todos democráticos, que teve um papel pioneiro na redefinição da resposta de governos e sociedades à ameaça global do terrorismo. Procurei também quebrar tabus sobre questões delicadas que envolvem valores e comportamentos, em particular a questão das drogas, prioritária para o Brasil e a América Latina, em razão da associação estreita entre criminalização do uso de drogas, narcotráfico, violência e corrupção.

Voltei à vida acadêmica nos Estados Unidos, na Universidade Brown, onde lecionei, intermitentemente, por cinco anos, e participo de inúmeros fóruns e reuniões internacionais, como o Clube de Madri ou o Foro Ibero-Americano, bem como da direção de algumas fundações. Dentre estas tenho um carinho especial pela Fundação Champalimaud, um centro de excelência em Lisboa na pesquisa e tratamento do câncer, na qual coordeno um fórum de debate sobre ciência e democracia. Pertenci ao *board* da Rockefeller Foundation e do Instituto de Estudos Avançados, de Princeton.

Em suma, aprendi que é melhor viver intensamente cada momento, que não adianta querer reviver o que passou, mesmo porque, em geral, quando se consegue não se obtêm os resultados anteriores. Aprendi também que sem política as democracias não vivem, mas as pessoas podem afastar-se da política sem prejudicar o seu bem viver. Desde que tenham imaginação e energia para continuar fazendo o que gostam e o que serve à cultura, ao país e ao povo.

Errei muitas vezes e nem sempre consegui botar de pé o que desejava: faz parte do jogo. Mas posso dizer, sem receio, que dediquei o máximo que pude a agir conforme meus valores e a fazer reformas. Embora nem sempre se consiga obter o que se deseja sem transitar pela vontade e a aceitação de muitos, é certo que muitas vezes o presidente, sempre cercado por muita gente, assume sozinho as decisões mais graves. E isso é pesado.

Governei sob pressão, como todos o fazem, mas com alegria e prazer, ainda que nem sempre. Terminados os mandatos, a satisfação do dever cumprido, a despeito dos erros cometidos, e o sono sem sobressaltos mais do que compensam as agruras pelas quais inevitavelmente se passa.

Não me queixo, contudo. Governei com afinco. Custou-me, como custa a todos, o envelhecimento na função. Mas governei com prazer: a esperança contínua de que dias melhores virão e o prazer, quando se logra, de haver ajudado o povo e o país (apesar dos erros e recuos a que muitas vezes somos obrigados) permitem o sentimento de satisfação a quem exerce o poder lutando pela manutenção das liberdades, pelo crescimento econômico e pelo bem-estar do povo.

# 11. Crise e metamorfose da democracia

A emoção e a alegria que senti ao transferir a faixa presidencial para Lula provinha do sentimento de dever cumprido e da sensação de que a democracia estava consolidada no Brasil.

O primeiro mandato de Lula foi promissor. Contrariamente ao que muitos temiam, as mudanças de orientação de política econômica respeitaram o equilíbrio fiscal. O cenário internacional era favorável, permitindo ao governo ampliar a oferta de benefícios sociais sem pôr em risco as contas públicas. No entanto, já durante o segundo mandato, e sobretudo com a eleição de Dilma Rousseff, a antiga tendência a enfrentar os mercados e prestigiar o Estado, bem como emitir sinais ideológicos contra os investimentos vindos do exterior, somada às crises econômicas mundiais que não dependem só dos governos nacionais, geraram uma crise de governabilidade que iria dar no impeachment da presidente.

Enquanto houve expansão econômica, houve também, é inegável, expansão social. Políticas voltadas para setores vulneráveis da população contribuíram para a redução da desigualdade. A prosperidade econômica e a melhoria das condições de vida, no entanto, coexistiram com o controle da máquina pública pelos partidos, com o PT à testa, e a corrupção. No início de seu primeiro mandato presidencial, Dilma Rousseff — é justo reconhecê-lo — demitiu ministros comprometidos com "malfeitos" e tentou sanear esquemas de corrupção implantados na Petrobras. Mas logo teve que bater em retirada por pressões vindas do seu próprio partido e seus aliados do Centrão.

No tempo das vacas gordas era quase um crime, uma temeridade, falar sobre a face perversa do aparente sucesso. Como as crises são inerentes ao capitalismo e tendem a ser maximizadas pela globalização, em determinado momento a economia virou. Lula havia definido como uma "marolinha" as consequências para o Brasil da crise financeira global de 2008-9. Foi uma onda que mudou o curso da história, revelando a incapacidade dos governos de proteger os mais frágeis e alimentando o discurso autoritário e regressivo que tanto nos afeta até hoje.

Em 2013, o Brasil foi sacudido de norte a sul por um inesperado movimento de protesto nas ruas. O estopim foi um movimento estudantil e popular contra o aumento do preço das passagens de transportes em São Paulo, mas da noite para o dia o protesto se alastrou para centenas de cidades e ampliou seu foco para a denúncia da situação precária dos serviços públicos. A esse tema se juntou o clamor pela apuração das denúncias de corrupção na política. Eficiência na prestação de serviços públicos ("hospitais padrão Fifa") e decência na política entravam pela primeira vez na agenda nacional.

A crise abalou o governo, mas ainda havia tempo para uma correção de rumo.

Em 2013, na viagem que a presidente Dilma fez para prestar homenagens fúnebres a Nelson Mandela, acompanhada por todos os ex-presidentes, eu mesmo lhe disse: "O sistema político acabou; nossos partidos não podem ou não querem mudar; busquemos os mínimos denominadores comuns para sair do impasse, pois somos todos responsáveis por ele". Diante da gravidade da crise, sugeri que todos nos uníssemos a fim de propor à nação um conjunto de reformas para revigorar as instituições políticas.

Apenas o presidente Sarney se mostrou sensível às minhas palavras. Naquela ocasião, como em outras, a resposta do dirigente máximo do PT foi ora de descaso, ora de reiteração do confronto, pela repetição do refrão autorreferente de que antes dele tudo era pior. Em artigo publicado naquele momento no *Estado* e no *Globo*, escrevi: "Tomara que as aflições pelas quais passam o PT e seus aliados lhes sirvam de lição e os afastem da arrogância e do contínuo desprezo pelos até agora tratados como inimigos. É hora de reconhecerem de público que a política democrática é incompatível com a divisão do país entre 'nós' e 'eles'".

A resposta do governo Dilma às mudanças para pior do cenário internacional foi a exacerbação do dirigismo estatista e a adoção do que se chamou de Nova Matriz Econômica, basicamente um keynesianismo estrábico que levou à pior recessão de nossa história. O resultado não podia ser diferente. Problemas complexos não se resolvem com passes de mágica. Incentivos ao consumo e tentativas canhestras de fazer o investimento crescer na marra produziram apenas mais inflação, maior endividamento e menor confiança na economia e na sociedade.

Não é apenas a extrema direita que se perde em sua própria intolerância e negacionismo. Lula e o PT cometeram o erro estratégico de considerar o PSDB como seu principal inimigo. Não éramos, nunca fomos. A principal ameaça à democracia era e é a extrema direita autoritária e regressiva.

## A SOCIEDADE EM REDE, UMA MUDANÇA DE ERA

Foi tremendo o impacto que sofri na Califórnia dos anos 1970, quando me deparei com os primórdios das hoje corriqueiras empresas tecnológicas do Vale do Silício. Seus inventos nasceram, como em geral ocorre, nas universidades, mas logo penetraram e dominaram o mundo da produção, daí se espalhando para a vida cotidiana, afetando a tudo e a todos.

Meu amigo Manuel Castells, professor na University of South California e meu colega no campus de Nanterre em 1968, foi um dos primeiros a analisar, em sua trilogia *A sociedade em rede*, como, ao encurtarem drasticamente as dimensões de tempo e espaço, as novas formas de comunicação eletrônica instantânea redesenharam a economia, a sociedade e a cultura. Mais claramente do que nas rupturas tecnológicas anteriores — do motor de explosão à eletricidade e à energia nuclear —, as novas tecnologias de informação afetam não só as técnicas de produção e as estruturas de organização como também a política, os valores e as formas de sociabilidade.

As mudanças tecnológicas passaram a influenciar na dinâmica das interações humanas, embora na década de 80 do século passado ainda não pudéssemos perceber quão profundamente a sociedade se estava transformando. Menos ainda quão velozes eram essas transformações.

Quando assumi o governo, em 1995, ganhei um computador de mesa do grupo editorial *O Estado de S. Paulo* com uma tela que registrava on-line as notícias. Eu começava também a ter acesso direto a alguns setores do governo via internet, desde que se formassem redes para integrá-los. No caso das obras físicas do governo, sobretudo as hídricas, eu tinha acesso direto a alguns gerentes, como conto nos *Diários da Presidência*. Mas ainda estávamos longe das possibilidades que existem hoje.

Recordo-me de que me ocorreu deixar à disposição dos interessados alguns projetos de lei, antes de enviá-los ao Congresso, para sondar a reação das pessoas. Elas teriam acesso aos documentos desde que estivessem conectadas às redes. Isso, contudo, foi feito em poucos casos e quase experimentalmente. Sabíamos que as pesquisas de opinião eram um instrumento indispensável nas democracias de massa, especialmente nos momentos eleitorais, mas estávamos longe de imaginar o quanto a política se transformaria no mundo contemporâneo.

Para o bem ou para o mal, a revolução tecnológica na ciência em geral, mas particularmente nos modos de comunicação, puseram em xeque os partidos clássicos, isto é, aqueles orientados por ideologias com algum tipo de referência às bases da sociedade (trabalhadores do campo e das cidades, classes médias e "burguesia"). A era das classes como motor exclusivo da história, sem desaparecer, se enfraqueceu.

Essa transformação afetou a sociedade inteira. A nossa e as demais. Ou bem os governos são totalitários e controlam as redes, ou elas, escapando a qualquer tipo de filtro ou controle, podem conectar pessoas e, de repente, produzir reações de efeitos políticos explosivos. À antiga síntese de Descartes, do século XVII, "*cogito, ergo sum*" (penso, logo existo — ou penso, logo sou) há que ajuntar doravante a noção de que "estou conectado, logo existo", se quisermos entender e participar da vida política nos dias de hoje.

Essa distinção é fundamental para acentuar as diferenças entre as sociedades modernas, que emergiram ainda no final do século XIX na Europa e nos Estados Unidos e duraram até o começo do século XXI, e as atuais, que, à falta de melhor nome, chamo de contemporâneas. Na verdade, estamos vivendo uma verdadeira mudança de era.

A grande força transformadora que abala as estruturas de poder em escala mundial não deriva de projetos políticos ou ideológicos, mas da reorganização do modo de produzir e de interagir que levou à globalização. Essa transformação está na raiz da crise, e também da metamorfose, da democracia.

### O PODER VEM DE CIMA, A CONFIANÇA VEM DE BAIXO

Em meu livro *Crise e reinvenção da política no Brasil*, alertei que, contrariando as previsões de seu fortalecimento após o colapso da União Soviética e o fim da Guerra Fria, a democracia estava em risco. Alertei também que nos tempos de hoje as democracias não morrem mais apenas por meio de golpes militares ou pela demagogia aberta, inclusive com apoios populares, mas por dentro, pouco a pouco, quando os que mandam porque obtiveram o consentimento popular enveredam pelo caminho do ataque às instituições e aos valores que garantem a liberdade.

Em 1989, Francis Fukuyama havia publicado um rumoroso artigo na revista *National Interest* intitulado "O fim da história?" — mais tarde transformado em livro — prevendo que o modelo ocidental de democracia liberal se universalizaria como forma de regime político. Como sói acontecer com antecipações simplistas, não foram necessários mais do que vinte anos para que tais augúrios se desmanchassem no ar.

A democracia está em crise na Europa e nas Américas, lá onde ela estava mais profundamente enraizada na sociedade e na cultura, base do estado de direito, da prosperidade econômica e do bem-estar social. Nunca antes cidadãos de países democráticos foram tão críticos de seus sistemas políticos. Nunca antes tantos apoiaram líderes autoritários e populistas.

Sinais de que tal processo poderia ocorrer haviam sido dados, mesmo por autores latino-americanos. Alguns tinham se dado conta dos riscos havia muito tempo. Octavio Paz, o poeta e pensador mexicano, por exemplo, escreveu sobre a democracia representativa em *Ideas y costumbres*: "o debate público se converteu em uma cerimônia e em um espetáculo". Paz mostrou que nada substituiria a *virtude*, a despeito da existência de burocracias partidárias e da substituição dos demagogos (que arengavam ao povo ateniense) pelas mídias, com ênfase na televisão. Ainda não havia, quando o ensaísta escreveu, as redes de comunicação direta entre as pessoas. Se a virtude fraquejar, pensava Paz, dominam as paixões e perecem as repúblicas. Para ele, a massificação e a transformação do debate público em espetáculo degradam as democracias modernas. Surge um novo hedonismo, uma forma de abdicação do livre-arbítrio, uma paixão por comprar e consumir. Esta, em si mesma, não é o pecado maior das democracias modernas e sim o que vem junto: o conformismo, a vulgaridade das paixões, a uniformidade dos gostos, das ideias e convicções.

Tendo dedicado minha vida ao fortalecimento da democracia, fundamento de um Brasil mais justo e próspero, me é especialmente duro ver essa construção em crise.

As sociedades ocidentais se fragmentaram sob o impacto de uma nova divisão do trabalho e se mostraram incapazes de lidar com as tensões decorrentes de uma cada vez maior diversidade cultural. Na verdade, o mal-estar econômico se somou à perda de referências culturais como pátria, religião, família e gerou um sentimento de abandono, ressentimento e medo em relação ao futuro. A crise dos partidos, do sistema político, da democracia representativa não é, portanto, um problema brasileiro. A descrença na política e nos políticos, para não dizer sua rejeição, é um fenômeno generalizado que só não atinge os países em que prevalecem formas autoritárias de mando, nos quais conta a repressão, não o consentimento.

Os sinais precursores de uma disfunção grave no funcionamento das instituições políticas precederam os terremotos eleitorais: aumento do abstencionismo e do voto nulo, incremento do voto em partidos de extrema direita com a ressurgência do anseio por salvadores da pátria e do comprometimento de restauração da grandeza nacional (*Make America Great Again*, de Donald Trump; *Let's Take Back Control*, slogan da campanha pró-Brexit no Reino Unido; *On est chez nous*, de Marine Le Pen; *Prima gli italiani*, de Matteo Salvini). As palavras de ordem variam, mas a mensagem central é a mesma: denúncia da decadência da nação e promessa de restauração de um estado idílico de harmonia e grandeza. Na raiz dessa crise está a diminuição da capacidade dos Estados nacionais de proteger sua população do impacto tanto das crises financeiras quanto das transformações tecnológicas, que com a globalização aumentaram a fratura social entre incluídos e excluídos, ganhadores e perdedores da globalização.

A democracia representativa é cada vez mais percebida como um sistema elitista, disfuncional, minado pela corrupção, insensível às necessidades e demandas das pessoas comuns. Quanto mais distante a pessoa está dos centros de poder, mais desconfia deles.

Distância social e também geográfica: quanto mais afastados estão os núcleos populacionais das novas modalidades de produção e dos valores de liberdade associados à sociedade contemporânea, maior a probabilidade de seu enraizamento nas tradições, maior o conservadorismo e maior a rejeição do outro, do imigrante, do diferente. O déficit de confiança no sistema político se alimenta da incerteza econômica, do aumento das desigualdades sociais, da perda, real ou imaginária, da coesão social.

O sentimento difuso de que "tudo vai mal", que amanhã será pior que hoje, que os governos de diferentes partidos se sucedem e nada muda, tudo isso fermentou um caldo de cultura propício ao autoritarismo. Demagogos fazem apelo às emoções humanas mais destrutivas, como o medo, o ódio e o ressentimento, contaminando o debate público e a construção de consensos que são a essência da política.

O ataque à democracia se estende ao conjunto de instituições que constitucionalmente protegem a sociedade contra os abusos de poder e a violação de direitos: parlamentos, Justiça, mídia. A desinformação, o negacionismo, o complotismo, o "nós contra eles", o oponente tratado como inimigo, tudo isso polariza a sociedade, minando os valores que definem a nação como uma comunidade de destino.

A exasperação com a violência nas ruas e a piora nas condições de vida se soma ao sentimento de orfandade ante as mudanças culturais e comportamentais vividas pelas sociedades contemporâneas. Avanços civilizatórios como o reconhecimento dos direitos das mulheres e dos gays, a luta contra o racismo, a rebeldia dos jovens etc. suscitam reações por vezes virulentas por parte daqueles que se sentem ameaçados pela erosão dos valores tradicionais.

Essa onda regressiva assegurou a vitória de Trump em 2016, o voto pela saída do Reino Unido da União Europeia em 2017, a consolidação de governos abertamente autoritários na Polônia e na Hungria, o crescimento da extrema direita na Itália, Espanha, Alemanha, França, Holanda e até mesmo nos países escandinavos, paradigmas do Estado de bem-estar social. A votação majoritária em favor do Brexit foi paradigmática. Londres e as regiões mais prósperas votaram pela Europa, enquanto as regiões em decadência votaram pela saída da União. A clivagem não foi entre direita e esquerda, foi entre confiança no futuro e nostalgia do passado.

Em 2017, a convite da Fundação Champalimaud, organizei um fórum permanente de debate sobre ciência, tecnologia, crise e metamorfose da democracia. Em nossa reunião inaugural em Lisboa, o presidente de Portugal, Marcelo Rebelo de Sousa, fez uma observação extremamente pertinente. O populismo contemporâneo, disse ele, aparece e ganha força porque em política não há vazio. A crise das instituições políticas criou o vazio. Nesse mesmo encontro, Alain Touraine, meu mestre de sempre, foi ao cerne da questão. O vazio que nos assombra é a ausência de um pensamento social e político que faça sentido. Não sabemos mais o que queremos como transformação do mundo. O poder não está mais enraizado apenas na acumulação de capitais, mas, tanto quanto ou mais, no imaginário e nas representações que cada sociedade inventa para si. O que mais falta a nossas sociedades é dar um sentido à vida dos que nelas vivem.

É preciso inventar, penso, com imaginação sociológica, uma nova narrativa, um novo projeto de sociedade. O discurso político está vazio. Quando ele exprime alguma coisa, conta uma história que já é passado. Fala sobre o que foi e não sobre o que será. Nem tudo, no entanto, é negativo. Um dos paradoxos dos tempos em que vivemos é que o déficit de confiança nas instituições políticas coexiste com a emergência de novos atores e novos espaços de participação cívica.

Como democrata que sou e humanista que tento ser, aprendi no exercício da Presidência que o poder vem do alto, mas a confiança vem do povo. Novas vozes estão sendo ouvidas no espaço público, novos temas e reivindicações estão sendo promovidos por atores como os jovens, guardiões do nosso futuro comum, e as mulheres, que não renunciarão às liberdades e aos direitos que conquistaram.

Jornalistas e cientistas estão na linha de frente da luta contra a manipulação da verdade e o obscurantismo. Milhões de cidadãos se mobilizam por toda parte para combater a mudança climática antes que seja tarde demais. As próprias cidades, abertas aos ares do mundo, ganham protagonismo e desafiam governos autoritários num fenômeno que se estende de Hong Kong a Istambul, Varsóvia, Minsk, Argel e Santiago do Chile. São Paulo e Rio de Janeiro desempenharam papel similar com os protestos de 2013. Madri e Nova York o fizeram em 2011 com os movimentos dos Indignados e o Occupy Wall Street, assim como Túnis e Cairo na Primavera Árabe de 2010.

A onda regressiva é forte, mas, como toda onda, vai e vem. Quem se aventuraria hoje a prever como será o mundo pós-pandemia?

"Os filósofos se limitaram a interpretar o mundo de diversas maneiras; o que importa é transformá-lo." Há que reformular o famoso apelo de Karl Marx. Hoje, mais do que nunca, é imperativo interpretar o mundo para que ele possa ser transformado. Sem esse esforço intelectual não seremos capazes de enfrentar o desafio sem precedentes de revitalizar a política e reinventar a democracia.

COMO MORREM AS DEMOCRACIAS

A meu juízo, talvez o livro que melhor analisou a crise da democracia no Ocidente seja o de Steven Levitsky e de Daniel Ziblatt, *Como as democracias morrem*, de 2018. Não é o único. Só para mencionar mais um (e há outros), o inglês David Runciman também escreveu um livro instigante com o título *Como a democracia chega ao fim*.

A ideia-chave de *Como as democracias morrem* é que a permanência de um regime democrático depende tanto da existência de uma cultura democrática quanto de regras institucionais que regulem o jogo político-partidário. Para os autores, as probabilidades de um sistema democrático se manter dependem de que haja o que eles chamam de "tolerância mútua" (ou seja, que os adversários possam ganhar o poder pelo voto) e, ao mesmo tempo, do que eles chamam de "reserva institucional". Quer dizer, mais do que respeitar as letras da lei, é preciso que se respeite seu "espírito", que não se pratiquem atos aparentemente legais mas no fundo contrários às ideias básicas da democracia constitucional.

Sem dar a ênfase que dou aos meios contemporâneos de comunicação e à possibilidade que eles oferecem às pessoas de aumentar via redes seu poder de influência na sociedade, os autores destacam que Trump foi eleito em 2016 mesmo sem contar com o apoio do establishment e a despeito da oposição aberta de líderes tradicionais do Partido Republicano. Mitt Romney, candidato à Presidência em 2012, dizia que Trump era uma fraude e não tinha "nem temperamento nem discernimento para ser presidente".

A grande responsável "por acachapar o poder dos guardiões [instituições] tradicionais", em especial a mídia independente, foi a habilidade que os demagogos demonstraram no uso das novas ferramentas de comunicação. Trump, dizem Levitsky e Ziblatt, pelo seu estilo tonitruante e agressivo dominava "a cobertura gratuita dos veículos tradicionais e [era] filho preferido de grande parte da mídia alternativa de direita, [...] sobretudo noticiários da TV a cabo e redes sociais".

Trump estava sempre na ofensiva, pautando o debate com declarações insultuosas a mulheres, negros, imigrantes. Longe de enfraquecê-lo, sua linguagem desabrida e seu desapego total à verdade fortaleciam sua imagem junto a seu eleitorado. Assim procedendo, quebrou várias das regras mais sagradas da cultura política americana, como certo respeito entre os candidatos rivais e a aceitação das regras tradicionais do jogo político.

Os autores sabem que a democracia americana tem perdurado não porque a Constituição em si a garanta, mas porque na cultura do país desenvolveram-se "normas democráticas fortes". Ou seja, "regras informais que, embora não se encontrem na Constituição nem em quaisquer leis, são amplamente conhecidas e respeitadas". Em outras palavras, diríamos: existe uma cultura democrática. É precisamente a ela que a polarização política se opõe.

Os percalços da democracia nos Estados Unidos correspondem também a realinhamentos profundos na interação entre sociedade e política. Pela primeira vez em quase um século, filiação partidária e convicção ideológica convergiam, com os republicanos se tornando predominantemente conservadores, enquanto os democratas eram liberais. A política do medo, do ressentimento e da desqualificação do adversário elegeu Donald Trump em 2016. Em 2020 o feitiço virou contra o feiticeiro. A nação continuava profundamente dividida, mas dessa vez o espírito de liberdade, fundamento da democracia americana, triunfou sobre o preconceito e a intolerância.

A maioria dos eleitores brancos, protestantes, pessoas sem diploma universitário e habitantes das cidades do interior votou em Trump. Já a maioria das mulheres, jovens, negros, pessoas com diploma universitário e moradores das grandes cidades votou em Joe Biden. A recusa de Trump em reconhecer a gravidade da pandemia lhe custou caro, como também suas atitudes misóginas e racistas. Suprema ironia, o voto negro foi decisivo tanto na escolha de Biden nas primárias do Partido Democrata quanto em sua vitória nos estados de Pensilvânia, Michigan e Geórgia, que lhe deram a maioria no Colégio Eleitoral.

O novo, nos Estados Unidos, não é apenas a forma de comunicação, mas o modo como as questões básicas do país são percebidas e processadas pelos eleitores. Quem se esquece da imagem chocante de um policial sufocando com o joelho um negro caído no chão, levando-o à morte? O racismo e mesmo a classe social estão por trás da violência.

As manifestações de protesto do movimento Black Lives Matter nos meses que antecederam a eleição, em vez de apenas assustarem o eleitorado conservador, consagraram o respeito à diversidade como um valor constitutivo da nação.

## AUTORITARISMO E POPULISMO

A história nunca se repete. Entretanto, mesmo renovando-se, há traços do passado que podem persistir. E é preciso colocar esses traços no contexto atual.

Não creio que o conceito de populismo seja um guarda-chuva capaz de abrigar o autoritarismo contemporâneo. Sei que o uso do conceito se generaliza, mas, no caso latino-americano e brasileiro, o populismo de outrora agregava setores da sociedade ao jogo político, enquanto os chamados populismos autoritários contemporâneos têm a tendência oposta: excluem aqueles que julgam estar "contra a nação", tal como a consideram os autoritários que estão se apossando do poder em diferentes países.

Há pontos em comum entre os antigos populismos e os contemporâneos: a força carismática do líder e o desprezo pelos partidos (não pelos movimentos conduzidos pelo líder), organizações nas quais se cevariam os "políticos", essa "classe detestada" formada por aproveitadores que enganam o povo...

Os líderes populistas se apresentam sempre como os regeneradores da nação, mais do que simplesmente reformadores do sistema político. Sua retórica enfatiza a luta contra a corrupção "dos políticos e dos partidos", ao mesmo tempo que negociam apoios em troca de cargos e benesses. São chefes incontestes de seus respectivos partidos, competem com outros partidos nas eleições, mas não se confundem com eles. É de sua natureza buscar sempre a ampliação de seu poder sobre a sociedade e a política, seja pela cooptação, seja pela coerção.

É assim que a democracia corre o risco de ser paulatinamente substituída por formas novas de autoritarismo, com base popular, mas que não são, como no tempo do fascismo ou do nazismo, guiadas por partidos totalitários que excluíam por lei os demais. Usam a lei em benefício próprio até que se veem sob ameaça de perder o poder pela via eleitoral. Diante de tal risco, podem tentar mudar as regras do jogo em seu favor antes das eleições ou não aceitar o resultado do voto e virar a mesa, como tentou inutilmente fazer Donald Trump.

Chegam ao poder pelo voto, mas não têm nenhum compromisso real com a democracia. Usam todos os meios de que dispõem para assegurar uma maioria "própria". Por palavras e atos passam a corroer as regras democráticas e as instituições que as sustentam. Não por acaso atacam sistematicamente o Parlamento, o Judiciário, a mídia, a ciência, a universidade, a arte e a cultura, transformados em inimigos corruptores das tradições nacionais.

Ainda que, na origem, não liquidem o regime de liberdades que a democracia clássica assegura, fazem-no com o correr do tempo. No começo, menosprezam os demais partidos, mais do que os liquidam. Se necessário, aí sim, os matam. Por isso convém não confundir os populismos latino-americanos de outrora (o varguismo e o peronismo), mais vinculados a uma visão favorável à integração na vida política de setores que dela estavam excluídos (que, por isso mesmo, tinham em geral certos ares de esquerda) com os atuais populismos de direita. Os atuais, ao contrário, têm horror a qualquer forma de esquerda e também ao liberalismo, que lhes parece a porta de entrada do esquerdismo.

A CRISE NO BRASIL

Quanto mais conectada é a sociedade, mais os partidos podem dar a impressão de que podemos prescindir deles. E, no entanto, contraditoriamente, é nos momentos de crise que mais se precisa senão de partidos, de líderes democráticos, capazes de dar um rumo e apontar um caminho para a reconstrução da esperança.

As semelhanças do cenário autoritário e populista com o que ocorre no Brasil são óbvias. Entretanto, é prematuro considerar que a democracia se esvaiu entre nós e que teremos um novo autoritarismo. Precisamos esperar a evolução das tendências autoritárias, mas sobretudo as atitudes das forças que se lhe opõem. Não cabem dúvidas de que também na nossa situação atual existem tendências que podem corroer a democracia. Elas, contudo, não dependem só dos ímpetos autoritários de quem exerce o poder, mas também da ancoragem que possam vir a ter na cultura política e na capacidade da sociedade de salvar a democracia.

Tradicionalmente, em nossa cultura política e mesmo na sociedade, o mandonismo exerce papel forte. Terá persistido com força equivalente na sociedade urbanizada, industrializada e, sobretudo, conectada pelos meios de comunicação contemporâneos? Não há resposta sintética: a variedade regional e social do país impede tal proeza. O que não quer dizer que não se possa tentar analisar como se mesclam valores e situações sociais diferentes para formar tendências predominantes. Dessa variedade pode resultar uma impressão geral. É na formação desse processo que os meios de comunicação, inclusive as redes sociais, atuam para criar um sentimento comum, dominante, a despeito da existência de distintas situações de vida.

Tal sentimento com frequência nos leva a uma polarização que insiste em que uns políticos representam o Bem e outros o Mal. Apesar de existirem singularidades, consolidam-se visões que podem ser partilhadas por muitos, graças sobretudo aos meios de comunicação e às redes sociais. Para entender essa "diversidade ligada a um todo", é preciso caracterizar não somente as diferenças culturais (no sentido antropológico), mas as formas que a democracia assumiu entre nós. É certo, reafirmo, que pouco a pouco o dinamismo da economia, a mobilidade social e a pluralidade de visões permitiram a formação de uma opinião pública que conta. Também é certo que o sistema de democracia representativa se fortaleceu com a vigência da Constituição de 1988.

A cultura não democrática, entretanto, deita raízes seculares em nossos comportamentos. A despeito de nas leis vigorar a democracia, existir o sistema multipartidário e, no fundo, haver algum equilíbrio entre os poderes (com os controles do Executivo exercidos pelo Parlamento e pelos tribunais), na cultura das classes dominantes ainda prevalece, para usar a fórmula habitual, o "Você sabe com quem está falando?". Em outros termos, continuam a existir desigualdades sociais que se traduzem em formas autoritárias de agir, sancionadas pela tradição cultural.

Não menciono o peso da cultura tradicional para minimizar os efeitos da consolidação institucional da democracia, que se enraizou depois da Constituição de 1988. Mas há muito a inovar, a mudar. Para começo de conversa, é preciso sublinhar que o sistema partidário, tal como o temos, é cada vez mais uma colcha de retalhos. Pior, o povo presta pouca atenção aos partidos, pois não são eles que têm o poder de definir e controlar o comportamento das pessoas. Por outro lado, a opinião pública, que se expressa nas mídias convencionais, também pesa menos do que as opiniões que se manifestam nos meios não convencionais. Nestes, cada vez mais influentes, formam-se bolhas de opinião mais do que um pensamento político. A variabilidade e a instantaneidade delas não impedem, contudo, seus eventuais impactos sobre o jogo de poder.

Tudo isso enfatiza o papel dos formadores de opinião, sobretudo dos youtubers, nem sempre tão visíveis aos donos tradicionais do poder. É assim que, da noite para o dia, estes últimos se surpreendem com os acontecimentos. Não perderam a capacidade de reagir, mas quem paga o custo dessas reações, quando fortes, são as instituições democráticas. Como mantê-las e, ao mesmo tempo, torná-las contemporâneas às formas de comunicação e às expectativas do povo? Essa é a questão.

Que os governos são fruto da opinião tal como foi expressa nos votos, não há dúvidas em nosso caso: há décadas é assim. Mas durante as eleições os partidos não apenas contam pouco para estabelecer e controlar posteriormente as diretrizes dos governos, como os próprios candidatos, que contam mais que os partidos, não se sentem obrigados a esclarecer suas linhas de governo. Ou, quando o fazem, não é a elas que o eleitor associa seu voto. Este depende mais das simpatias, das recomendações da família, dos amigos, ou do sentimento positivo ou negativo sobre os governos anteriores.

Não quero, portanto, simplificar: não foi só agora, com a eleição de Jair Bolsonaro, que tais fatores primaram. Possivelmente em todas as eleições (inclusive as minhas) ocorreu o mesmo: daí a facilidade com que o eleitor se arrepende e volta a votar contra, premido por circunstâncias mais do que por programas ou visões do mundo.

Tudo isso está assegurado por uma legislação que, desde o fim do autoritarismo, de outra coisa não cuidava senão de dar liberdade de escolha aos cidadãos, o que obviamente é importante. Contudo, não se imaginava que as bases institucionais da democracia iriam pouco a pouco se retalhar tanto.

Compreendo a motivação da busca por uma irrestrita liberdade de escolha. Na época da Constituinte, foi uma reação contra os regimes opressivos. Eu era senador e presenciei esse sentimento se consolidar no Congresso. Portanto, se crítica existe por não havermos estabelecido regras que levassem à formação mais autêntica de partidos, ela implica autocrítica. Mas é chegado o tempo para tentar mudar a tendência, não quanto à livre escolha dos eleitores, mas quanto aos partidos e seus programas.

Por certo, não basta mudar a legislação para transformar os comportamentos, que também dependem da cultura. Por isso mesmo, cabe a quem exerce o poder ou o critica, a quem influencia a opinião pública, exercer certa exemplaridade. Para isso, às vezes, há que remar contra a maré da tradição, do familismo e, principalmente do "toma lá, dá cá". Este existe, pois está enraizado na vida política: os partidos, exagerando, vivem do butim do Estado. Como então reduzir essa tendência, se não for possível mudá-la?

Já houve um plebiscito sobre o parlamentarismo e o presidencialismo, com vitória acachapante deste último. O presidencialismo é mais afim com a tradição cultural: "quem pode, pode; quem não pode que se acomode". E mais: está enraizado nos interesses predominantes econômica e socialmente. Talvez seja necessário repensar o sistema de votos e os requisitos para a formação de partidos. Explico: mesmo sem mudar o regime de governo, é possível mudar o sistema de voto, "distritalizando-o" mais. Para quê? Para romper a barreira entre os políticos e a massa do eleitorado. Hoje a distância é incomensurável e basta perguntar em quem o eleitor votou para deputado que a resposta vem de pronto: "Não me lembro...".

Será bastante "distritalizar" o voto para tornar nossa democracia mais efetiva? Duvido, mas essa medida vai na direção desejável. Como não acredito que, de repente, a cultura mude, o jeito é tomar uma série de medidas que convirjam para o rumo desejado: o fortalecimento de vínculos entre eleitores e vida política. Principalmente se as lideranças assumirem o propósito de aperfeiçoar as regras democráticas.

Convenhamos: em um sistema legislativo (e eleitoral) formado por dezenas de partidos, criam-se agrupamentos que contam para a aprovação de leis, mas que dispensam uma definição político-ideológica mais clara. Em nosso caso, são dezenas de siglas a funcionar e a ter peso no voto congressual, e, portanto, na aprovação de leis. O butim do Estado, por isso mesmo, acaba sendo quase imperativo para quem governa, se quiser aprovar alguma legislação significativa.

Para contemplar tais exigências se formou o que veio a ser chamado presidencialismo de coalizão. Ou seja, os governos são sustentados no Congresso por uma soma de partidos (na verdade alguns são meras siglas que beneficiam quem as controla, pessoas e às vezes famílias...) que têm a uni-los o cimento de posições ocupadas na estrutura dos governos e de suas repartições. Tal mecanismo começa com a nomeação dos ministros para a formação dos governos no plano nacional, e segue com os próprios ministros nomeando correligionários e simpatizantes para ocupar cargos e exercer funções na administração pública. E tal cenário se repete nos estados e nos municípios.

Sempre se poderá alegar que existem temas sociais (a desigualdade) e econômicos (a oferta de empregos) mais importantes e urgentes do que reformas políticas. E mesmo discriminações que negam direitos básicos de cidadania, como preconceitos de gênero ou de cor. Ainda assim, pergunto: que haverá, mais importante politicamente, a longo prazo, do que a consolidação das instituições democráticas? E são elas que estão em jogo nas formas atuais de exercício de controle dos governos por suas instituições (tribunais de contas, legislativos e Judiciário) e na maneira de expressar os sentimentos populares ou mesmo na possibilidade de a população interferir no controle das políticas públicas.

Não estou dizendo que basta isso para salvar a democracia.

Obviamente, quando se olha para a distribuição de renda no Brasil, sua desmesurada concentração salta aos olhos. Dificilmente, a longo prazo, uma democracia se consolida com tamanha desigualdade na renda das pessoas (aí incluídas as subempregadas, as desempregadas e as que não têm competências ou condições físicas e sociais para se empregarem). Problema fácil de ser enunciado e difícil de ser solucionado.

Para tornar curta uma longa história, exemplifico: com a ajuda do senador Roberto Campos, tentei definir a lei específica para tornar exequível o mandamento constitucional sobre um "imposto sobre grandes fortunas", como eu havia procedido (com a ajuda inestimável de meu então assessor, Eduardo Jorge Caldas Pereira) com todos os demais mandamentos tributários da Constituição. Logramos aprovar a lei no Senado, pois éramos líderes de bancada. Nunca o conseguimos na Câmara. Mas, para o resto da vida e a despeito da assinatura de meu colega mais conservador, meu apoio foi visto como prova de meu esquerdismo.

Assim como a concentração de renda é gritante e pouco se faz para corrigi-la, há outros problemas sociais graves. O mais visível, com sua aceleração pela pandemia e pela necessidade de uma educação que prepare os jovens para o mundo contemporâneo, talvez seja o desemprego crescente. Para não falar da violência contra as mulheres e a persistência do racismo.

Hoje mesmo temos o capitão, que se quer mito. Sem discutir suas tendências e seu desapego às regras democráticas, devo dizer que com isso mantemos o padrão antigo e, não é de se afastar, a volta ao populismo. Precisamos, mais do que de líderes que se autoconsiderem (pior se o forem...) carismáticos, de regras institucionais que revigorem a democracia de massas.

No Brasil de hoje temos um sistema (para usar o termo que se usava na luta contra o autoritarismo) que assegurou liberdades civis e políticas, destacando-se, em particular, a liberdade de imprensa. Mas que não conseguiu interiorizar nas pessoas a crença real na democracia, isto é, não só na liberdade como também na necessidade de existirem instrumentos de poder (inclusive partidos) submetidos a regras e ao desejo do eleitorado.

Na ausência dessa crença, facilmente se volta aos salvadores da pátria, os quais, querendo ou não, acabam por minar as instituições democráticas. Não é de líderes populistas que carecemos, mas de uma cultura mais democrática à qual o povo se apegue. O processo de desfazimento democrático começa pela demonização dos adversários que passam a ser inimigos. O conhecimento, a ciência, a informação verídica, o debate viram alvo do obscurantismo. Assim, começa-se a colocar em risco o que não ocorreu nos Estados Unidos com a derrota de Trump, mas bem pode ocorrer aqui: a crença na rotatividade do poder, por meio de eleições. Tal resultado, o da perda da democracia, não está "inscrito" na história de nossa vida política, mas também ainda não há confiança no seu contrário para se dizer: desta estamos livres.

# 12. O Brasil e o seu futuro

De tempos em tempos nossa história política é atravessada por pontos fora da curva, demagogos que se apresentam "contra tudo que está aí". No passado relativamente recente, penso em Jânio Quadros e Fernando Collor.

Salvadores da pátria costumam ter um momento efêmero de sucesso, quebram ou ameaçam quebrar estruturas e fracassam, vítimas de seu próprio personalismo e autoritarismo. Têm mais capacidade de destruir do que construir, semeiam divisões e desprezam convergências. Criticam a democracia em suas deficiências, mas a solução que, se não almejam, praticam, é quebrar a democracia, não aperfeiçoá-la,

Será o caso de Jair Bolsonaro? No momento em que escrevo o presidente se aproxima da metade de seu mandato. Sem partido, sem rumo e sem norte, mantém, contra tudo e contra todos, uma retórica agressiva, polarizadora, destrutiva dos consensos que fundam a democracia, o espaço público, o bem comum. Até quando? Espero que não ultrapasse um mandato...

## O TSUNAMI DE 2018*

Um obscuro deputado, ex-capitão, é eleito presidente do Brasil no segundo turno em 28 de outubro de 2018, numa eleição-tsunami que varreu o sistema político brasileiro, encerrando o ciclo político-eleitoral iniciado depois da Constituição de 1988. Um ciclo que ruiu graças ao modo pelo qual se formaram os partidos, o sistema de voto e o financiamento das campanhas. Por fim, graças à sensação de corrupção. Quando não ela própria.

A vitória da candidatura Bolsonaro funcionou como um braço cego da História: acabou de quebrar o que já estava em decomposição. Há muitos cacos espalhados, uma reconstrução se impõe.

O sistema político-partidário não ruiu sozinho. As fraturas são maiores. Antes, o óbvio: a Lava Jato mostrou as bases apodrecidas que sustentavam o poder, sacudiu a consciência do eleitorado. Qualquer tentativa de reconstruir o que desabou e de fazer emergir algo novo passa pela autocrítica dos partidos, começando pelo PT, sem eximir o PMDB e tampouco o PSDB e os demais. Na sua maioria, os partidos são sopas de letras e não agremiações baseadas em objetivos e valores. Atiram-se na captura do erário, com maior ou menor gula.

Visto em retrospectiva, é compreensível que um sistema partidário sem ligações maiores com a base da sociedade desmonte, e que sua ruína receba aplausos populares. Os mais pobres encontram nas igrejas evangélicas — e em muito menor proporção na Igreja católica e em outras religiões — recursos para se sentirem coesos e integrados. O povo tem a sensação de que os parlamentos e os partidos não atendem a seus interesses. O elei-

---

* Algumas das reflexões desta seção foram publicadas em "Um novo caminho", *O Estado de S. Paulo*, 2 dez. 2018, Espaço aberto, p. A2.

torado, contudo, não desistiu do voto e imaginou que talvez algo "novo", inespecífico, poderia regenerar a vida pública.

Inútil imaginar outros motivos para a vitória "da direita". Não foi uma direita ideológica que recebeu os votos. Estes foram dados mais como repulsa a um estado de coisas em geral e ao PT em particular. O governo foi parar em mãos mais conservadoras e mesmo de segmentos abertamente reacionários. Mas não pelas propostas ideológicas que fizeram, e sim pelo que eles simbolizaram: a ordem e a luta contra a corrupção.

Enganam-se os que pensam que "o fascismo" venceu. Enganam-se tanto quanto os que vêm o "comunismo" por todos os lados. Essa polarização não existe mais no mundo real, apenas na mente dos que acreditam nos delírios que propagam.

As questões centrais da vida política não se resumem no mundo atual à luta entre esquerda e direita. No passado, o espectro político correspondia a situações de classe, interpretadas por ideologias claras, assumidas por partidos. Na sociedade contemporânea, com a facilidade de relacionamento e comunicação entre as pessoas, os valores e a palavra voltaram a ter peso para mobilizar politicamente. Isso abre brechas para um novo populismo e uma exacerbação do personalismo. Esta foi a minha primeira interpretação do ocorrido.

A escalada autoritária de Bolsonaro, os ataques ao Congresso, ao Judiciário, à mídia, sua negação da ciência no enfrentamento da pandemia, as agressões constantes às mulheres, aos negros, aos indígenas, seu descaso com a Amazônia e o meio ambiente configuram uma situação de risco claro à democracia.

No momento difícil de crise sanitária, social e econômica pela qual passa o país, o "nós" contra "eles" é mais do que daninho. A vítima é a estabilidade da democracia, conquista civilizatória que nos tem permitido resolver os conflitos políticos de modo pacífico. Quem a põe em xeque ou silencia frente a vozes autoritárias não é conservador. É promotor da desordem e do retrocesso civilizatório ou conivente com ele.

A CONVERGÊNCIA NECESSÁRIA

As eleições municipais de novembro de 2020 nos deram certo alento. Candidatos apoiados pelo presidente Bolsonaro foram derrotados em quase todas as capitais. Os vitoriosos representaram um arco abrangente de forças que tinha em comum os valores da competência administrativa e o compromisso com a democracia. A eleição foi também um marco na defesa das liberdades e no respeito à diversidade, tão vilipendiados pelos atuais ocupantes do poder. Mulheres, negros, representantes da comunidade LGBT ampliaram sua presença nas câmaras de vereadores. E os jovens, de quem tanto espero, participaram como nunca dos debates nas redes sociais que precederam à eleição. Tudo isso é de muito bom augúrio para o futuro da democracia no Brasil.

Nas horas de maior perigo, maior a urgência de estarmos juntos em defesa do que nos une, a liberdade. É nos tempos de crises que mais facilmente surgem grandes líderes, não nos períodos de calmaria. Digo sempre que a política, para ter lumes, precisa ser "fulanizada". A população vota em pessoas, não em partidos ou em ideias. Na política, além do debate de ideias, é preciso ter o símbolo e a pessoa que o exprima. A mensagem tem que se personalizar em alguém.

No momento oportuno, espero, se todos tiverem a maturidade e o amor ao país e ao povo que a situação exige, não é impossível imaginar que o campo de forças democráticas se una em torno de quem reúna as melhores condições de vitória. Que, desejavelmente, será quem mais seja capaz de falar à população para transmitir confiança e esperança em dias melhores no futuro. Voz e mensagem movem montanhas. Foi assim no passado quando todos os democratas apoiaram Tancredo Neves na eleição que marcou a transição do autoritarismo para a democracia. Alianças e convergências são dinâmicas que se constroem num trabalho paciente e de resultado incerto, em clima de diálogo e respeito mútuo.

Sou teimosamente otimista. Kenneth Galbraith dizia que a política não é a arte do possível. E eu gosto de dizer que ela é a arte de tornar possível o necessário. Em outras palavras, a arte de ampliar o campo do possível. Precisamos sentir dentro de cada um de nós a responsabilidade pelo destino nacional. Somos 210 milhões de pessoas, já fizemos muito como país, temos recursos, há que voltar a acreditar em nosso futuro. As pessoas desejam, sobretudo, um governo que diga em alto e bom som que decência não significa elitismo, mas condição para a aceitação dos líderes pelos que hão de sustentá-los.

Como alguém que sempre se interessou por captar o novo e não apenas repetir o já sabido, tenho a convicção de que estamos vivendo em um novo mundo no qual o poder é mais difuso, as inovações tecnológicas impulsionam a mudança social, os Estados são mais vulneráveis e as sociedades mais resistentes.

É tempo, portanto, de ir além do conceito de que só o Estado pode construir a nação. A ação cidadã e a opinião pública têm um crescente poder transformador. Embora as instituições sejam imprescindíveis: não há democracia sem partidos políticos.

A solução da crise que estamos vivendo passa pela formação de um novo bloco de poder que tenha força suficiente para reconstruir o Estado brasileiro. Bloco de poder não é um partido, nem mesmo um conjunto deles, é algo que engloba, além dos partidos, produtores e consumidores, empresários e assalariados, cientistas e criadores de cultura, e que se apoia também nos quadros civis e militares das grandes carreiras de estado.

Olhando para as eleições de 2022 e para além delas, por mais ambiciosa que seja essa meta, não há nada mais urgente a se fazer. Se não tivermos êxito na construção desse campo de forças democráticas, corremos o risco de perpetuar no poder quem dele não sabe fazer uso, quando não o faz para proveito próprio. E nos arriscamos a perder as oportunidades que a História nos está abrindo para ter rumo definido.

OS JOVENS E A POLÍTICA

Há anos abro sistematicamente espaço na minha agenda para encontros com jovens, tanto profissionais e alunos de escolas públicas da periferia e dos bairros de São Paulo, como jovens de escolas de elite. E também faço seminários para jovens de famílias empreendedoras. Os formatos são variáveis. Com os últimos, por exemplo, houve um diálogo que abrangeu cerca de 150 jovens de vários estados brasileiros, do Amazonas ao Rio Grande do Sul, com os quais me encontrei, e continuo a encontrar, mensalmente, por cerca de três horas, para conversar sobre um ideal de país que possa inspirar a nova geração. Em geral não me fazem perguntas por eu haver sido presidente, como se eu fosse um oráculo: me perguntam muito mais sobre o que acontece hoje do que sobre o passado. Ou seja, falam sobre o que lhes interessa e os preocupa.

Esses encontros são conversas em que ouço tanto quanto falo. Sinto certo orgulho na relação que se estabelece entre nós. É muito difícil saber o que dizer aos jovens. Eles estão tão ligados, tão conectados, sabem tanta coisa. Há que ouvir e dizer com eles. Em momento de ruptura, de transição, de incerteza, em que, para repetir, "tudo que é sólido se desmancha no ar", o grosso da juventude vai descobrir o caminho por ela mesma. No imenso corte geracional inerente ao mundo virtual, ao contrário de minha geração, hoje não há mais *maître à penser*. No meu caso, a descoberta da realidade foi percebida mais por meio dos livros do que da vida. Nunca me esqueci do que meu pai sempre dizia: "os que leem sabem muito, os que veem às vezes sabem mais".

Quando meus netos eram menores, eu me comportava com eles como se fosse criança. Brincava, inventava histórias, pregava peças. Eles não me levavam a sério. Também foi assim com meus filhos. Não ser levado a sério era a única maneira de não tolher sua espontaneidade. Até hoje penso ter uma boa relação com eles porque não sou o avô que dá a lição, não sou o sábio. Fui o avô quase infantil, que fala bobagens. Os netos iam perguntar aos pais se o que eu dizia era verdade. A melhor maneira de um adulto se relacionar com os jovens é deixar que eles sejam jovens.

Fala-se muito de uma nova relação dos jovens com a política. Eles hoje são atores. Mais do que ninguém, se mobilizam pela causa ambiental. São também os que mais apoiam o direito de cada um viver sua vida. Não há mais destinos preestabelecidos.

As causas que mobilizam os jovens são movimentos que nascem e se expandem na sociedade. Na minha geração, era um consenso que o partido consistia no instrumento para participar da política. Não é mais assim hoje. Eu pertenço à geração que emergiu nos anos 1960 e 70, época de grandes transformações na ciência e na tecnologia, por um lado, e no plano das liberdades e dos direitos, por outro lado.

Impulsionado por Maio de 68 na França e pela contracultura nos Estados Unidos, este foi o momento em que o conceito de liberdade política começou a se estender à dimensão da vida privada e da intimidade. Temas delicados e controversos como sexualidade, casamento, reprodução, trabalho, fé, dever, lealdade foram debatidos não como problemas abstratos e sim como escolhas morais. A fermentação social e cultural dessas décadas não podia deixar de influenciar o espírito aventureiro e inovador dos jovens da Califórnia que lançaram a revolução comunicacional.

Os jovens de hoje pertencem a uma geração que é herdeira desta era de grandes transformações. Dispõem, e os usam como ninguém, de instrumentos com os quais nem sequer sonhávamos, que são as novas redes de comunicação. Por isso os movimentos que mobilizam as energias dos jovens são muito mais afins às redes, nas quais as pessoas se conectam saltando estruturas. Cada um fala com muitos, sem intermediários. É nesse burburinho incontrolável das redes que opiniões se formam, protestos se organizam, novos líderes aparecem, os influencers. As antigas estruturas, como os partidos, não deixam de ter vigência, mas ninguém sabe como vai ser o relacionamento entre partidos e movimentos. Tudo hoje é menos sólido, mais fluido, volátil e imprevisível.

A revolta que irrompeu recentemente no Chile ou o protesto dos Coletes Amarelos na França não foram liderados nem controlados por nenhum partido. Por vezes sequer se sabe quem são os líderes desses movimentos e quais são exatamente suas reivindicações. Eles dão a impressão de brotar da sociedade, tendem a ser mediáticos e exprimem desejos profundos de mudanças que o sistema político tem dificuldade de captar.

O tempo de maturação da política é mais longo, muito diferente do tempo de maturação de movimentos que são mais espontâneos e voláteis. Quem teve experiência de poder sabe que governar requer um tempo de maturação mais longo e estruturas estáveis. Como uma ponte entre causas e partidos surgem os movimentos de renovação da política, que se fortaleceram nas últimas eleições nacionais e municipais. A história nos dirá como se darão as coisas. Os jovens vão se orientar por partidos ou vão guardar o perfil de participação em movimentos? Ou as causas e as estruturas coexistirão? E qual vai ser o destino disso tudo quanto aos padrões tradicionais de governar?

Minha geração tinha um projeto para o Brasil. Em primeiro lugar, a democracia. Depois a modernização do Brasil e sua integração no mundo. E realizamos esse projeto. A nova geração talvez ainda não tenha um projeto para si e para o Brasil. Mas já tem algumas identidades políticas: a salvação do planeta é uma causa que mobiliza os jovens por toda parte. O que os torna mais suscetíveis ante os desafios globais.

Creio também que muitos jovens, não todos evidentemente, talvez sequer a maioria, mas os que são mais ativos nas redes de comunicação, têm uma postura libertária em relação a causas como os direitos das mulheres, o combate ao racismo, a não discriminação da comunidade LGBT, a questão das drogas etc. Além, é claro, do grande tema aglutinador que é a proteção do meio ambiente.

Sinto que para as novas gerações o indivíduo, os comportamentos e os valores têm uma centralidade maior do que tinham para a minha. Não há mais regra ou destino imposto pela religião e pela tradição, cada um quer fazer escolhas, viver muitas vidas, dar sentido à sua vida. Os da minha geração se preocupavam mais com a mudança das estruturas sociais, com o interesse público, com as dimensões da política e do poder. Serão ênfases incompatíveis? Não creio. Nem os da minha geração nem os jovens creem no individualismo possessivo; não aceitam a persistência da desigualdade social e não suportam a humilhação dos mais fracos. Hoje há um novo tipo de individuação. Talvez a palavra mais justa seja personalização. Nosso ponto de encontro estaria na possibilidade da afirmação dos valores de liberdade e de dignidade, nome contemporâneo da igualdade.

Uma questão para a qual não temos resposta, nem nós velhos, nem os jovens, é sobre a crise da política, dos partidos e das formas de representação. É verdade que os mais jovens mantêm distância da vida política e, consequentemente, dos partidos, mas tampouco dão resposta à interrogação sobre como fazer política sem partidos.

Em tempos de ditadura era muito mais fácil valorizar a reconstrução da democracia do ponto de vista institucional. As novas lideranças jovens me parecem mais expressivas do que organizadas. Mais voltadas para valores e causas que para instituições e políticas. As circunstâncias são outras, é verdade, a descrença na democracia não é um fenômeno brasileiro, afeta muitos países da Europa, das Américas e abre o caminho para a ressurgência do autoritarismo regressivo.

Nenhuma conquista é para sempre, tampouco nenhuma regressão autoritária é inexorável. E nem as gerações se repetem. É da natureza das coisas que haja grandes diferenças entre os jovens de hoje e os de minha geração. Diferenças mas não oposições.

Está mais do que na hora de passarmos o bastão. Mas quem o pegar terá que responder sobre o que fazer com o Brasil. Minha geração acreditava saber qual rumo dar ao Brasil, achava que, além da democracia, era preciso haver crescimento econômico e melhor distribuição de renda. Agora, quem sabe com a pandemia nos assombrando, torne-se mais claro que a desigualdade a que chegamos é inaceitável. Em tempos normais temos dificuldade em ver a pobreza, os excluídos, os sem escola e os sem hospital. Talvez agora, em termos excepcionais, o invisível se torne visível e, portanto, insuportável.

A essa dimensão social problemática, que vem de muito longe, somam-se questões contemporâneas sobre o meio ambiente, o estilo de vida, as relações entre as pessoas. Tenho expectativa de que os jovens, que já vivenciam e valorizam um outro modo de viver, deem visibilidade a essas novas questões.

No livro que eu escrevi em 2006 e reeditei em 2017, *Cartas a um jovem político*, mandei a seguinte mensagem: "Só entre na política para tentar mudar as coisas para melhor. Sonhe que será possível, mas não se perca no sonho: ajude a construir um caminho que permita fazer com que a vida das pessoas melhore".

Na minha geração, a luta pela democracia foi a causa que nos uniu, gerando, como diriam os portugueses, um "querer coletivo" que progressivamente se tornou irreprimível.

Que causa teria hoje o condão de mobilizar a todos?

O ideal da minha geração, liberdade, democracia, continua atual. Eu creio que as novas gerações ainda não têm o que eu chamaria "uma utopia viável". Sei que a expressão é, logicamente, uma contradição nos termos. Utopia, por definição, é o que pode ser sonhado, mas não realizado. A utopia pode dar um norte, um mapa do caminho, um guia para a navegação, mas não é um porto a que se chega.

A democratização foi um sonho que tinha base na realidade. Tanto que se concretizou. As novas gerações vão ter que se encontrar com a realidade. Elas sabem da pobreza e da desigualdade. Mas os jovens também precisam saber que a persistência do atraso, da exclusão e da discriminação prejudica a realização de seus sonhos de viver num país mais justo, mais em harmonia com o meio ambiente, mais respeitador das liberdades e das diferenças. Melhor para todos, inclusive para os que já são beneficiados pela Fortuna e pela Virtude.

Talvez já tenha havido a junção entre sonho e realidade. Não sei, provavelmente por desconhecimento meu. De todo modo, acho que a juventude precisa ter duas ou três grandes causas ou ideias e ser capaz de juntar gente em torno dela. Ninguém faz nada sozinho. É preciso somar forças e vontades.

Quem não tiver um sonho que seja ao mesmo tempo contraditoriamente pragmático, fica apenas no sonho. Quem fica apenas no pragmático acaba aprisionado no realismo do momento presente. E, sabemos, o realismo sempre tende a ser conservador.

O Brasil mudou e, acho eu, para melhor nos últimos cinquenta anos, apesar dos percalços e agonias do presente. Hoje somos um país mais aberto, um país que tem certo peso no mundo. Os ares do mundo batem aqui. Temos meios de comunicação que ligam todos a todos, temos imensos recursos naturais, temos instituições de excelência no plano da ciência e uma cultura da diversidade que é única no mundo. Enfim, há que preparar um projeto de vida compatível com essas condições. Tudo isso num mundo em processo vertiginoso de transformação. Há 75 anos não temos um conflito global. Temos guerras localizadas e novas ameaças globais, como terrorismo, mudança climática, pandemias, imigração selvagem etc.

Há pouco tempo o Brasil figurava, junto com a Índia, como uma das duas grandes potências emergentes, e, imaginava-se, em breve estariam contadas entre os países mais poderosos do mundo. Hoje perdemos a passada e o espaço. Mas isso pode e certamente será revertido.

O que vai resultar disso tudo? Cada uma dessas mudanças é um desafio com o qual a nova geração terá que se defrontar. Talvez a nova geração não tenha problematizado ainda o fato de que somos ocidentais. A cultura existe e pesa no comportamento. Qual vai ser o comportamento dessa nova geração? Ela se adaptará ao mundo tal como ele é ou vai tentar mudá-lo?

Os jovens querem mudar o mundo. Mas terão capacidade de se organizar para que possam efetivamente produzir alguma transformação? Minha aposta no novo me leva a achar que sim. As formas de participação, contudo, não poderão ser uma repetição das realizadas pelas gerações anteriores. A nova geração é muito menos ligada a ideologias, a grandes narrativas, do que foi a minha. Suas ideias são mais um fluir, um vivenciar, um sentir do que algo pensado e estruturado.

Muitos não se sentem representados no sistema político que temos hoje. Algo está errado. Na verdade é o algoritmo da política em sua totalidade que deve ser mudado. O esvaziamento da política gera um descompasso entre a liderança política e a pluralidade de pessoas criativas, capazes de inovar e comandar em vários setores da sociedade.

Como acelerar o processo de renovação da política? Esse enigma não é de fácil solução. Não sei se os jovens já têm a consciência plena — não é necessário que já tenham — do que significa "atuar politicamente". Significa renovar, mas construindo, aceitando o risco de que essa construção possa também vir a envelhecer. Mas há tempo para os distintos momentos da vida, agora não é hora de falar de envelhecimento. Eu não penso no meu, imagina pensar no envelhecimento das instituições... Não vale a pena. A hora é de cada pessoa se jogar com mais energia no que possa fazer de construtivo.

Eu não vejo ainda um conjunto de propostas partidas da nova geração que tornem possível a ela exercer o governo. Esse é o ponto. Não adianta só ter ideias. É preciso que as ideias tenham capacidade de levar a fazer alguma coisa. Fazer alguma coisa, no caso da política, implica dispor de, pelo menos, uma parte do poder institucional. A renovação se faz sempre, senão dentro do velho, a partir dele. Não há outro jeito.

Os jovens que estão hoje no Congresso devem estar horrorizados. Eu, quando cheguei ao Senado, achei que ia encontrar uma gente antiquada, bolorenta. Minha paixão era a sociedade civil. Eles também devem se sentir sufocados pela pouca repercussão das ideias que têm. Mas isso é o começo. Se tiverem capacidade de persistir e entenderem que as ideias sozinhas não mudam a realidade, verão que força e influência se constroem.

Sou otimista quanto à nova geração. Na política, para crescer é preciso ser capaz de liderar, o que pode ser alcançado de diferentes maneiras. Entre meu estilo e o do ex-presidente Lula, por exemplo, há muitas diferenças, mas ambos lideramos. Ninguém sabe por antecipação quem vai ser líder. Há uma questão de tempo. Levei dezesseis anos entre disputar a primeira eleição para o Senado e ganhar a eleição para presidente. Hoje tudo é muito mais rápido, a comunicação é instantânea, as lideranças no mundo virtual emergem da noite para o dia. Durarão?

Dominar o instrumental institucional leva tempo, sobretudo quando não se quer manter as coisas como estão. A política também é um aprendizado. Os que não estavam preparados e não foram capazes de lidar com as instituições caíram. Movimentar o instrumental institucional não quer dizer se adequar a ele, mas compreender os caminhos e as brechas para mudá-lo com ideias e propostas.

A transformação deve afetar diretamente a prática cotidiana das pessoas. Ou seja, os valores, os critérios éticos contam em cada ação: o que se escolhe, o lado que se está, como se faz, a busca de um objetivo e o comprometimento com tal busca. E quando parte de uma nova geração se reúne para pensar o Brasil e reafirmar, a despeito de tudo, que quer melhorar o país e recuperar o sentido de futuro, fica patente que se renovam as possibilidades de alcançarmos esse objetivo.

Não há outro caminho a seguir: temos de abrir espaço para as novas gerações em todas as frentes — nas empresas, nos partidos, na família, na vida. Afinal, com a energia e a generosidade dos jovens aliadas à determinação para realizar, nada impede que se joguem com coragem a favor das boas causas.

Concluo, voltando à questão ainda sem resposta da relação dos jovens com a política. Por enquanto, não vejo um conjunto coerente de proposições que exprimam uma proposta nova. Contudo, se algum setor da sociedade quiser e puder fazê-lo, a juventude será sempre a que estará melhor posicionada. Ela se inventa e inventa o mundo. Torço e tenho confiança de que esse processo haverá de amadurecer e frutificar.

Dá para ter esperança, sempre com o pé no chão e o olhar no horizonte. É sempre a ação dos cidadãos, inspirada em valores e interesses, que preserva a liberdade e a democracia. É tempo de refazer os fios entre sociedade e política, movimentos e instituições, *demos* e *res publica*.

#  13. Uma vida bem vivida

Em setembro de 2013, tomei posse na cadeira 36 da Academia Brasileira de Letras. No meu discurso de agradecimento, que reproduzo parcialmente a seguir, tentei mostrar como a compulsão por fazer, o éthos do político, e a paixão por entender, a chama que move os intelectuais, se entrelaçaram durante toda minha vida.

De fato, o grande desafio dos caminhos da política é evitar a tentação do Doutor Fausto de vender a alma ao demônio. A acrobacia weberiana que distingue a ética dos fins últimos, a dos valores, da ética da responsabilidade ajuda a sair da cilada. O nó da questão é não permitir que o que é contingente na ação prática destrua as crenças e os valores; estes devem manter-se também nas consequências dos atos praticados.

É nesse sentido que se pode falar apropriadamente de uma ética de responsabilidade. Ela é um avatar a mais a pesar sobre nossas convicções e não um álibi para não as ter. O homem de ação, além dos valores que embasam seus atos, torna-se responsável por suas consequências, ainda que essas não sejam produto de sua ação direta. Em uma palavra, é preciso escapar a todo custo do mantra de Maquiavel, pois os fins não justificam os meios. Bem ao contrário, ou os fins já estão nos meios ou nunca chegaremos ao objetivo almejado.

DEMOCRACIA E LIBERDADE

Meus primeiros trabalhos sociológicos foram sobre a condição de vida dos negros e sobre o preconceito racial. Mais tarde esbocei uma explicação do funcionamento de uma economia escravocrata, voltada para o comércio capitalista internacional. Que tipo de escravismo seria este, composto por empreendedores que eram ao mesmo tempo senhores de escravos?

Com o mesmo propósito, quando tentei entender a economia contemporânea e as características de nosso empresariado, afastei os esquematismos que tudo explicavam pela oposição entre o capitalismo internacional e os interesses nacionais, e endeusavam o papel da "burguesia nacional", atribuindo-lhe missões históricas semelhantes às que a burguesia europeia teria cumprido.

Sem desconhecer o que em nossa história deriva do universal, para realmente explicá-la é preciso acrescentar o que é próprio de nossas circunstâncias, de nossa cultura e de nossas adaptações criativas ao processo produtivo. A possibilidade de sendas próprias é o que assegura autonomia ao nosso desenvolvimento.

Daí foi fácil dar um passo e ressaltar nos estudos que fiz sobre a América Latina a necessidade de não simplificar, de não atribuir nossos males ou façanhas apenas ao exterior, ao "imperialismo". A oposição entre centro e periferia precisa ser submetida à análise histórico-estrutural. Há laços variáveis de dependência entre o centro desenvolvido e as periferias.

A multiplicidade das experiências históricas, a diversidade

de potencial econômico dos países, o jogo político entre os segmentos sociais e as diferenças culturais desmentem as oposições simplificadoras que podem acalantar em sua singeleza as mentes mais simples, mas também podem ter consequências sociais e políticas destrutivas.

Fomos condicionados pela polarização da Guerra Fria, e quando dela escapamos, a revolução científica e tecnológica nos meios de transporte e de comunicação já interligava as economias de todo o mundo. O colapso da União Soviética, em grande parte pela incompatibilidade entre inovação e autoritarismo, marcou o fim do conflito Leste/Oeste. Quando a muitos parecia que daí por diante viveríamos em um mundo homogêneo e unipolar, a História mostrou uma vez mais que, em vez do inevitável, ocorre o inesperado. A emergência da China, a unificação da Europa e o espaço que se abriu às novas nações, aos Brics, para usar o termo da moda, ampliaram as possibilidades nacionais. Custou-nos a entender em que sentido.

No período da Guerra Fria, quando boa parte dos países da América Latina sofria o desespero de regimes autoritários, era natural que os intelectuais se voltassem para as questões políticas, mormente eu, que sempre tive mais curiosidade em vislumbrar transformações e descortinar o novo, do que em constatar as regularidades do passado. Concentrei meus esforços teóricos, e práticos, a partir dos anos 1970, a entender e combater o autoritarismo.

A muitos parecia um eufemismo falar de regimes autoritários e não de ditaduras militares. Alguns regimes podiam ser apropriadamente qualificados de totalitários, mas não todos. Custou trabalho martelar que há uma distinção teórica de efeitos práticos entre ditaduras totalitárias e autoritarismo. Pelo menos no Brasil, não houve fascismo depois de 1964, e, se a forma de governo foi repressiva, não aboliu os partidos políticos para criar um partido único. Condicionava a ação dos partidos consentidos, mas tinha pejo em se autodenominar antidemocrática, embora o fosse.

Já relembrei em capítulos anteriores como as brechas que esse tipo de regime deixava permitiram uma reação que, ao final, se apoiou tanto na luta tenaz dos que sempre estiveram contra ele como nas dissensões internas.

Nos anos 1970, em pleno período autoritário, assistimos à emergência da sociedade civil. Conceito complexo, de raiz antiga na filosofia, mas de existência efetiva muito recente entre nós, marcados que somos por nossa formação corporativista, o resplendor de um Estado que mesmo em épocas de incompetência ou de impossibilidade de ação por motivos fiscais ou outros é visto por muitos, talvez pela maioria, como a verdadeira alavanca da Nação, senão seu único guardião frente ao "perigo externo". E o próprio setor empresarial acaba por se aninhar no Estado.

Dediquei-me com tal denodo a entender e criticar o regime autoritário e a defender a autonomia da sociedade civil que terminei colhido nas malhas da política que me fizeram senador. Relembro esse percurso para mostrar que procurei ser fiel a meus valores. Se entrelacei teoria e prática, numa e noutra mantive firme a crença na democracia e na liberdade.

Mal ultrapassado o autoritarismo, era preciso sacudir a poeira ideológica de que só o Estado constrói a nação, e de que só nos isolando das correntes do mundo poderíamos gerar um sentimento nacional autêntico, capaz de sanar nossos males. Ainda que assim quiséssemos, era tarde. Parte do que havia de verdade no nacional-desenvolvimentismo derretera-se com o novo momento da economia internacional, a que se deu de chamar de globalização.

Os desafios que hoje pesam sobre a humanidade são planetários. São assim as grandes questões ambientais, a defesa dos direitos humanos, o combate ao terrorismo, ao crime organizado e às epidemias que grassam de ponta a ponta no planeta. Por isso, ao lado das áreas específicas de prevalência da soberania nacional vão se constituindo outras nas quais o interesse da humanidade deve primar sobre o egoísmo natural dos estados, como dizia Raymond Aron. Não por acaso dediquei meus anos pós-Presidência a algumas dessas questões de impacto global.

A dicotomia na qual minha geração foi formada entre o Norte, próspero e opressor, e o Sul, pobre e dominado, já não é uma metáfora adequada. No mínimo existem "redes" de prosperidade e outras tantas de pobreza que cortam os países em seu interior, embora, conforme o predomínio de cada uma delas, mantenham-se as diferenças entre países mais e menos prósperos.

Enfrentamos essas novas circunstâncias a partir da década de 1990. O desafio do crescimento econômico e da defesa do interesse nacional tinha que se repor noutro patamar. A antiga política de fechamento de mercados com barreiras alfandegárias elevadas não cabia mais em um mundo interligado em que os fluxos produtivos e tecnológicos saltam fronteiras.

Coube-me ajudar a debelar um surto de hiperinflação e continuar a abertura da economia, cuidando de evitar, ao mesmo tempo, a desindustrialização. Procurei ajudar a tornar o país contemporâneo à era da internet, da força da sociedade civil e de uma dinâmica na qual o Estado, continuando a ser central na regulamentação econômica e mesmo investindo em setores estratégicos, não era mais a alavanca isolada dos investimentos produtivos.

Contrariando a tradição estatista e corporativista de nossa cultura política, mantive-me fiel aos propósitos de garantir ao país bases de crescimento compatíveis com a forma atual da economia global. Sou sim defensor das liberdades públicas e privadas, da necessidade de respeitar as regulações do mercado, mas não desdenho a ação do Estado no desenvolvimento da economia e na distribuição de renda.

As condições favoráveis da economia mundial e o empenho

dos governos que sucederam ao meu ampliaram a inclusão social, inclusive dos negros, a partir das bases que lancei em meu governo. Tudo isso em um clima de liberdade de organização, de crenças, de opiniões e com todas as demais garantias que asseguram as liberdades "dos antigos", as públicas. Mesmo a liberdade moderna, das pessoas, de igualdade de gênero e de respeito às inclinações sexuais vem ganhando terreno.

Se o Brasil avançou tanto na construção de um país mais justo, como explicar as interrogações que nos sobressaltam sobre o futuro da nossa democracia?

Resumo o sentimento de incompletude que tenho com respeito à nossa democracia, dizendo que se a arquitetura institucional está quase acabada, falta o essencial: a alma democrática. Nossa cultura de favores e privilégios, nosso amor à burocracia, à pompa dos poderosos e ricos, de retraimento da responsabilidade pessoal e atribuição de culpa aos outros, desobriga o cidadão a fazer sua parte, a sentir-se comprometido.

O corporativismo que renasce e passa do plano político ao social levando de roldão sindicatos e até igrejas, e se encastela nos partidos, mesmo nos que nasceram com o propósito de combatê-lo, é o cupim de nossa democracia. Se à tentação corporativista somarmos os impulsos populistas, como vemos hoje, temos a descrição de um sistema político enfermo.

A tal ponto chegou a distorção da ideia de representação entre nós que os interesses e os valores se veem mais "espelhados" no Congresso do que nele são representados. Os setores organizados da sociedade esperam os resultados das eleições para, *post factum*, identificar seus representantes. Depois de eleitos buscam ou reatam conexões com aqueles cujos valores e interesses lhes são mais afins. Na ação legislativa, organizam-se em frentes suprapartidárias (da educação, dos donos de hospital, da saúde, dos bancos, dos ruralistas e por aí afora), para defender valores ou interesses. Não é de estranhar, portanto, a distância crescente entre Congresso e opinião pública, entre elite política e povo.

À inadequação das instituições acrescenta-se sua desmoralização, agravada por episódios de corrupção. Produz-se assim uma conjuntura em que *demos* e *res publica* se desencontram. Esse desencontro mina a confiança na democracia.

Para prevenir esse risco não basta proclamar os valores morais da liberdade individual e coletiva. Ou bem reinventamos a democracia contemporânea, salvaguardando a ideia de representação legítima, mas tornando-a transparente e responsável e a ampliamos para incorporar novos segmentos e novas demandas da sociedade, ou a reação contra "tudo que está aí" poderá ser manipulada por formas mais ou menos disfarçadas de autoritarismo.

O risco de deriva autoritária existe no Brasil como em outros países. Até agora as instituições, a sociedade, a mídia, a ciência e a cultura têm resistido à quebra da democracia. Cedo ou tarde será necessário não só agir reativamente, mas retomar a iniciativa.

Numa palavra: não há tempo a perder para reconstruir a democracia nos moldes das realidades atuais. O momento é de respeito à pluralidade das identidades culturais e de reconstrução das instituições para que elas captem e representem o sentimento e os novos interesses da população. Só assim poderemos manter acesa a chama da liberdade, do respeito à representação e da autoridade legítima, e evitar que formas abertas ou disfarçadas de autoritarismo e violência ocupem a cena.

O SENTIDO DA VIDA

Cada um cria o sentido de sua vida, ele não está dado. Há que se inventar uma resposta, construir um sentido. Achei que o meu estivesse em desenvolver uma ação intelectual voltada para entender e mudar o Brasil. Sempre ou quase sempre desfrutei de bem-estar, mas esse nunca foi meu objetivo principal. O que busquei foi fazer algo que mudasse as coisas numa escala mais ampla do que minha vida privada. Dediquei a vida a entender o mundo, a sociedade, as pessoas, ou seja: procurei fazer algo que tivesse um sentido público. Isso vem da minha ancestralidade, da minha convivência familiar.

Claro que esse olhar direcionado para a coisa pública não quer dizer que eu não tenha uma vida interior e uma vida familiar, pelo contrário. Ocorre que em nossa família não se fala sobre o assunto, não se dá publicidade àquilo que é íntimo. Não que a intimidade não exista: ela não é explicitada. Segui essa tradição.

Como fui treinado na vida acadêmica, minha tendência é pensar no que toca a todos, no geral, no universal. Intelectual é quem pensa o universal, mas eu não sou um intelectual puro. Enquanto o intelectual puro não pensa, parafraseando Hegel, no "universal concreto", mas em ideias, eu dificilmente raciocino a partir de ideias, mas a partir de situações. Nunca acreditei muito nos sistemas teóricos. As estruturas existem, mas não só elas contam. O que eu gosto é de situações, história, devir.

Sou mais sociólogo do que antropólogo ou historiador. A curiosidade é o que me move. Não me preocupo com o que já existe, me interessa o que vem vindo, o que envolve incerteza. A ciência lida com regularidades, ao passo que eu procuro captar o emergente, o que implica intuição, insight e ousadia para assumir uma dose de risco. Sempre fui desse jeito, nunca tive medo de arriscar, e isso requer certa autoconfiança para, em circunstâncias dadas, poder avançar sozinho.

A democracia foi o fio condutor de minha vida, não tenho dúvida. Também dei grande atenção ao crescimento da economia, mas a questão da democracia sempre esteve mais presente. Qualquer um que tenha vivido momentos em que não havia liberdade sabe disso, é nessa hora que se nota quanto ela é preciosa. A liberdade é uma dimensão essencial do nosso ser — é não ter medo de dizer o que se pensa.

Mesmo na posição de maior poder, no exercício da Presidência, eu sentia que era guiado por um freio íntimo. Não persegui ninguém, não fui violento, busquei convencer sem impor. Por isso me orgulho de ter agido sempre como um democrata. Usar a força é constranger o outro, e no Brasil a situação habitual é o constrangimento. A começar pela situação de pobreza, de desigualdade e de injustiça que perpetua a posição de força das classes dominantes, e que sempre me indignou. Em um país profundamente injusto, não se pode usar a força para justificar uma razão ou um argumento.

Se sou contra a desigualdade em geral, a manifestação concreta da injustiça me provoca uma reação emocional imediata. Tentaram colar em mim a imagem de uma pessoa fria, racional, que não liga para os outros, e isso não procede. Para mim é tão insuportável presenciar a humilhação de uma pessoa quanto saber que a sociedade como um todo é desigual. Não me conformo com a imposição da lei do mais forte, o predomínio da força no lugar da justiça. Para mim, tratar com respeito a todos e a cada um é uma exigência de decência. Sempre fui assim.

Uma vez ouvi uma tia minha, casada com um irmão do meu pai, dizer para uma empregada da casa: "Vai tomar banho, negrinha". E depois ela foi ver se a moça estava mesmo tomando banho. Até hoje, passados mais de oitenta anos, lembro que esse fato me produziu um sentimento grande de indignação, sobretudo porque à discriminação social se somava a referência à cor da pele.

Em maio de 2020, a cena do policial americano ajoelhado no pescoço de um negro até matá-lo me causou profunda indignação. Tenho horror à violência, à barbárie, e o que se viu ali foi a desumanização levada a seu ponto mais extremo. No Brasil de hoje cenas como essa se repetem, seja nas favelas, seja onde for. Abusos que geram, ou deveriam gerar, uma justa revolta.

Hoje as pessoas se tratam com maior liberdade. No meu tempo de criança e mesmo de adolescência, não. Palavras e formas seguiam regras muito mais rígidas. Ninguém falava "você", era "senhor, senhora, doutor" etc. Nunca fui desse estilo. Nunca dei a mim mesmo muita importância formal nesse sentido. Até hoje, quando recebo estudantes para encontros, a primeira coisa que digo a eles é me chamem de você, é mais fácil.

Quando ando pela rua, as pessoas costumam me chamar de "seu" Fernando. Isso quando me chamam de "seu"... Em geral não ando com seguranças. Ocorreu um episódio engraçado, em Praga, onde estava para um seminário. Voltando a pé para o hotel numa noite chuvosa, fui abordado por um varredor de rua que, abrindo um sorriso, me disse em português com sotaque nordestino: "E aí, seu Fernando, o senhor por aqui?". Ao que respondi: "E o senhor, então...?".

## OS VIVOS E OS MORTOS

Minha maior alegria pessoal foi ter sido eleito duas vezes presidente do Brasil, mas meu maior orgulho é minha família. Família no sentido amplo e no sentido restrito. Não por acaso comecei este livro falando da minha família, uma família de militares com tradição de participação na vida política sem visar ao interesse pessoal. Esse éthos tem raízes familiares profundas. Meu pai, meu avô, meus tios, todos se pautaram por esse tipo de comportamento.

Sempre tive um apoio muito forte de minha família nuclear. Tive da Ruth, tenho da Patrícia e tenho de meus filhos. É esse apoio que me permite viver com independência e vigor. O tratamento entre nós sempre supôs que todos merecem respeito e franqueza. Falo tudo para eles e eles dizem a mim o que pensam de uma maneira direta.

Nunca tive dúvidas a respeito do afeto que minha família me dedicava. Acho que isso teve um peso. A família paterna, com a qual tive mais contato, era grande, mas nela havia muito acolhimento. A mim em especial. Tinha uma ligação muito forte com minha avó, meu pai, minha mãe.

Vim com a família para São Paulo aos nove anos, e foi então que me tornei muito católico. Fiz primeira comunhão, andava com escapulário, rezava em voz alta, fazia penitência...Tive uma fase bastante religiosa, que durou até por volta dos catorze anos.

Meu pai não rezava. Era positivista de formação, embora tolerante. Lia muito os evolucionistas. Creio que acreditava em algo, não sei bem em quê. Minha avó paterna, a quem eu era muito ligado, sempre foi muito cética. O que é extraordinário em uma mulher nascida em 1870. Minha mãe tinha formação religiosa, mas misturada, como é próprio da religiosidade brasileira. Estudou em colégio de freira, mas nunca foi católica no sentido estrito.

No curso colegial eu lia muito. A literatura me ajudou em outros tipos de angústias, mais humanas, mais ligadas ao dia a dia e menos à transcendência. Quanto mais lia e refletia, mais se desfazia a religiosidade que trazia na alma desde o curso primário e ginasial. Com a entrada da universidade, então, a mudança se acelerou.

Vivi a perda da fé sem dor, sem dramas. Chegara o tempo das explicações materialistas, espécie de uma religião leiga com suas grandes teorias e sistemas, como o marxismo. Na verdade, nunca acreditei que uma religião leiga pudesse substituir a religião propriamente dita. Eram mundos diferentes. Talvez em algum momento eu tenha convivido com ambos, mas nunca fui fanático nem em relação ao materialismo nem em relação à religião.

Nessa época me aproximei do pessoal da revista *Fundamen-*

*tos*, com Caio Prado à frente. Mais tarde, quando lemos *O capital*, já foi uma coisa totalmente diferente. Não éramos crentes diante de um livro sagrado. O que nos interessava era entender a sociedade capitalista. Já havia lido Weber, Sombart, Durkheim, Mannheim e outros autores. A formação na universidade passava principalmente por eles.

Quando estava na fase de expansão de minha formação científica, acreditava na capacidade da ciência de dar resposta para tudo. Mais tarde vi que não é bem assim. Há coisas que a ciência não explica e nós também não somos capazes de entender. De onde viemos, para onde vamos, por exemplo. Com a maturidade vamos ficando mais humildes. A razão explica muita coisa, mas não explica tudo. Estamos condenados ao mistério.

Nunca fui obcecado com a ideia de morrer. Quando se tem uma experiência direta, o choque é grande. Exilado no Chile, recebi um telegrama: "Sapo morreu". Sapo era o apelido do meu pai, que tinha nascido em Curitiba, cidade cheia de sapos. Foi um choque. Já havia tido antes uma primeira grande perda com a morte da minha avó, que me influenciou em tantas coisas.

Essas perdas, queira-se ou não, marcam. Minha mãe, que morava no mesmo quarteirão que nós em São Paulo, vivia nos visitando, a Ruth a atendia muito. Morreu conversando comigo e com a Ruth. Sabemos que as pessoas morrem, mas sentimos e temos medo da morte. No meu caso, é um medo relativo. Para mim a morte é a perda de energia. Mais do que medo da morte, tenho medo da dor. Mas não fico pensando nisso.

Vou fazer noventa anos daqui a poucos meses. Tenho vários amigos mais moços, outros mais velhos. Vejo que chega um momento em que a pessoa perde a autonomia, não pode mais tomar banho sozinha, guiar automóvel e por aí vai. A partir de certo ponto pode ser que não faça mais sentido viver. Não sei se isso vale para todos, acho que valerá para mim. Gostaria de morrer bem, com autonomia.

Converso intimamente com os mortos. Não se pode pensar nos que foram como se eles não tivessem influência sobre os que ficaram. Tiveram e têm influência. De alguma maneira estão vivos na minha memória. Os mortos queridos estão vivos dentro de nós. A memória que temos deles é real. À medida que vamos ficando mais velhos, convivemos cada vez mais com a memória. Por intermédio da Ruth, passei a lembrar mais dos outros que morreram, dos meus pais, meus avós. As pessoas queridas que se foram continuam a nos influenciar. O contrário é que não existe mais: não podemos mais influenciá-los.

Os que se foram estão vivos na minha memória. Minha mãe, meu pai, minha avó, minha mulher, meu irmão, meus amigos que se foram são meus referenciais íntimos. Tudo isso constitui uma comunidade, posso usar a palavra, "espiritual", que transcende o dia a dia. Acho importante ter a capacidade de conviver também com quem não está mais aqui. Desde que a pessoa tenha tido um significado especial em nossa vida. Eles não me respondem, mas a sensação que sinto é boa. Os mortos que a gente preza são pessoas que continuamos prezando. São pontos de referência.

Ruth e Patrícia, de modos bem diferentes, quase opostos, elas me balizaram e balizam, me dizem até onde posso ir. Tenho também uma ligação muito próxima com meus filhos. E com meus amigos.

Sou uma pessoa gregária, gosto de conviver, tenho amigos há cinquenta, sessenta anos. Cada um deles de certa maneira marcou, não só minha cabeça, mas meu coração — disseram alguma coisa que me tocou.

E os amigos. Florestan Fernandes foi fundamental na minha vida. A vida não é só você; como dizia Ortega y Gasset, é você e sua circunstância, começando pelas pessoas. Ele, Ulysses Guimarães e

Teotônio Vilela foram muito importantes. Falei destes porque são pessoas que todos conhecem. Mas existem aquelas que ninguém conhece que também tiveram muita importância. Alzira, a Zizi, como já me referi a ela, era o que hoje se chama de babá. Filha de uma escrava do meu bisavô, seu jeito carinhoso não me deixou.

Os que foram mais próximos de nós nos moldam. Diante de uma decisão importante a tomar, de repente eu penso: "O que fulano faria?". José Serra, que é muito diferente de mim, teve peso na minha vida. Almino Afonso também, em certo momento. Uma pessoa que não era próxima nem podia ser, d. Paulo Evaristo Arns, foi marcante. Sua atitude em momentos como o da morte de Vlado Herzog transmitia serenidade e firmeza.

Sérgio Motta era o oposto de mim como estilo, mas tinha um valor que prezo muito: lealdade. Era um rompe-barreiras, fazia as coisas como queria, mas vinha sempre prestar contas. Eu gostava dele, sempre muito afetivo e tocado por esse sentimento de querer mudar o mundo. Diferentemente de mim, ele era muito expansivo, e eu, diante de muita expansão, me encabulo, me encolho. Em mim o sentimento fica escondido, até por pudor, mas preciso dos outros.

A lista de amigos de toda vida é extensa. Por isso peço desculpas se não os menciono. Temo esquecer alguns que me são caros. Ninguém vive se não tiver pontos de referência. E, reitero, ninguém vive sozinho. Há pessoas com as quais se dialoga o tempo todo. Mesmo quando elas não estão presentes, estão por trás da gente e nos orientam.

DAQUI PARA A FRENTE

Agora, o que eu queria mesmo era ter mais tempo para mim e para Patrícia. Para conviver com meus filhos e netos — tenho até um bisneto.

Sabedoria para mim é aceitar as coisas como são e não tentar modificá-las batendo de cara na parede. É ter certa tranquilidade, saber que há coisas que precisam ser mudadas, mas não perder o juízo por causa disso. Com o tempo acho que ganhei certa serenidade. O que é esse sentimento? É quando você entende as coisas, ou pelo menos pensa que entende. Você não se surpreende e vai com calma.

Eu me irrito muito raramente; como acredito ter certo conhecimento de como as coisas funcionam, não bato de frente a todo instante, sei que não vai dar certo. Tampouco altero a voz, é raríssimo. A autoridade não vem da gritaria, vem do respeito. Só grita quem não tem autoridade. E em geral não ganha.

A gente sabe que vai morrer, mas vive como se fosse eterno. Gostaria de viver enquanto tiver autonomia, capacidade de pensar. Sei que o conceito de velhice hoje é muito diferente do passado. Para ser franco, não me sinto velho. Às vezes uso a idade como argumento, mas não é o que sinto intimamente. Sei que sou velho, mas não me sinto... Não tenho limitações pessoais. Velho aos noventa anos é uma determinação estatística que não conta para você mesmo. Pode ser ou não. Depende de cada um.

Cada um é de um jeito em relação a essas questões. O melhor é estar vivo. Mas, viver até que ponto? Essa é uma questão complicada. Enquanto eu tiver autonomia, acho que vale a pena.

Não posso me queixar da vida. A maior parte do tempo vivi dias alegres, ainda que muitas vezes tensos, como quando tive que me exilar ou quando senti as perdas que fazem parte de sobreviver. Pais, irmãos, mulher, amigos, amigas, companheiros de vida. Na soma, não cabe dúvida, mantive mais amigos que adversários. Não sinto rancor por ninguém, talvez até por uma característica psicológica, pois esqueço logo as coisas de que não gosto e procuro me lembrar das que gosto e pelas quais tenho apego.

A última frase de Norberto Bobbio em sua autobiografia é:

"Detesto os fanáticos com toda a minha alma". Eu poderia subscrevê-la. Mas a minha frase de conclusão seria: "Detesto quem usa a força para obter o que deseja".

*São Paulo, março de 2021*

# Obras citadas

ALMOND, Gabriel A.; VERBA, Sidney. *The Civic Culture: Political Attitudes and Democracy in Five Nations*. Princeton: Princeton University Press, 1963.

ARON, Raymond. *La Sociologie allemande contemporaine*. Paris: Alcan, 1935.

ARQUIDIOCESE DE SÃO PAULO; PROJETO BRASIL NUNCA MAIS. Brasil: Nunca mais. Petrópolis: Vozes, 1986.

ASSIS, Machado de. *Memórias póstumas de Brás Cubas*. São Paulo: Penguin Companhia, 2014.

BALZAC, Honoré de. *A mulher de trinta anos*. São Paulo: Penguin Companhia, 2015.

BASTIDE, Roger; FERNANDES, Florestan. *Brancos e negros em São Paulo: Ensaio sociológico sobre aspectos da formação, manifestações atuais e efeitos do preconceito de cor na sociedade paulistana*. 2. ed. revista e ampliada. São Paulo: Companhia Editora Nacional, 1959.

BERGSON, Henri. *Les Deux sources de la morale et de la religion*. Paris: Alcan, 1932. (Edição brasileira: *As duas fontes da moral e da religião*. Rio de Janeiro: Zahar, 1978.)

BOBBIO, Norberto. *Diário de um século: Autobiografia*. Rio de Janeiro: Campus, 1998.

_____. *O tempo da memória: "De senectute" e outros escritos*. Rio de Janeiro: Campus, 1997.

CAMARGO, Candido Procópio Ferreira de et al. *São Paulo 1975: Crescimento e pobreza*. Petrópolis: Loyola, 1975.

CANDIDO, Antonio. *Os parceiros do Rio Bonito: Estudo sobre o caipira paulista e a transformação dos seus meios de vida*. Rio de Janeiro: José Olympio, 1964.

CARDOSO, Fernando Henrique. "A dependência revisitada". In: *As ideias e seu lugar: Ensaios sobre as teorias do desenvolvimento*. Petrópolis: Vozes, 1980. pp. 81-123.

_____. "A fronda conservadora: O Brasil depois de Geisel". In: *A construção da democracia: Estudos sobre política*. São Paulo: Siciliano, 1993. pp. 185-97.

_____. "A questão da democracia". *Debate & Crítica*, São Paulo, n. 3, pp. 1-15, jul. 1974.

_____. "A questão do Estado no Brasil". In: *Autoritarismo e democratização*. Rio de Janeiro: Paz e Terra, 1975. pp. 187-221.

_____. "A questão do Estado no Brasil". In: *Autoritarismo e democratização*. Rio de Janeiro: Paz e Terra, 1975. pp. 222-40.

_____. "Althusserianismo ou marxismo? A propósito do conceito de classes em Poulantzas". In: *O modelo político brasileiro e outros ensaios*. São Paulo: Difel, 1972. pp. 57-87.

_____. "As novas teses equivocadas". In: *Autoritarismo e democratização*. Rio de Janeiro: Paz e Terra, 1975. pp. 11-62.

_____. "Atitudes e expectativas desfavoráveis à mudança social". *Boletim do Centro Latino-Americano de Pesquisas em Ciências Sociais*, Rio de Janeiro, n. 3, pp. 15-22, 1960.

_____. "Condições sociais da industrialização de São Paulo". *Revista Brasiliense*, São Paulo, n. 28, pp. 31-46, 1960.

_____. "Estado e sociedade no Brasil". In: *Autoritarismo e democratização*. Rio de Janeiro: Paz e Terra, 1975. pp. 165-86.

_____. "Hégémonie bourgeoise et indépendance économique". *Les Temps Modernes*, Paris, v. 23, n. 257, pp. 650-80, 1967.

_____. "La Contribution de Marx à la théorie du changement social". In: *Marx et la pensée scientifique contemporaine*. Haia: Mouton; Paris: Publications du CNRS, 1969. pp. 253-65.

_____. "Lobo ou cordeiro?". *O Globo*, Rio de Janeiro, 2 ago. 2015; *O Estado de S. Paulo*, São Paulo, 2 ago. 2015.

_____. "O papel dos novos governadores". *Opinião*, Rio de Janeiro, n. 86, p. 3, jul. 1974.

CARDOSO, Fernando Henrique. "Os anos Figueiredo". In: *A construção da democracia: Estudos sobre política*. São Paulo: Siciliano, 1993. pp. 198-211.

_____. "Os mitos da oposição I" e "Os mitos da oposição II". *Opinião*, Rio de Janeiro, n. 16 e 22, pp. 8 e 5, fev. e abr. 1973.

_____. "Partidos e deputados em São Paulo: O voto e a representação política". In: CARDOSO, Fernando Henrique; LAMOUNIER, Bolívar (Orgs.). *Os partidos e as eleições no Brasil*. Rio de Janeiro: Paz e Terra, 1975. pp. 45-75.

_____. "Tensões sociais no campo e reforma agrária". *Revista Brasileira de Estudos Políticos*, Belo Horizonte, n. 12, pp. 7-26, 1961.

_____. "Teoria da dependência ou análises concretas de situações de dependência". *Estudos Cebrap*, São Paulo, n. 1, pp. 25-45, 1971.

_____. "The Consumption of Dependency Theory in the United States". *Latin American Research Review*, Austin, v. 12, n. 3, pp. 7-24, 1977. (Edição brasileira: "O consumo da teoria da dependência nos EUA". *Ensaios de Opinião*, Rio de Janeiro, n. 4, pp. 6-16, 1978.)

_____. "Towards Another Development". In: NERFIN, Marc (Ed.). *Another Development: Approaches and Strategies*. Uppsala: Dag Hammarskjöld Foundation, 1978. pp. 21-39. (Edição brasileira: "Por um outro desenvolvimento". In: *As ideias e seu lugar: Ensaios sobre as teorias do desenvolvimento*. Petrópolis: Vozes, 1980. pp. 109-28.)

_____. "Uma 'austera, apagada e vil tristeza'". *Opinião*, Rio de Janeiro, n. 4, p. 3, nov. 1972.

_____. *A arte da política: A história que vivi*. Rio de Janeiro: Civilização Brasileira, 2006.

_____. *A construção da democracia: Estudos sobre política*. São Paulo: Siciliano, 1993.

_____. *Autoritarismo e democratização*. Rio de Janeiro: Paz e Terra, 1975.

_____. *Capitalismo e escravidão no Brasil Meridional: O negro na sociedade escravocrata do Rio Grande do Sul*. São Paulo: Difel, 1962.

_____. *Cartas a um jovem político: Para construir um país melhor*. Rio de Janeiro: Alegro, 2006 (2. ed.: Rio de Janeiro: Civilização Brasileira, 2017).

_____. *Democracia para mudar: Fernando Henrique Cardoso em 30 horas de entrevistas*. Org. José Augusto Guilhon de Albuquerque. Rio de Janeiro: Paz e Terra, 1978.

_____. *Diários da Presidência*. 4 v. São Paulo: Companhia das Letras, 2015-9.

_____. *Empresário industrial e desenvolvimento econômico no Brasil*. São Paulo: Difel, 1964.

CARDOSO, Fernando Henrique. *O modelo político brasileiro e outros ensaios*. São Paulo: Difel, 1972.

_____. *Política e desenvolvimento em sociedades dependentes: ideologias do empresariado industrial argentino e brasileiro*. Rio de Janeiro: Zahar, 1971.

_____. Resenha: "P. Monbeig. *La Croissance de la ville de São Paulo*, Grenoble: Institut et Revue de Géographie Alpine, 1953". *Anhembi*, São Paulo, n. 17, pp. 566-9, 1953.

_____. "The Originality of the Copy: ECLA and the Idea of Development". Cambridge: University of Cambridge: Center of Latin American Studies. Working Papers 27, 1977. (Edição brasileira: "A originalidade da cópia: A Cepal e a ideia de desenvolvimento". In: *As ideias e seu lugar: Ensaios sobre as teorias do desenvolvimento*. Petrópolis: Vozes, 1980. pp. 17-56.)

_____; FALETTO, Enzo. *Dependência e desenvolvimento na América Latina*. Rio de Janeiro: Zahar, 1970.

_____; FALETTO, Enzo. *Dependencia y desarrollo en América Latina: ensayo de interpretación sociológica*. México: Siglo XXI, 1969.

_____; FALETTO, Enzo. *Dependency and Development in Latin America*. Los Angeles: University of California Press, 1979.

_____; IANNI, Octavio (Orgs.). *Homem e sociedade: Leituras básicas de sociologia geral*. São Paulo: Companhia Editora Nacional, 1961.

_____; IANNI, Octavio. *Cor e mobilidade social em Florianópolis: Aspectos das relações entre negros e brancos numa comunidade do Brasil Meridional*. São Paulo: Companhia Editora Nacional, 1960.

_____; LAMOUNIER, Bolívar (Orgs.). *Os partidos e as eleições no Brasil*. Rio de Janeiro: Paz e Terra, 1975.

_____; LAMOUNIER, Bolívar. "A bibliografia de ciência política sobre o Brasil (1949-1974)". *Dados*, Rio de Janeiro, n. 18, pp. 3-32, 1978.

_____; MARTINS, Carlos Estevam (Orgs.). *Política & sociedade*. 2 v. São Paulo: Companhia Editora Nacional, 1979.

_____; MÜLLER, Geraldo. *Amazônia: Expansão do capitalismo*. São Paulo: Brasiliense, 1977.

_____; OLIVEIRA, Miguel Darcy de; FAUSTO, Sergio. *Crise e reinvenção da política no Brasil*. São Paulo: Companhia das Letras, 2018.

_____; REYNA, José Luis. "Industrialización, estructura ocupacional y estratificación social en America Latina". Santiago: Ilpes/Cepal, 1966.

_____.; SERRA, José. "As desventuras da dialética da dependência". *Estudos Cebrap*, São Paulo, n. 23, pp. 33-80, 1979.

CASTELLS, Manuel. *A sociedade em rede*. Rio de Janeiro: Paz e Terra, 1999.
COUTY, Louis. *Le Brésil en 1884*. Rio de Janeiro: Faro & Lino, 1884.
CROZIER, Michel. *A sociedade bloqueada*. Brasília: Editora UnB, 1970.
DAHL, Robert A. *Poliarquia: Participação e oposição*. São Paulo: Edusp, 1997.
_____. *Who Governs?: Democracy and Power in an American City*. New Haven: Yale University Press, 1961.
DEBRAY, Régis. *Révolution dans la revolution?*. Paris: Maspero, 1967.
DESCARTES, René. *Discurso do método & ensaios*. São Paulo: Editora Unesp, 2018.
DURKHEIM, Émile. *As regras do método sociológico*. Petrópolis: Vozes, 2019.
_____. *Da divisão do trabalho social*. São Paulo: Martins Fontes, 2019.
DUVERGER, Maurice. *As modernas tecnodemocracias: Poder econômico e poder político*. Rio de Janeiro: Paz e Terra, 1975.
_____. *Os regime políticos*. São Paulo: Difel, 1966.
EVANS-PRITCHARD, Edward E. *The Nuer: A Description of the Modes of Livelihood and Political Institutions of a Nilotic People*. Oxford: Clarendon, 1940. (Edição brasileira: *Os nuer*. São Paulo: Perspectiva, 2011.)
FANON, Frantz. *Les Damnés de la terre*. Paris: Maspero 1961. (Edição brasileira: *Os condenados da terra*. Juiz de Fora: Editora UFJF, 2006.)
FAORO, Raymundo. *Os donos do poder: Formação do patronato político brasileiro*. Porto Alegre: Globo, 1958.
FERNANDES, Florestan. *A organização social dos tupinambá*. São Paulo: Progresso, 1948.
_____. *Fundamentos empíricos da explicação sociológica*. São Paulo: Companhia Editora Nacional, 1959.
FIRTH, Raymond. *We the Tikopia: A Sociological Study of Kinship in Primitive Polynesia*. Boston: Beacon Press, 1936. (Edição brasileira: *Nós, os tikopias: Um estudo sociológico do parentesco na Polinésia primitiva*. São Paulo: Edusp, 1998.)
FREYER, Hans. *Einleitung in die Soziologie*. Leipzig: Quelle & Meyer, 1931.
FUKUYAMA, Francis. *O fim da história e o último homem*. Rio de Janeiro: Rocco, 2015.
HIRSCHMAN, Albert O. *The Essential Hirschman*. Ed. Jeremy Adelman. Princeton: Princeton University Press, 2013.
HUNTINGTON, Samuel. *The Clash of Civilizations and the Remaking of World Order*. Nova York: Simon & Schuster, 1996. (Edição brasileira: *O choque de civilizações e a recomposição da ordem mundial*. Rio de Janeiro: Objetiva, 1997.)

IANNI, Octavio. *As metamorfoses do escravo: Apogeu e crise da escravatura no Brasil Meridional*. São Paulo: Difel, 1962.

LÉVI-STRAUSS, Claude. *As estruturas elementares do parentesco*. Petrópolis: Vozes, 2012.

_____. *O pensamento selvagem*. Campinas: Papirus, 2020.

_____. *Tristes trópicos*. São Paulo: Companhia das Letras, 1996.

LEVITSKY, Steven; ZIBLATT, Daniel. *Como as democracias morrem*. Rio de Janeiro: Zahar, 2018.

LUKÁCS, Georg. *Histoire et conscience de classe*. Paris: Éditions de Minuit, 1960. (Edição brasileira: *História e consciência de classe*. São Paulo: Martins Fontes, 2019.)

MALINOWSKI, Bronislaw. *Argonauts of the Western Pacific: An Account of Native Enterprise and Adventure in the Archipelagoes of Melanesian New Guinea*. Londres: Routledge & Kegan Paul, 1922. (Edição brasileira: *Argonautas do Pacífico Ocidental*. São Paulo: Ubu, 2018.)

MANN, Thomas. *A montanha mágica*. São Paulo: Companhia das Letras, 2016.

MANNHEIM, Karl. *Ideologie und Utopie*. Bonn: F. Cohen, 1929. (Edição brasileira: *Ideologia e utopia*. Rio de Janeiro: Zahar, 1968.)

MARTINS, Luciano. *Industrialização, burguesia nacional e desenvolvimento*. Rio de Janeiro: Saga, 1968.

MARX, Karl. *O capital: Crítica da economia política*. São Paulo: Boitempo, 2011.

MONTESQUIEU. *O espírito das leis*. São Paulo: Difel, 1962.

MORAZÉ, Charles. *Les Bourgeois conquérants: XIXe siècle*. Paris: Armand Colin, 1957. (Edição portuguesa: *Os burgueses à conquista do mundo*. Lisboa: Cosmos, 1957.)

MORSE, Richard M. *De comunidade a metrópole: Biografia de São Paulo*. São Paulo: Serviço de Comemorações Culturais, 1954.

NABUCO, Joaquim. *Minha formação*. Rio de Janeiro: Topbooks, 2004.

NOVAIS, Fernando. *Portugal e Brasil na crise do antigo sistema colonial (1777- -1808)*. São Paulo: Hucitec, 1979.

O'DONNELL, Guillermo A. *1966-1973: El Estado burocrático-autoritario: Triunfos, derrotas y crisis*. Buenos Aires: Editorial de Belgrano, 1982.

_____. *Modernización y autoritarismo*. Buenos Aires: Paidós, 1972.

PAZ, Octavio. *Ideas y costumbres*. México: Círculo de Lectores/Fondo de Cultura Económica, 1995.

PESSOA, Fernando. *Livro do desassossego*. São Paulo: Companhia das Letras, 1999.

PRADO JÚNIOR, Caio. *Formação do Brasil contemporâneo*. São Paulo: Martins, 1942.

PRADO JÚNIOR, Caio. *História econômica do Brasil*. São Paulo: Brasiliense, 1945.
QUEIRÓS, Eça de. *Os Maias*. Porto: Lello, 2019.
REDFIELD, Robert. *The Folk Culture of the Yucatan*. Chicago: University of Chicago Press, 1941.
RIBEIRO, Darcy; RIBEIRO, Berta Gleizer. *Arte plumária dos índios kaapor*. Rio de Janeiro: Seikel, 1957.
RODRIGUES, Nelson. *Vestido de noiva*. Rio de Janeiro: Nova Fronteira, 2019.
ROLLAND, Romain. *Jean-Christophe*. Rio de Janeiro: Globo, 1986.
ROUQUIÉ, Alain. *O extremo-ocidente: Introdução à América Latina*. São Paulo: Perspectiva, 1987.
RUNCIMAN, David. *Como a democracia chega ao fim*. São Paulo: Todavia, 2018.
SAROYAN, William. *O jovem audaz no trapézio voador e outras histórias*. Rio de Janeiro: Paz e Terra, 2004.
SARTRE, Jean-Paul. *Questions de méthode*. Paris: Gallimard, 1957.
SOMBART, Werner. *Der Bourgeois*. Munique; Leipzig: Duncker & Humblot, 1913.
_____. *Der moderne Kapitalismus: Historisch-systematische Darstellung des gesamteuropäischen Wirtschaftslebens von seinen Anfängen bis zur Gegenwart*. Munique; Leipzig: Duncker & Humblot, 1927.
STEINBECK, John. *As vinhas da ira*. Rio de Janeiro: Record, 1984.
STEPAN, Alfred C. *Military in Politics: Changing Patterns in Brazil*. Princeton: Princeton University Press, 1971.
STOUFFER, Samuel A. et al. *Studies in Social Psychology in World War II: The American Soldier*. 4 v. Princeton: Princeton University Press, 1949-50.
TELLA, Torcuato di; GERMANI, Gino; GRACIARENA, Jorge. *Argentina, sociedad de masas*. Buenos Aires: Eudeba, 1965.
TOCQUEVILLE, Alexis de. *A democracia na América*. 2 v. São Paulo: Martins Fontes, 2014.
WEBER, Max. *A ética protestante e o "espírito" do capitalismo*. São Paulo: Companhia das Letras, 2004.
_____. *Ciência e política: Duas vocações*. São Paulo: Cultrix, 2011.
_____. *Economia e sociedade*. Brasília: Editora UnB, 2012.
_____. *História geral da economia*. São Paulo: Centauro, 2006.
WILLEMS, Emílio. *Cunha: Tradição e transição em uma cultura rural do Brasil*. São Paulo: Secretaria da Agricultura, 1948.

# Índice onomástico

Abramo, Cláudio, 31, 186
Abramo, Radha, 31, 186
Abreu, Leitão de, 217-8
Adelman, Jeremy, 120
Afonso, Almino, 123, 182-3, 213-4, 291
Albuquerque, José Augusto Guilhon de, 188
Alemão (Edmilson Simões), 181
Alessandri, Jorge, 106
Alfonsín, Raúl, 128
Allende, Isabel, 106
Allende, Salvador, 106, 109, 111, 123
Almeida, Júlia de, 27
Almeida, Maria Hermínia Tavares de, 143, 153, 178
Almeyda, Clodomiro, 111
Almond, Gabriel, 137-8
Althusser, Louis, 128, 138
Alves, Osvino, 94
Alzira (Zizi, agregada da família Cardoso), 23, 291
Amado, Jorge, 32

Amaral Peixoto, Celina Vargas do, 11
*Amazônia: expansão do capitalismo* (Cardoso e Müller), 156
*American Soldier, The* (Lazarsfeld e Stouffer), 63, 92
Amin, Samir, 122
Andrade, Celeste Sousa, 45
Andrade, Cunha, 36
Andrade, Jader, 108
Andrade, Mário de, 219
Andrade, Oswald de, 56
Andrade, Régis, 157, 181
Angarita, Antonio, 141
*Anhembi* (revista), 45-6, 81
Annan, Kofi, 238
"Anos Figueiredo, Os" (Cardoso), 188
Apter, David, 137
Aracy (agregada da família Cardoso), 23
Araújo, Deusdedit de, padre, 27
Araújo e Silva, Sylvestre Domingues de (avô materno de FHC), 19

Araújo e Silva, Cândida Rego de (avó materna de FHC), 18
Arbousse-Bastide, Paul, 41
Archer, Margaret, 131
Arena (Aliança Renovadora Nacional), 193, 202, 204, 207, 212
Arenas, Adriana, 66, 73
*Argentina, sociedad de masas* (Germani, Di Tella e Graciarena), 100
*Argonautas do Pacífico Ocidental* (Malinowski), 39
*Argumento* (revista), 143, 153
Arida, Pérsio, 228
Arinos, Afonso, 196, 206, 214
Arns, d. Paulo Evaristo, 142-3, 146-7, 150-2, 291
Aron, Raymond, 39, 91-3, 282
Arraes, Miguel, 147
Arraes Gervaiseau, Violeta, 147
Arruda Câmara, 59
*Arte da política: a história que vivi, A* (Cardoso), 232
*Arte plumária dos índios kaapor* (Ribeiro e Gleizer), 87
Aspásia (tia materna de FHC), 20
Assis, Machado de, 12
Athayde, Tristão de, 91
"Atitudes e expectativas favoráveis à mudança social" (Cardoso), 81
"'Austera, apagada e vil tristeza', Uma" (Cardoso), 178
*Autoritarismo e democratização* (Cardoso), 160-1, 174, 188
Azambuja, Marcos, 235
Azevedo, Aroldo de, 41
Azevedo, Fernando de, 37-8, 45, 50, 52, 65-6, 98-101, 133
Azevedo, Tales de, 76

Bacha, Edmar, 228
Baldus, Herbert, 47
Balzac, Honoré de, 32
Bandeira, Sebastião, 24
Barata, Agildo, 59
Bardi, Pietro Maria, 54
Barros, Ademar de, 25, 52
Barros, Paulo Alberto Monteiro de (Artur da Távola), 124
Barros, Roque Spencer Maciel de, 36, 57
Bastide, Roger, 38, 41-2, 44-5, 47-8, 67, 107
Beauvoir, Simone de, 66, 73-5
Becker, Cacilda, 54
Bell, Peter, 140
Bellah, Robert, 168, 185
Benítez, Raúl, 155
Bergson, Henri, 42
Berlinska, Izabela, 173
Berquó, Elza, 140, 156
Bicudo, Hélio, 89
Biden, Joe, 253
Bittencourt, Álvaro, 53
Bittencourt, Madlon, 53, 73
Bobbio, Norberto, 9, 292
Boeninger, Edgardo, 111
Bolaffi, Gabriel, 48, 70
*Boletim do Centro Latino-Americano de Pesquisas em Ciências Sociais*, 81
Bolsonaro, Jair, 222, 258, 263-6
Bonilla, Frank, 146
*Bourgeois conquérants: XIX$^{ème}$ siècle, Les* (Morazé), 41
Brandão, Laura, 18
Brandão Rego, Octavio, 18-9
Brandt, Vinícius Caldeira, 148
*Brasil: Tortura nunca mais* (Arns et al.), 147
Braudel, Fernand, 41

Braudel, Mme., 130
*Brésil en 1884, Le* (Couty), 76
Britto, Antônio, 231
Brizola, Leonel, 219, 221
Burawoy, Michael, 89, 168
*Burguês, O* (Sombart), 84
Burza, João Bellini, 53

*Cadernos Cebrap* (revista), 144
Café Filho, 90
Câmara, d. Hélder, 151
Camargo, Cândido Procópio Ferreira de, 141-2, 146, 157
Camargo, José, 38
Campos, irmãos (Haroldo e Augusto), 56
Campos, Roberto, 148, 193, 214, 261
Canabrava, Alice, 10-1, 43-5
Candido, Antonio, 37-9, 43-4, 46, 50, 52, 61, 101, 111-2, 143, 153, 183
Cantoni, Wilson, 109
*Capital, O* (Marx), 52, 65, 70-1, 75, 117, 130, 140, 289
*Capitalismo e escravidão no Brasil Meridional: o negro na sociedade escravocrata do Rio Grande do Sul* (Cardoso), 64, 67, 72
*Capitalismo moderno, O* (Sombart), 84
Cardoso, Alberto, general, 25
Cardoso, Antônio Geraldo (irmão de FHC), 26, 290
Cardoso, Augusto Ignácio do Espírito Santo, 14
Cardoso, Carlos (tio de FHC), 19, 69, 148
Cardoso, Ciro do Espírito Santo, 60
Cardoso, Clóvis (tio de FHC), 30, 92
Cardoso, Cyro do Espírito Santo, 109
Cardoso, Dulce (tia de FHC), 22-3

Cardoso, Dulcídio do Espírito Santo, 24
Cardoso, Felicíssimo (tio de FHC), 19, 29
Cardoso, Felicíssimo do Espírito Santo (bisavô paterno de FHC), 16, 24
Cardoso, Joaquim Ignácio (avô de FHC), 14, 24
Cardoso, Joaquim Ignácio (Quiquim, tio de FHC), 26
Cardoso, José Manoel Pereira (tataravô paterno de FHC), 16
Cardoso, Leônidas Fernandes (pai de FHC), 13-5, 18-35, 50, 53-4, 57-60, 62, 65, 69-70, 87-90, 96, 109, 111-2, 149, 235, 269, 286-90
Cardoso, Nayde Silva (mãe de FHC), 13-4, 18-20, 22, 24, 27, 31, 55, 87, 210, 212, 288-90
Cardoso, Ruth, 24, 36-7, 39-40, 44-5, 47, 50, 53-5, 60, 69, 77, 98-9, 109, 136, 139, 153, 163-4, 170-1, 173, 180, 221, 226, 234-5, 287, 289-90
Cardoso, Sérgio, 54
Cardoso, Sylvia (tia paterna de FHC), 50
Carlos (jornalista), 76
Carmichael, Mr., 140
Carneiro, Nelson, 179
Carneiro, Paulo, 92
*Cartas a um jovem político* (Cardoso), 272-3
Carter, Jimmy, 170, 238
Carvalho, Célio Benevides de, 31
Carvalho, Clóvis, 228
Carvalho, dr., 37
Carvalho, Gabriel Teixeira de, 61-2
Carvalho Franco, Maria Sylvia de, 37, 48
Carvalho Pinto, 80, 89
Castells, Manuel, 244
Castelo Branco, Humberto de Alencar, 85, 133, 141

Castelo Branco, Renée, 143-4
Castilho, Fausto, 73
Castro, Antônio Barros de, 142, 145
Castro, Fidel, 74
Castro, José de, 231
Catunda, Eunice, 40
Catunda, Omar, 40
Cebrap (Centro Brasileiro de Análise e Planejamento), 66, 114-5, 120, 139-51, 154-9, 163-4, 176-79, 181, 184-5, 188-9, 212, 219
Celidônio, Caio, 32
Chagas, Walmor, 54
Chateaubriand, Assis, 41, 54
Chaves, Aureliano, 202
Chaves, Elias, 58
Chaves, Pacheco, 178-9, 188, 210
Chaves Neto, Elias, 53, 58
Chico, frei (irmão de Lula), 181
Chirac, Jacques, 235
*Choque de civilizações, O* (Huntington), 137
*Civic Culture, The* (Almond e Verba), 137
*Clima* (revista), 55
Clinton, Bill, 172, 229
Coelho, Rui, 45, 73, 99
Cohn, Gabriel, 48
Cohn-Bendit, Daniel, 126-7, 129
Collor de Mello, Fernando, 221-4, 263
*Como a democracia chega ao fim* (Runciman), 251
*Como as democracias morrem* (Levitsky e Ziblatt), 251
Comte, Auguste, 92
"Condições sociais da industrialização de São Paulo" (Cardoso), 81
*Construção da democracia, A* (Cardoso), 188

"Consumo da teoria da dependência nos Estados Unidos, O" (Cardoso), 161
"Contribution de Marx à la théorie du changement social, La" (Cardoso), 130
*Cor e mobilidade social em Florianópolis* (Cardoso e Ianni), 63
Corbisier, Roland, 56
Cordeiro, Waldemar, 55
Correia, Alexandre, 35
Cortázar, Julio, 145
Costa, Tito, 182
Costa e Silva, Artur da, 133, 202
Couto e Silva, Golbery do, 153-4
Couty, Louis, 76
Covas, Mário, 179, 194, 200, 219-21
*Crise e reinvenção da política no Brasil* (Cardoso), 246
Crozier, Michel, 91-2, 130
*Cunha* (Willems), 37
Cunha, Mário Wagner Vieira da, 10-1, 70
Cunha, Paulo, 155
Cunha, Sebastião Advíncula da, 70

D'Incao, Maria Conceição, 79
*Dados* (revista), 188
Dahl, Robert, 212-3
Dalí, Salvador, 126
DaMatta, Roberto, 198
Dantas, San Tiago, 95
*De comunidade a metrópole* (Morse), 46
De Gaulle, Charles, 123, 126, 129
"De senectute" (Bobbio), 9
*Debate e Crítica* (revista), 178
Debray, Régis, 118-9
Delfim Netto, Antonio, 52, 214

*Democracia na América, A* (Tocqueville), 172
*Democracia para mudar* (Cardoso e Albuquerque), 188
*Dependência e desenvolvimento na América Latina* (Cardoso e Faletto), 113-5, 118, 159
"Dependência revisitada, A" (Cardoso), 162
Depestre, René, 53-4
Descartes, René, 37, 245
"Desventuras da dialética da dependência, As" (Cardoso e Serra), 160
Deutsch, Karl, 136-7
*Deux sources de la morale et de la religion, Les* (Bergson), 42
Di Cavalcanti, 55
Di Tella, Torcuato, 100-1
*Diário de um século: autobiografia* (Bobbio), 9
*Diários da Presidência* (Cardoso), 10-1, 232, 245
Diegues Júnior, Manuel, 100
Diretas Já (movimento), 184, 190, 200-1, 216
*Discours de la méthode* (Descartes), 37
*Divisão do trabalho social* (Durkheim), 67
Divitis, Glauco de, 54
Donghi, Halperin, 116
*Donos do poder, Os* (Faoro), 197
Dornelles, Francisco, 217
Drummond de Andrade, Carlos, 88
Duarte, Paulo, 45, 77
Duarte, Regina, 182
Durán, Hernán, 111
Durkheim, Émile, 38, 42, 67, 71, 289
Dutra, Eurico Gaspar, 15, 23, 33-4, 61
Duverger, Maurice, 212-3

Easton, David, 138
*Economia e sociedade* (Weber), 67, 84
Einstein, Albert, 168
Elizabeth II, rainha da Inglaterra, 164
*Empresário industrial e desenvolvimento econômico no Brasil, O* (Cardoso), 79, 81, 118
Escobar, Ruth, 200
Espinosa, Baruch, 37
*Esprit des lois, L'* (Montesquieu), 57
*Essential Hirschman, The* (Adelman), 120
*Estado burocrático-autoritario, El* (O'Donnell), 176
*Estado de S. Paulo, O* (jornal), 33, 36, 45, 53, 91, 101, 186, 203, 243-4
"Estado e sociedade" (Cardoso), 188
Estillac Leal, general, 59
*Estruturas elementares do parentesco, As* (Lévi-Strauss), 173
"Estudo sobre São Paulo, Um" (Cardoso), 81
*Ética protestante e o "espírito" do capitalismo, A* (Weber), 84
Evans-Pritchard, E. E., 38-9

Falcão, Armando, 154
Faletto, Enzo, 105, 109, 112, 116, 162
Fanon, Frantz, 121
Faoro, Raymundo, 197
Faria, Vilmar, 114, 141, 145, 158, 167
Farias, Cordeiro de, 154
Farkas, Thomaz, 98
Fausto, Boris, 56
Fernandes, Florestan, 10, 37-41, 43-50, 52, 63, 66-7, 70, 75-7, 80, 82, 99, 101-2, 107, 183, 205, 290
Fernandes, João Pinto, 17, 23
Fernandes, Manuel Pinto, 17

Fernandes, Myrian, 77
Ferreira, Aloysio Nunes, 152
Ferri, Antônio, 98
Fiel Filho, Manuel, 151-2
Figueiredo, Fidelino de (pai), 35, 102
Figueiredo, João, 185, 188, 202, 204, 211, 217
Figueiredo, Nuno Fidelino de (filho), 102
"Fim da história?, O" (Fukuyama), 246
Fiore, Ottaviano de, barão, 56
Firth, Raymond, 39
Fishlow, Albert, 145, 167
Fleury Filho, Luiz Antônio, 148
*Folha de S.Paulo* (jornal), 185, 201, 220-1, 223
Fonseca, Hermes da, 14
Fonseca Filho, Tristão, 37
Foracchi, Marialice Mencarini, 37, 48-9
*Formação do Brasil contemporâneo* (Prado Jr.), 103
Foucault, Michel, 37, 91, 145, 170
Franco, Gustavo, 228
Franco, Itamar, 222-8, 230-1
Franco, Rolando, 113
Frank, Andreas Gunder, 103-4, 160
Frei, Eduardo (pai), 106, 108
Freyer, Hans, 39
Freyre, Gilberto, 46-7
Frias de Oliveira, Otavio, 185
Friedmann, Georges, 65-6
Fritsch, Winston, 228
"Fronda conservadora, A" (Cardoso), 188
Frota, Sílvio, 152
Fukuyama, Francis, 246
Funaro, Dalva, 47, 142
Funaro, Dilson, 142

*Fundamentos* (revista), 288-9
*Fundamentos empíricos da explicação sociológica* (Florestan Fernandes), 67
Furtado, Alencar, 179
Furtado, Celso, 79, 95, 103, 109-10, 126, 142, 144-5

Gabriel, Almir, 213
Galbraith, Kenneth, 267
Galtung, Johan, 100
Galvão, Célia Nunes, 101
Gama e Silva, Luís Antônio da, 61-2, 98, 134
Garcez, Lucas Nogueira, 50
García, Alan, 128
Gasparian, Dalva, 47, 142
Gasparian, Fernando, 47-8, 81, 95, 142-3, 177
Geertz, Clifford, 168
Geisel, Ernesto, 141, 149-53, 178, 187, 190
Germani, Gino, 100-1, 166-7
Giannotti, José Arthur, 69-71, 73, 91, 140-1, 157
Giddens, Anthony, 165
Gilda (irmã de FHC) *ver* Oliveira, Gilda Cardoso de
Gleizer, Berta, 87
*Globo, O* (jornal), 186, 243
Goes, Synesio Sampaio, 226
Góis Monteiro, general, 14
Goldmann, Lucien, 129-30
Gomes, Eduardo, 34
Gomes, Paulo Emílio Sales, 61, 143
Gomes, Severo, 141, 144, 156, 180, 210-1
Gomide, Elza, 40
Gonçalves, Leônidas Pires, 217

González, Felipe, 209
González Casanova, Pablo, 113, 167
Goulart, João (Jango), 48, 86-8, 94-9, 123, 126
Gouvêa, Gilda Portugal, 179
Goya, Francisco de, 55
Graciarena, Jorge, 100
Graeff, Eduardo, 228
Granger, Gilles-Gaston, 69
Gregori, José, 88, 180, 200
Gruber, Mário, 55
Guarnieri, Gianfrancesco, 147
Gueroult, Martial, 37
Guevara, Che, 119, 169
Guimarães, Artur Oscar Andrade, 22
Guimarães, Carlos Eugênio de Andrade, 23
Guimarães, Ulysses, 178-82, 188-9, 194, 200-2, 207, 209-11, 216-9, 221, 223, 290
Gurrieri, Adolfo, 113
Gusmão, Roberto, 94-5, 141, 150

Haddad, Paulo, 225
Hamuy, Eduardo, 111
Hargreaves, Henrique, 224
Hargreaves, Ruth, 224, 231
Harnecker, Marta, 128
Hegel, Georg Wilhelm Friedrich, 285
"Hégémonie bourgeoise et indépendance économique" (Cardoso), 66
Heidegger, Martin, 71
Heinz, Peter, 100
Heller, Clemens, 129
Herrmann, Lucila, 10, 44
Herzog, Clarice, 151
Herzog, Vladimir (Vlado), 151-2, 291
Herzog, Zora, 151
Heyward, Dick, 104-5

Hirschman, Albert, 119-21, 145-6, 160, 168, 189, 199
*Histoire et conscience de classe* (Lukács), 72
*História econômica geral* (Weber), 67
*Hoje* (jornal do PCB), 59-60
Holanda, Sérgio Buarque de, 76, 183
*Homem e sociedade* (org. Cardoso), 49
Hopenhayn, Benjamin, 109
Horta Barbosa, general, 30, 92
Hoselitz, Bert, 84
Hossne, William Saad, 89
Hugon, Paul, 38
Huntington, Samuel, 137
Husserl, Edmund, 71

Ianni, Octavio, 46, 48-9, 63, 65, 70, 72, 140, 178
*Ideas y costumbres* (Paz), 247
*Ideias e seu lugar, As* (Cardoso), 165
*Ideologia e utopia* (Mannheim), 39
Iglesias, Enrique, 113
*Industrialização, burguesia nacional e desenvolvimento* (Martins), 135

Jaguaribe, Hélio, 71, 137, 167
*Jean-Christophe* (Rolland), 32
Jenkins, Lord, 165
Joaquinzão (líder sindical), 212
Jobim, Nelson, 196, 214
José Otávio (professor da Poli), 61
Jovelino Mineiro, 235
*Jovem audaz no trapézio voador, O* (Saroyan), 32
Julião, Francisco, 79

Kahl, Joseph, 167
Kaldor, Nicholas, 165
Kant, Immanuel, 37

Karpik, Lucien, 92
Katz, Renina, 53
Kerr, Warwick Estevam, 89
Keynes, John Maynard, 110, 243
Khruschóv, Nikita, 59, 61
Klabin, família, 50-1
Kowarick, Lúcio, 146
Krauze, Gustavo, 225
Kubitschek, Juscelino, 51, 74, 79, 198
Kuczynski, Miguel Jorge, 165
Kuczynski, Pedro Pablo, 165
Kundrát, Patrícia, 287, 290-1

Lafer, Celso, 9, 141
Lagos, Luisa, 111
Lagos, Ricardo, 111
Lamounier, Bolívar, 141, 145, 178-9, 187-8
Lampreia, Luís Felipe, 226
Lara, Cristóbal, 102
Lara Resende, André, 228
Lazarsfeld, Paul, 63, 92
Le Pen, Marine, 248
Lebrun, Gérard, 75
Lefebvre, Henri, 122
Lefort, Claude, 69
Lehmann, David, 165
Leite, Ruth Villaça Corrêa ver Cardoso, Ruth
Leme, Ernesto, 11
Lemos, Carlos, 32, 185
Lessa, Carlos, 124, 142, 145
Lévi-Strauss, Claude, 39, 173-4
Levitsky, Steven, 251-2
Lins de Barros, João Alberto, 21
Lins do Rego, José, 32
Linz, Juan, 175
Lipset, Seymour, 85
Lira, Fernando, 179, 216

Lombardi, Bruna, 182
Lopes, Juarez Brandão, 70, 141, 156-7
Lott, Teixeira, 75
Loureiro, Leopoldo, 20
Lourenço Filho, 38
Lowenthal, Abraham, 168
Löwy, Michael, 70
Luís xiv, rei da França, 126
Lukács, G., 52, 72, 76
Lula da Silva, Luiz Inácio, 126, 157, 181-3, 221-2, 231, 234, 241-3, 276
Luz, Carlos, 90

Machado, Eduardo Marcondes, 61
Machado, Lourival Gomes, 41, 76, 133
Maciel, Marco, 202
Magalhães, Antônio Carlos, 227, 232
Magalhães Pinto, José de, 96
*Maias, Os* (Eça de Queirós), 12
Malan, Pedro, 167, 228
Malinowski, Bronislaw, 39
Malraux, André, 74
Mandela, Nelson, 170, 238, 242
Mann, Thomas, 32
Mannheim, Karl, 39, 67, 289
Manuel, Mme., 126
Maquiavel, Nicolau, 279
Marcondes Filho, 61
Marcuse, Herbert, 130
Marighella, Carlos, 148, 152
Marín, Lito, 115
Marinho, Roberto, 186
Marini, Rui Mauro, 111, 160, 162
Martins, Antônio, 231
Martins, Carlos Estevam, 115, 141, 145
Martins, José de Sousa, 48
Martins, Luciano, 126, 129, 135-6
Martins, Paulo Egídio, 141, 149-50

Marx, Karl, 52, 65, 67, 69-72, 91, 102, 116, 128, 130-1, 137-8, 251
Mastrobuono, Marco Antônio, 88
Matarazzo, Yolanda, 44
Matta, Roberto, 123
Mattingly Urquidi, Marjory, 118
Mazzucchelli, Frederico, 148
MDB (Movimento Democrático Brasileiro), 177-84, 202, 204, 207, 213, 219-20; *ver também* PMDB
Medeiros, Laudelino, 76
Médici, Emílio Garrastazu, 142, 202
Medina Echavarría, José, 85, 100, 102, 109, 122
Mello, Thiago de, 123
Mello Neto, Arnon de, 13
Melo e Sousa, Gilda de, 44
*Memórias póstumas de Brás Cubas* (Machado de Assis), 12
Mena Barreto, Adolfo, 24
Mendes, Candido, 71, 95, 137, 167
Menezes, Aquiles de, 14, 17
Merton, Robert, 71, 101
Mesquita, família, 58, 186
Mesquita, Luís Carlos, 58
Mesquita, Rui, 37
Mesquita Filho, Júlio de, 34, 74, 130
Métraux, Alfred, 45
Meyer, Luiz, 72-3
*Military in Politics: Changing Patterns in Brazil, The* (Stepan), 175
Milliet, Sérgio, 56
Mills, Wright, 213
Mindlin, Betty, 141
Mindlin, José, 51, 53, 141
Mistinguett, Marta, 21
"Mitos da oposição, Os" (Cardoso), 187
Mitterrand, François, 119

*Modelo político brasileiro e outros ensaios, O* (Cardoso), 161, 174, 176, 192
*Modernas tecnodemocracias, As* (Duverger), 213
*Modernización y autoritarismo* (O'Donnell), 176
Moisés, José Álvaro, 157, 181
Monbeig, Pierre, 34-5, 81
*Monde, Le* (jornal), 128
*Montanha mágica, A* (Mann), 32
Monteil, Paul, 55
Monteiro, Dilermando Gomes, 152
Monteiro, Euler Bentes, 210-1
Monteiro, Honório, 61, 98
Montesquieu, 57
Montoro, Franco, 173, 179-82, 184-5, 190, 200-2, 212-3, 220
Morais, Antonieta Dias de, 53
Morazé, Charles, 41
Moreira, Renato Jardim, 46, 49, 57, 63
Morse, Richard, 46, 81
Motta, Sérgio, 144, 156, 291
*Movimento* (jornal), 144, 177-8
*Mulher de trinta anos, A* (Balzac), 32
Müller, Geraldo, 156
Muniz, Sérgio, 98
Mussolini, Gioconda, 39

Nabuco, Joaquim, 9, 14
Nasser, Gamal Abdel, 74
*National Interest* (revista), 246
Nerfin, Marc, 166
Nery, Ailton, 179
Neves, Aécio, 217
Neves, Francisco de Castro, 95
Neves, Tancredo, 95, 184, 189, 193-4, 201, 212, 216-9, 267
Nogueira, José Bonifácio Coutinho, 80

Nogueira Filho, Ataliba, 56
Novais, Fernando, 70, 72
Nun, José (Pepe), 100, 115

O'Donnell, Guillermo, 145, 176
Oliveira, Chico de, 144, 148, 157, 178, 181
Oliveira, Gilda Cardoso de (irmã de FHC), 22, 26-7, 69
Oliveira, José Aparecido de, 94-5
Oliveira, Plínio Correia de, 40
Oliveira, Rita Porfírio da Silva, 16
Oliveira, Roberto Cardoso de, 69, 87, 173
*Opinião* (jornal), 142, 144, 177-8, 186-7
Orfila Reynal, Arnaldo, 117
*Organização social dos tupinambá, A* (Florestan Fernandes), 37
"Originality of the Copy, The" (Cardoso), 165
Ortega y Gasset, José, 290
Osório, Fernando, 76

Padin, d. Cândido, 57
Pagu (Patrícia Galvão), 56
Paiva, Rubens, 152-3
"Papel dos novos governadores, O" (Cardoso), 187
*Parceiros do Rio Bonito, Os* (Candido), 38
Parente, Agenor Barreto, 53, 61
Parente, Pedro, 234
Parmênides, 36
Parsons, Talcott, 49, 66, 92, 101, 162
Partido Comunista, 18, 52-3, 58-61, 79, 90, 215
*Partidos e as eleições no Brasil, Os* (Cardoso e Lamounier), 145, 187-8

Partido Trabalhista Brasileiro, 105, 215
Pascal, Blaise, 75
Passarinho, Jarbas, 193-4
Pastor, Robert, 170
Paz, Octavio, 247
PDS (Partido Democrático Social), 193, 202, 215
Pedreira, Fernando, 53, 59-61
Pedrosa, Mário, 129
Peixoto, Floriano, 23
*Pensamento selvagem, O* (Lévi-Strauss), 173
Pereira, Eduardo Jorge Caldas, 228, 261
Pessoa, Fernando, 12
Pessoa, Samuel, 58, 89, 98
Peyrefitte, Alain, 127
PFL (Partido da Frente Liberal), 212, 215
Philip, príncipe, 164
Pierson, Donald, 46-7
Pinsard, Maiah de Almeida, 31
Pinto, Álvaro Vieira, 71
Pinto, Aníbal, 109, 111
Pinto, Luís Costa, 100
Pinto, Paulo Alves, 94
Pires, Waldir, 126
Pizzorno, Alessandro, 129
Plano Real, 228, 231-3
PMDB (Partido do Movimento Democrático Brasileiro), 178, 184, 193, 200-2, 212, 214-5, 218-9, 264; ver também MDB
*Poliarquia* (Dahl), 212
*Política e desenvolvimento em sociedades dependentes* (Cardoso), 134, 162
*Política & sociedade* (Cardoso e Martins), 145

Poppovic, Pedro Paulo, 99, 112, 126
Portinari, Candido, 31
*Portugal e Brasil na crise do antigo sistema colonial* (Novais), 72
Poulantzas, Nicos, 128, 174
Prado, Bento, 57, 70-1, 98
Prado, Danda, 94
Prado, Lúcia, 57, 91
Prado Júnior, Caio, 48, 52-3, 55, 89, 94, 103, 289
Prata, José Expedicto, 144
Prebisch, Raúl, 102, 109-10, 114, 116, 165, 226
Prestes, Luís Carlos, 18
PSDB (Partido da Social Democracia Brasileira), 184, 221-2, 232, 243, 264
PT (Partido dos Trabalhadores), 182-5, 214, 222, 231, 233-4, 237, 242-3, 264-5
Puoli, José Antônio, 31-2

Quadros, Jânio, 51, 58, 61, 74-5, 88, 94-6, 220-2, 263
Quadros, Tutu, 88
Queirós, Eça de, 12
Queirós, Maria Isaura Pereira de, 44, 125
Queiroz, Rachel de, 32
*Quem governa?* (Dahl), 212
Quércia, Orestes, 179
"Questão da democracia, A" (Cardoso), 188
"Questão do Estado no Brasil, A" (Cardoso), 188
*Questions de méthode* (Sartre), 72, 75
Quijano, Aníbal, 113

Radcliffe-Brown, Alfred, 39
Ramos, Graciliano, 32, 55

Ramos, Guerreiro, 44
Ratto, Gianni, 54
Reale, Miguel, 98
Rebolo Gonsales, Francisco, 55
Redfield, Robert, 36
*Regimes políticos, Os* (Duverger), 213
*Regras do método sociológico* (Durkheim), 67
Resende, Eliseu, 225
*Retrato do conde-duque de Olivares* (tela de Velázquez), 54
*Revista Brasileira de Estudos Políticos*, 80
*Revista Brasiliense*, 53, 55, 57, 81, 94
*Revista dos Novíssimos*, 56
*Revolução na Revolução?* (Debray), 118
Reyna, José Luis, 113, 119
Ribeiro, Darcy, 87-8, 100
Richa, José, 213, 217
Robinson, Joan, 165
Rockefeller, David, 139
Rodrigues, Leôncio Martins, 48-9, 57, 60, 79, 98-9, 101, 153
Rodrigues, Nelson, 54
Rolland, Romain, 32
Romney, Mitt, 252
Rostow, W.W., 83-4
Rouquié, Alain, 66, 145
Rousseff, Dilma, 241-3
Runciman, David, 251

Sá e Silva, Gustavo, 29
Sabato, Ernesto, 128
Sabato, Jorge, 128
Sacchetta, Hermínio, 52
Sachs, Ignacy, 166, 172
Sales, d. Eugênio, 170
Sales, Ibanês de Morais, 33

Salvini, Matteo, 248
Sampaio, Plínio de Arruda, 27, 88-9, 123
Sant'Anna, Vanya, 147
Santinha, dona (esposa de Dutra), 23
Santos, José Francisco Quirino dos, 48, 101
Santos, Nelson Pereira dos, 55
Santos, Paulo de Tarso, 123, 126
Santos, Ruy, 55
Santos, Silvio, 232
Santos, Teotônio dos, 111, 162
Santos, Wanderley Guilherme dos, 167
*São Paulo 1975: crescimento e pobreza* (Cardoso et al.), 146, 150
Sardenberg, Ronaldo, 225
Sarney, José, 193-4, 202, 212, 217-9, 231, 243
Saroyan, William, 32
Sartre, Jean-Paul, 55, 66, 72-6
Scalco, Euclides, 213, 222
Schaden, Egon, 39
Schenberg, Mário, 53
Schmitter, Philippe, 176
Schwarcz, Luiz, 9
Schwarz, Roberto, 12, 70
Segall, Lasar, 51
Segall, Maurício, 50-1, 54, 99
Serra, José, 124, 142, 158, 160, 182-3, 213-4, 234, 291
Silva, Alberto Carvalho da, 58, 61
Silva, Hélio Schlitter, 38
Silva, Luís Hildebrando Pereira da, 98
Silva e Oliveira, José Manuel da, 16
Silva Michelena, José Agustín, 114
Silva Michelena, Luis José, 114
Simmel, Georg, 46
Simon, Pedro, 179, 210-2
Singer, Paul, 70-2, 140, 157

Smelson, Neil, 168
Soares, Mário, 145, 216
*Sociedade bloqueada, A* (Crozier), 91
*Sociedade em rede, A* (Castells), 244
*Sociologia* (revista), 81
Sodré, Maria de Abreu, 235
Sodré, Maria do Carmo, 235
Sola, Lourdes, 48
Solari, Aldo, 85
Solari, Malucha, 111
Sombart, Werner, 84, 289
Sorel, Edith Gombos, 53
Sousa, Marcelo Rebelo de, 250
Souza Cruz, Alberico de, 230
Sousa e Silva, Osmar Penteado de, 32
Spencer, Herbert, 32
Stálin, Ióssif, 59, 61
Stavenhagen, Rodolfo, 113
Steinbeck, John, 32
Stepan, Alfred, 118, 175, 214
Stevens, Kera, 63
Stevens, Wilfred, 63
Stouffer, Samuel, 63
Sucupira, Eduardo, 53
Summers, Larry, 229
Sunkel, Osvaldo, 109, 111-2

Tavares, Ana, 231
Tavares, Maria da Conceição, 124, 142, 145, 154
Távora, Virgílio, 193
Teixeira, Anísio, 38, 87, 100, 124
Teixeira, Lívio, 37
Teixeira, Magalhães, 180
Teixeira, Maria de Lourdes, 56
*Tempo da memória, O* (Bobbio), 9
*Temps modernes, Les* (revista), 66
"Tensões sociais no campo e reforma agrária" (Cardoso), 80

Tocqueville, Alexis de, 172
Toniollo, Waldir, 31
Torres-Rivas, Edelberto, 116
Touraine, Alain, 66-8, 72-3, 91-2, 104, 112, 122, 125, 129, 131, 145, 250
Touraine, Marisol, 73
"Towards Another Development" (Cardoso), 166
*Tristes trópicos* (Lévi-Strauss), 173
Trótski, Leon, 129
Trump, Donald, 248-9, 252-3, 255, 262

Ulánova, Galina, 54
Ulhoa Cintra, Antônio Barros de, 89
Urquidi, Victor, 118, 155

Valdés, Gabriel, 123
Vandré, Geraldo, 202
Vargas (médico costarriquenho), 104
Vargas, Getúlio, 10-1, 14-6, 24, 33, 51, 59-62, 65, 89-90, 108-9
Vasconcellos, Tetê Smith, 143, 156
Vaz, Zeferino, 61
Veiga, Pimenta da, 213
Vekemans, Roger, 115
Velázquez, Diego, 54
Véliz, Claudio, 111
Ventura, Luís, 31, 54-5
Verba, Sidney, 137, 138
Vernon, Raymond, 121

*Vestido de noiva* (Rodrigues), 54
Vianna, Luiz Werneck, 115, 141
Vidigal, Luís Eulálio de Bueno, 61
Vieira, José Geraldo, 56
Vilela, Teotônio, 20, 153, 182, 184, 211-2, 291
*Vinhas da ira, As* (Steinbeck), 32
Vouga, Claudio, 48
Vuillemin, Jules, 91
Vuscovic, Pedro, 109

Wagley, Charles, 93
Wainer, Samuel, 185
Wajda, Andrzej, 172
Walesa, Lech, 173
Walzer, Michael, 168
Weber, Max, 37-8, 67, 71, 81-2, 84, 289
Weffort, Francisco, 49, 70, 102-3, 109, 114, 123, 140, 157, 181, 183-4
Weinberg, Gregorio, 117
Whitehead, Laurence, 176
Wilheim, Jorge, 54
Willems, Emílio, 37
Wirth, Louis, 157
Wittgenstein, Ludwig, 69
Wolff, Philippe, 41
Wyszynski, d. (cardeal de Varsóvia), 173

Ziblatt, Daniel, 251-2

ESTA OBRA FOI COMPOSTA PELA SPRESS EM MINION E IMPRESSA EM OFSETE
PELA LIS GRÁFICA SOBRE PAPEL PÓLEN SOFT DA SUZANO S.A.
PARA A EDITORA SCHWARCZ EM MAIO DE 2021

A marca FSC® é a garantia de que a madeira utilizada na fabricação do papel deste livro provém de florestas que foram gerenciadas de maneira ambientalmente correta, socialmente justa e economicamente viável, além de outras fontes de origem controlada.